Breve introducción
a la
UNIÓN EUROPEA

El *Brexit* y el nuevo marco de relaciones
entre la Unión Europea y el Reino Unido

Dr. Raúl Lafuente Sánchez

Profesor titular acreditado de Derecho Internacional Privado,
Universidad de Alicante;
Abogado

Edición ampliada y revisada

La presente edición ha sido revisada atendiendo a las normas vigentes de nuestra lengua, recogidas por la Real Academia Española en el *Diccionario de la lengua española* (2014), *Ortografía de la lengua española* (2010), *Nueva gramática de la lengua española* (2009) y *Diccionario panhispánico de dudas* (2005).

Breve introducción a la Unión Europea. El *Brexit* y el nuevo modelo de relaciones entre el Reino Unido y la Unión Europea. Edición revisada.

© Raúl Lafuente Sánchez

ISBN: 978-84-17577-03-2
Depósito legal: A 370-2018

Edita: Editorial Club Universitario Telf.: 96 567 61 33
C/ Decano, n.º 4 – 03690 San Vicente (Alicante)
www.ecu.fm
ecu@ecu.fm

Printed in Spain
Imprime: Imprenta Gamma Telf.: 96 567 19 87
C/ Cottolengo, n.º 25 – 03690 San Vicente (Alicante)
www.gamma.fm
gamma@gamma.fm

«Europa no se hará de una vez ni en una obra de conjunto: se hará gracias a realizaciones concretas, que creen en primer lugar una solidaridad de hecho».

Robert Schuman, 1950

A Mario, Cayetano, Pepe, Zaro y Nacho, que junto a los jó-venes europeos de su generación han de seguir creando soli-daridades que contribuyan a la construcción del inacabado proyecto europeo.

ÍNDICE

PRESENTACIÓN 21

PARTE PRIMERA:
LA UNIÓN EUROPEA

Capítulo 1
GÉNESIS Y EVOLUCIÓN DE LA UNIÓN EUROPEA 25
  I. LA COOPERACIÓN EUROPEA TRAS LA SEGUNDA GUERRA
  MUNDIAL 27
  II. LOS TRATADOS CONSTITUTIVOS Y EL PROCESO
  INTEGRADOR EN EUROPA 28
    A. La Europa de los seis, la creación de la AELC y las primeras
    solicitudes de ampliación.. 28
    B. La primera ampliación: Dinamarca, Irlanda, Reino Unido y
    Noruega 31
    C. Las sucesivas ampliaciones de la Comunidad: de nueve a
    veintiocho Estados miembros 31
  III. LOS TRATADOS MODIFICATIVOS DE LA UNIÓN EUROPEA......32
    A. El Tratado de Fusión: Tratado de Bruselas............................32
    B. El Acta Única Europea 32
    C. El Tratado de la Unión Europea: Tratado de Maastricht 33
    D. El Tratado de Ámsterdam..33
    E. El Tratado de Niza 34
    F. El Tratado que establecía una Constitución para Europa.........34
    G. El Tratado de Lisboa...34
    H. El Tratado para la Estabilidad, la Coordinación y la Gobernanza
    de la Unión Económica y Monetaria 35
  IV. LOS TRATADOS DE ADHESIÓN 35
  V. PAISES CANDIDATOS Y CANDIDATOS POTENCIALES PARA
  FUTURAS AMPLIACIONES DE LA UNIÓN EUROPEA.....................36
  VI. LA ASOCIACIÓN EUROPEA DE LIBRE COMERCIO Y LA
  UNIÓN EUROPEA: EL ESPACIO ECONÓMICO EUROPEO.................37
    A. La Asociación Europea de Libre Comercio (AELC)...................37
    B. El Acuerdo sobre el Espacio Económico Europeo 37

Capítulo 2
EL ORDENAMIENTO JURÍDICO DE LA UNIÓN EUROPEA 41
  I. LAS FUENTES DEL DERECHO DE LA UNIÓN EUROPEA 42
    A. El Derecho originario 42
      1. Los Tratados 42
    B. El Derecho derivado 43
      1. Reglamentos 43
      2. Directivas 44
      3. Decisiones 44
      4. Recomendaciones y Dictámenes 45
      5. Los actos delegados y de ejecución 45
    C. Las fuentes complementarias 46
      1. La jurisprudencia del Tribunal de Justicia de la Unión
      Europea 46
      2. Los principios generales del Derecho 46
  II. LAS CARACTERÍSTICAS DEL DERECHO DE LA UNIÓN
  EUROPEA 47
    A. Primacía 47
    B. Aplicabilidad directa 48
    C. Efecto directo 49
      1. Efecto directo y derecho originario 49
      2. Efecto directo y derecho derivado 50
        a) Los reglamentos y las decisiones 50
        b) Especial referencia al efecto directo de las directivas 51
          i) Efecto directo vertical 51
          ii) Efecto directo horizontal 53
    D. Incumplimiento del Derecho de la Unión Europea y
    responsabilidad de los Estados miembros 55

Capítulo 3
EL GOBIERNO DE LA UNIÓN EUROPEA:
INSTITUCIONES Y ÓRGANOS CONSULTIVOS 61
  I. INSTITUCIONES 62
    A. El Parlamento Europeo 62
      1. Composición 62
      2. Funcionamiento 63
      3. Competencias 63
        a) Competencias legislativas 63
        b) Competencias de supervisión 64

c) Competencias presupuestarias 65
4. El Parlamento Europeo y el poder legislativo......................... 65
   a) El procedimiento legislativo ordinario............................... 65
   b) Los procedimientos legislativos especiales 65
B. El Consejo de la Unión Europea 66
   1. Composición 66
   2. Funcionamiento y adopción de decisiones 68
      a) Mayoría cualificada... 68
      b) Unanimidad... 69
      c) Mayoría simple... 69
   3. Competencias... 70
C. La Comisión Europea 71
   1. Composición 71
   2. Funcionamiento y toma de decisiones 72
   3. Competencias... 72
      a) Guardiana de los Tratados...................................... 72
      b) Funciones ejecutivas 73
      c) Iniciativa legislativa 73
      d) Representación institucional 73
   4. Direcciones generales 74
   5. Supervisión de la Comisión 76
D. El Tribunal de Justicia de la Unión Europea 76
   1. El Tribunal de Justicia 76
      a) Composición 76
      b) Funcionamiento... 77
      c) Competencias 78
      d) Recursos directos ante el Tribunal de Justicia 78
         i) El recurso por incumplimiento................................ 78
         ii) El recurso de anulación 80
         iii) El recurso por omisión 83
         iv) Los recursos en materia de responsabilidad
         extracontractual 84
         v) Los recursos de casación 85
         vi) Ejecución de sentencias..................................... 86
      e) Recursos indirectos ante el Tribunal de Justicia 86
         i) La cuestión prejudicial 86
   2. El Tribunal General... 89
      a) Composición 89
      b) Funcionamiento... 89

c) Competencias 89

II. ÓRGANOS CONSULTIVOS DE LA UNIÓN EUROPEA............. 90

A. El Comité Económico y Social de la Unión Europea................. 90

B. El Comité Europeo de las Regiones................................. 91

C. El Banco Europeo de Inversiones 91

III. OTRAS INSTITUCIONES Y ORGANISMOS INTERINSTITU-
CIONALES DE LA UNIÓN EUROPEA.................................... 91

Capítulo 4
MERCADO ÚNICO Y LIBRE CIRCULACIÓN DE MERCANCÍAS ... 93

I. OBJETIVOS DE LA LIBRE CIRCULACIÓN DE MERCANCÍAS... 94

A. Planteamiento 94

B. Concepto de mercancías. 95

II. CREACIÓN DE UNA UNIÓN ADUANERA 95

A. Eliminación de los derechos de aduana y las exacciones de
efecto equivalente entre los Estados miembros 95

1. Derechos de aduana 96

2. ¿Qué se entiende por productos en libre práctica? 96

3. Exacciones de efecto equivalente a los derechos de aduana 97

B. No aplicación de tributos internos discriminatorios 98

1. Discriminación directa e indirecta 99

2. Aplicación de gravámenes superiores a los impuestos a los
productos nacionales iguales o similares 99

3. Tributos internos que tengan por objeto proteger otras
producciones 99

4. Relación entre el artículo 30 del TFUE (derechos de aduana y
exacciones de efecto equivalente) y el artículo 110 del TFUE
(tributos internos discriminatorios)................................100

C. Supresión entre los Estados miembros de las restricciones
cuantitativas y las medidas de efecto equivalente 101

1. Restricciones cuantitativas...................................... 101

2. ¿Qué se entiende por medidas de efecto equivalente a las
restricciones cuantitativas? 102

3. Medidas nacionales —activas o pasivas— que constituyen
obstáculos a la libre circulación de mercancías 104

D. El Arancel Aduanero Común (AAC)................................110

III. EXCEPCIONES A LA LIBRE CIRCULACIÓN DE
MERCANCÍAS..110

A. Medidas de efecto equivalente a las restricciones cuantitativas justificadas por un interés general no económico 110

    1. Razones de orden público, moralidad y seguridad públicas.....111

    2. Protección de la salud y vida de las personas, animales y vegetales...112

    3. Protección de la propiedad industrial y comercial 112

B. Medidas de efecto equivalente a las restricciones cuantitativas justificadas por exigencias imperativas..115

IV. ARMONIZACIÓN DE LAS LEGISLACIONES NACIONALES......116

V. EL PRINCIPIO DEL RECONOCIMIENTO MUTUO.........................116

Capítulo 5
CIUDADANIA DE LA UNIÓN Y LIBRE CIRCULACIÓN DE PERSONAS 119

I. CIUDADANÍA DE LA UNIÓN 120

    A. Concepto, contenido y límites 120

    B. Los ciudadanos de la Unión y el control en las fronteras 123

    C. Ciudadanía de la Unión y nacionales de terceros Estados......... 125

II. LIBRE CIRCULACIÓN DE PERSONAS.................................... 125

    A. Derecho de circular y residir libremente en el territorio de los Estados miembros... 125

        1. La Directiva 2004/38 relativa al derecho de los ciudadanos de la Unión Europea y de los miembros de sus familias a circular y residir libremente en el territorio de los Estados miembros.. 126

            a) Objetivos..126

            b) Derechos de los ciudadanos de la Unión y sus familiares......127

            c) Limitaciones a la libre circulación de ciudadanos 130

                i) Orden público y seguridad pública.................................131

                ii) Salud pública...133

    B. Aspectos relacionados con la cobertura sanitaria y los sistemas de seguridad social 134

        1. Asistencia sanitaria en la Unión Europea............................. 134

            a) Estancias temporales 134

            b) Residencia permanente en otro país de la Unión Europea.....135

            c) La Directiva 2011/24/UE del Parlamento Europeo y del Consejo de 9 de marzo de 2011, relativa a la aplicación de los derechos de los pacientes en la asistencia sanitaria transfronteriza 135

2. La coordinación de los sistemas de seguridad social en la
Unión Europea 136

    a) Los Reglamentos 883/2004 del Parlamento Europeo y
    del Consejo, sobre la coordinación de los sistemas de
    seguridad social y 987/2009 por el que se adoptan las
    normas de aplicación del Reglamento 883/2004 137

III. LIBRE CIRCULACIÓN DE TRABAJADORES 137

  A. Alcance de este derecho.. 137

  B. Concepto de trabajador 138

  C. Acceso al empleo 139

  D. Ejercicio del empleo en igualdad de trato 140

    1. Principio general 140

    2. Trabajadores y ventajas sociales no discriminatorias 142

    3. Excepción al principio general de no discriminación en
    materia de acceso al empleo 144

  E. Limitaciones al ejercicio de este derecho................................. 144

    1. Orden público, seguridad pública y salud públicas 144

    2. Empleos en la administración pública 145

  F. Derecho a permanecer en el Estado miembro una vez
  finalizada la actividad laboral por cuenta ajena 146

IV. EL DEPORTE COMO ACTIVIDAD ECONÓMICA Y LA
LIBRE CIRCULACIÓN DE DEPORTISTAS................................. 148

  A. La libre circulación de deportistas profesionales en la Unión
  Europea 148

Capítulo 6
DERECHO DE ESTABLECIMIENTO Y LIBRE PRESTACIÓN DE
SERVICIOS 153

  I. DISTINCIÓN ENTRE AMBOS DERECHOS............................ 154

  II. DERECHO DE ESTABLECIMIENTO 158

    A. Concepto 158

    B. Aplicable a las personas físicas (trabajadores por cuenta
    propia) y jurídicas... 158

    C. Desarrollo por el derecho derivado y la jurisprudencia............. 159

  III. LIBRE PRESTACIÓN DE SERVICIOS 160

    A. Concepto y servicios que incluye 160

    B. Desarrollo de la libre prestación de servicios en la
    jurisprudencia 161

    C. Referencia a la libre prestación de servicios pasiva.................. 162

D. La Directiva 2006/123 del Parlamento Europeo y del Consejo relativa a los servicios en el mercado interior 164

IV. RESTRICCIONES AL EJERCICIO DEL DERECHO DE ESTABLECIMIENTO Y LA LIBRE PRESTACIÓN DE SERVICIOS 164

A. Derecho de establecimiento y actividades relacionadas con el ejercicio del poder público 164

B. Razones de orden público, seguridad y salud públicas..,....... 167

C. Condiciones para la aplicación de las limitaciones a la libre prestación de servicios 167

V. ARMONIZACIÓN DE LAS CUALIFICACIONES PROFESIONALES 169

A. Reconocimiento mutuo de diplomas, certificados y otros títulos 169

1. Expedidos en un Estado miembro 169

2. Expedidos fuera de la Unión Europea 171

B. Dificultades que plantean algunas profesiones 175

C. Ausencia de regulación de los requisitos de acceso a una profesión .177

Capítulo 7
LA UNIÓN ECONÓMICA Y MONETARIA, LA MONEDA ÚNICA Y LA LIBRE CIRCULACIÓN DE CAPITALES 179

I. LA UNIÓN ECONÓMICA Y MONETARIA 180

A. ¿Por qué es necesaria la UEM? 180

B. ¿Qué implica la Unión Económica y Monetaria? 181

C. Etapas de la Unión Económica y Monetaria 182

D. Instituciones responsables de la aplicación de la Unión Económica y Monetaria 182

II. LA MONEDA ÚNICA: EL EURO 184

A. Finalidad de la moneda única 184

B. Introducción del euro y países que lo han adoptado 184

C. Importancia del euro en el contexto internacional 185

III. LIBRE CIRCULACIÓN DE CAPITALES 186

A. Objetivos de la libre circulación de capitales 186

B. Fundamento jurídico y desarrollo de la libre circulación de capitales y pagos 186

C. Restricciones justificadas a la libre circulación de capitales 187

1. En relación a los movimientos de capitales con terceros países..187

2. Con carácter general, incluidos los movimientos en el ámbito de la Unión Europea 188

a) Procedimientos de declaración de movimientos capitales 189

i) ¿Qué sucede cuando se incumple la obligación de declaración previa por parte del sujeto obligado?.................190

b) Medidas justificadas por razones de orden público o de seguridad pública...191

D. Supresión de la cláusula de salvaguardia 192

E. Infracción de la libre circulación de capitales por los Estados miembros 192

F. Los pagos en la Unión Europea.. 192

Capítulo 8
LA POLÍTICA DE COMPETENCIA 193

I. OBJETIVOS 194

A. Ventajas que aporta la libre competencia: protección del mercado, de las pequeñas empresas y de los consumidores........... 194

II. ACTUACIONES QUE PUEDEN FALSEAR LA LIBRE COMPETENCIA 195

III. REGULACIÓN DE LAS EMPRESAS Y LIBRE COMPETENCIA ..197

A. Acuerdos entre empresas 197

1. Principio general prohibitivo 197

2. Exenciones 198

a) Exenciones por categorías 198

b) Acuerdos de menor importancia 199

B. Abuso de posición dominante 200

1. ¿Qué se entiende por posición dominante?.......................... 200

2. Prácticas abusivas 200

a) Imponer directa o indirectamente precios de compra, de venta u otras condiciones de transacción no equitativas........ 201

b) Aplicar a terceros contratantes condiciones desiguales para prestaciones equivalentes que ocasionen a estos una desventaja competitiva.. 201

c) Subordinar la celebración de contratos a la aceptación, por los otros contratantes, de prestaciones suplementarias que, por su naturaleza o según los usos mercantiles, no guarden relación alguna con el objeto de dichos contratos. 202

d) Establecer precios anormalmente bajos o venta a pérdida.. 203

e) Negarse a suministrar productos a los clientes 204

C. Concentraciones entre empresas... 205

1. Definición de concentración 205

2. Control de las concentraciones de dimensión comunitaria... 206
D. Empresas públicas 206
IV. AYUDAS DE ESTADO 207
A. Concepto de ayuda de estado.. 207
B. Principio general prohibitivo 208
C. Excepciones 208
1. Ayudas de menor importancia...................................... 210
2. Ayudas de finalidad regional y sectorial: directrices
verticales y horizonales...211
D. El control de las ayudas de Estado 212
1. Notificación de las ayudas de Estado: distinción entre
ayudas legales y ayudas ilegales 212
2. Compatibilidad de las ayudas con el mercado interior 213
3. Reembolso de las ayudas ilegales que resulten incompabiles
con el mercado interior 213
E. Revisión de las decisiones de la Comisión Europea por el
Tribunal de Justicia 214
F. El principio de proporcionalidad y confianza legítima............... 215
G. Responsabilidad de los beneficiarios de ayudas de Estado 218

Capítulo 9
EL ESPACIO DE LIBERTAD, SEGURIDAD Y JUSTICIA............... 221
I. ASPECTOS GENERALES 222
II. OBJETIVOS... 222
III. NOVEDADES INTRODUCIDAS POR EL TRATADO DE
LISBOA PARA ALCANZAR LOS OBJETIVOS DEL ELSJ............. 223
A. Procedimiento de toma de decisiones más eficaz y democrático 223
B. Atribución de mayores competencias a los Parlamentos
nacionales 223
C. Atribución de mayores competencias al Tribunal de Justicia de la
Unión Europea 224
D. Mayor protagonismo de la Comisión Europea 224
E. Intervención de los Estados miembros en la evaluación de la
aplicación de las políticas en el ámbito del espacio de libertad,
seguridad y justicia...224
IV. ÁMBITO DEL ESPACIO DE LIBERTAD, SEGURIDAD Y
JUSTICIA.. 224
A. El control fronterizo, asilo e inmigración 225
B. La cooperación judicial en materia civil 225

C. La cooperación judicial en materia penal 225

D. La cooperación policial.. 226

V. PAÍSES NO PARTICIPANTES EN EL ESPACIO DE LIBERTAD,
SEGURIDAD Y JUSTICIA.. 227

Capítulo 10
**LAS RELACIONES COMERCIALES EXTERIORES DE LA
UNIÓN EUROPEA**... 229

I. COMERCIO MUNDIAL Y UNIÓN EUROPEA.......................... 230

II. LA POLÍTICA COMERCIAL COMÚN (PCC) 230

A. Introducción.. 230

B. Régimen aplicable a las exportaciones 232

C. Régimen aplicable a las importaciones.................................. 233

III. DIMENSIÓN MULTILATERAL DE LA PCC: LA
ORGANIZACIÓN MUNDIAL DEL COMERCIO 234

A. Del GATT a la OMC... 234

B. La Organización Mundial del Comercio 235

1. Planteamiento.. 235

2. Principios básicos.. 236

3. La solución de diferencias en el seno de la OMC................. 237

a) El Entendimiento Relativo a las Normas y
Procedimientos por los que se Rige la Solución de
Diferencias 237

C. La Unión Europea y la Organización Mundial del Comercio .. 238

1. Planteamiento 238

2. Aplicación de las normas comerciales internacionales en la
Unión Europea 240

IV. DIMENSIÓN BILATERAL DE LA PCC: ACUERDOS DE LIBRE
COMERCIO..241

A. Países en desarrollo: Sistema de Preferencias Generalizadas
(SPG).. 241

B. La Política Europea de Vecindad... 242

C. Relación con los países de África, del Caribe y del Pacífico
(ACP) 242

D. Acuerdos Euromediterráneos 243

E. Acuerdos con países del continente americano 244

F. Las relaciones transatlánticas: Canadá y Estados Unidos..... 244

G. Dimensión asiática: Asia y el Pacífico 245

PARTE SEGUNDA:
EL *BREXIT* Y EL NUEVO MARCO DE RELACIONES ENTRE LA UNIÓN EUROPEA Y EL REINO UNIDO

Capítulo 11
ORIGEN DEL BREXIT, RETIRADA DEL REINO UNIDO Y MODELOS ALTERNATIVOS PARA REGULAR LAS FUTURAS RELACIONES BILATERALES 249
  I. PLANTEAMIENTO 250
    A. El proyecto europeo y el Reino Unido 250
    B. Origen del *Brexit* 251
  II. LA RETIRADA VOLUNTARIA DE LA UNIÓN EUROPEA 254
    A. El artículo 50 del Tratado de la Unión Europea 254
    B. Algunas cuestiones controvertidas sobre este proceso 255
      1. Carácter consultivo y no vinculante del resultado del referéndum, ya que refleja la expresión de la soberanía popular......256
      2. Posibilidad de convocar un nuevo referéndum 256
      3. Obligación de solicitar la aprobación del Parlamento para notificar la retirada prevista en el artículo 50 del TUE 256
      4. El desafío del Brexit ante los tribunales.................................... 257
    C. Procedimiento que se ha de seguir.. 259
  III. MODELOS ALTERNATIVOS PARA REGULAR LAS FUTURAS RELACIONES ENTRE EL REINO UNIDO Y LA UNIÓN EUROPEA...261
    A. Integración en el Espacio Económico Europeo a través de la Asociación Europea de Libre Comercio... 262
    B. Pertenencia a la Asociación Europea de Libre Comercio fuera del Espacio Económico Europeo 263
    C. Integración en una Unión Aduanera.. 264
    D. Negociación de un acuerdo bilateral de libre comercio 265
    E. Acuerdo multilateral negociado en el marco de la Organización Mundial del Comercio 266

Capítulo 12
CONSECUENCIAS DE LA SALIDA DEL REINO UNIDO DE LA UNIÓN EUROPEA... 269
  I. PLANTEAMIENTO... 270
  II. CONSECUENCIAS DE LA RETIRADA DEL REINO UNIDO .. 271
    A. Aspectos políticos y económicos.. 271

    B. Cuestiones institucionales 272

    C. Fronteras terrestres, política exterior y de seguridad 273

III. IMPACTO EN EL MERCADO INTERIOR 274

    A. Libre circulación de mercancías y politica comercial común .. 274

    B. Libre circulación de personas y trabajadores 276

        1. Especial referencia a la libre circulación en el mundo
        académico 280

    C. Libre prestación de servicios financieros 281

    D. La política de competencia 283

    E. Protección de la propiedad intelectual 283

    F. La protección de datos 284

    G. Leyes laborales y fiscalidad 285

IV. EFECTOS EN EL ÁMBITO DE APLICACIÓN DEL DERECHO
DE LA UNIÓN EUROPEA 285

    A. El Derecho de la Unión y su futura aplicación en el Reino
    Unido 285

    B. La resolución de conflictos transfronterizos 287

        1. Competencia judicial internacional 288

        2. Ley aplicable 289

        3. Arbitraje comercial internacional 290

CRONOLOGÍA DE LA UNIÓN EUROPEA 291

JURISPRUDENCIA CITADA:
DECISIONES DEL TRIBUNAL DE JUSTICIA DE LA UNIÓN
EUROPEA 303

BIBLIOGRAFÍA DE REFERENCIA 313

PRESENTACIÓN

La aproximación a la Unión Europea ha de hacerse desde diversas perspectivas: política, económica, social y jurídica, pues todos estos aspectos forman parte del proceso de integración europea iniciado en 1957 en el que se encuentran implicados, al menos por el momento, veintiocho Estados miembros, y que ha constituido el proyecto más exitoso de integración y cooperación internacional desarrollado con la finalidad de lograr la pacificación y el progreso del continente europeo.

La cooperación política de los Estados a través de las instituciones de la Unión Europea; el desarrollo de un ordenamiento jurídico propio que forma parte de los ordenamientos jurídicos nacionales armonizando sus legislaciones; la integración económica en sus diversas facetas, desde el desarrollo del mercado interior hasta la creación de una eurozona con su moneda única; las distintas políticas desarrolladas por la Unión Europea en múltiples materias —desde la política social hasta la política exterior y de seguridad— …, son aspectos que impregnan la vida diaria de los ciudadanos y las empresas de los Estados miembros y que han marcado el desarrollo político, social y económico de estos durante las últimas décadas.

Esta obra pretende ser una herramienta útil de trabajo tanto para los universitarios que se aproximan por vez primera, o ya con un cierto bagaje, al estudio del fenómeno de la integración europea desde sus diferentes ángulos, cuanto para los profesionales y público en general interesados en el tema, en un momento de incertidumbre y convulso pero, al mismo tiempo, esperanzador.

Por primera vez en la historia, desde la firma del Tratado constitutivo de la Comunidad Económica Europea, un Estado miembro, el Reino Unido, ha solicitado su salida de la Unión Europea de conformidad con el artículo 50 del TUE y está negociando el acuerdo de separación. De este modo, después de cuarenta y cinco años como Estado miembro, el 29 de marzo de 2019, el Reino Unido dejará de formar parte de la Unión Europea. Frente a las sucesivas adhesiones que se han ido produciendo a lo largo de la historia nos encontramos ahora en un momento de inflexión donde determinados aspectos de la construcción europea están siendo cuestionados desde ciertos sectores de la población. La posibilidad de una (des)integración, el reexamen del procedimiento seguido hasta la fecha, o la búsqueda de nuevos modelos de colaboración para el futuro ponen de manifiesto que, tal y como señalaba Robert Schuman, Europa no se hace de una vez y el *Brexit* con todas sus implicaciones es una muestra real de este proceso vivo y aún inacabado en el que las nuevas generaciones han de seguir trabajando con ilusión y aportando sus ideas innovadoras y renovadoras.

Esta obra se estructura en 12 capítulos divididos en dos partes. En la primera, se abordan los aspectos fundamentales de la Unión Europea, desde el proceso histórico de su creación hasta las cuestiones más actuales; su ordenamiento jurídico y el marco institucional; la realización del mercado interior con sus cuatro libertades —mercancías, personas, servicios y capitales—; la política de competencia; el espacio de libertad, seguridad y justicia; y las relaciones comerciales con el exterior.

La segunda, está dedicada al estudio de la salida del Reino Unido de la Unión Europea, analizando para ello tanto el origen del *Brexit* cuanto el procedimiento que se ha de seguir para implementar el artículo 50 del TUE, así como los modelos alternativos que podrían aplicarse para regir las futuras relaciones entre ambas partes. En definitiva, el nuevo encaje entre el Reino Unido y la Unión Europea, las consecuencias que este hecho va a tener a nivel político, social, jurídico y económico —tanto para los ciudadanos cuanto para las empresas y las administraciones públicas—, y su repercusión en el proceso de integración europea y, lo que es más importante, en la unidad europea.

Pese a los esfuerzos llevados a cabo por ambas partes, aún no existe la certeza de que se pueda alcanzar un acuerdo para la fecha prevista, el 30 de marzo de 2019, pues si bien se ha progresado en algunos temas, en otros, de gran calado, aún no existe acuerdo. Por lo tanto, en el momento actual, pueden plantearse dos escenarios: el primero, que prevé la adopción de un acuerdo de separación entre las partes que pueda ser ratificado antes del 30 de marzo de 2019. De ser así, los términos del mismo se aplicarían a partir del 1 de enero de 2021 pues se ha acordado un periodo transitorio que se extendería hasta el 31 de diciembre de 2020 con el fin de facilitar la salida del Reino Unido de la Unión Europea; el segundo, contempla la ausencia de acuerdo entre las partes o el acuerdo pero no ratificado antes de la fecha prevista, el 30 de marzo de 2019. En ese caso, no habría período transitorio y desde ese momento el Reino Unido dejaría de pertenecer a la Unión Europea. Indiscutiblemente, las consecuencias serán diferentes dependiendo de que exista o no acuerdo entre las partes. Resulta evidente que la salida del Reino Unido de la Unión Europea es un proceso complejo y difícil que requiere el establecimiento de un nuevo marco para regular sus relaciones futuras y, sin lugar a dudas, los plazos previstos en el Tratado se antojan excesivamente breves y no favorecen la conclusión de un acuerdo que sea satisfactorio para ambas partes

Sabiñán, 16 de agosto de 2018
Raúl Lafuente Sánchez

PARTE PRIMERA:

LA UNIÓN EUROPEA

Capítulo 1

GÉNESIS Y EVOLUCIÓN DE LA UNIÓN EUROPEA

I. LA COOPERACIÓN EUROPEA TRAS LA SEGUNDA GUERRA MUNDIAL

II. LOS TRATADOS CONSTITUTIVOS Y EL PROCESO INTEGRADOR EN EUROPA

    A. La Europa de los seis, la creación de la AELC y las primeras solicitudes de ampliación

    B. La primera ampliación: Dinamarca, Irlanda, Reino Unido y Noruega

    C. Las sucesivas ampliaciones de la Comunidad: de nueve a veintiocho Estados miembros

III. LOS TRATADOS MODIFICATIVOS DE LA UNIÓN EUROPEA

    A. El Tratado de Fusión: Tratado de Bruselas

    B. El Acta Única Europea

    C. El Tratado de la Unión Europea: Tratado de Maastricht

    D. El Tratado de Ámsterdam

    E. El Tratado de Niza

    F. El Tratado que establecía una Constitución para Europa

    G. El Tratado de Lisboa

    H. El Tratado para la Estabilidad, la Coordinación y la Gobernanza de la Unión Económica y Monetaria

IV. LOS TRATADOS DE ADHESIÓN

V. PAÍSES CANDIDATOS Y CANDIDATOS POTENCIALES PARA FUTURAS AMPLIACIONES DE LA UNIÓN EUROPEA

VI. LA ASOCIACIÓN EUROPEA DE LIBRE COMERCIO Y LA UNIÓN EUROPEA. EL ESPACIO ECONÓMICO EUROPEO

A. La Asociación Europea de Libre Comercio (AELC)
B. El Acuerdo sobre el Espacio Económico Europeo

I. LA COOPERACIÓN EUROPEA TRAS LA SEGUNDA GUERRA MUNDIAL

Tras la Segunda Guerra Mundial y la devastación sufrida por Europa, en todo el continente surgieron diversas iniciativas y movimientos europeos comprometidos no solo con la reconstrucción de Europa sino, igualmente, con la idea de acabar para siempre con el uso de la fuerza para solventar las diferencias entre los distintos países europeos. Se pretendía con ello la creación de una Europa unida sobre una base federal que permitiese evitar sucesos similares en el futuro y mantener la paz en Europa y en el mundo.

Entre todas las iniciativas citaremos, a modo de ejemplo, la que planteaba la creación de una unión entre Francia y Gran Bretaña, basada en la constitución de un ejecutivo y una ciudadanía común, propuesta concebida por el político francés Jean Monnet en 1940 y que recibió el apoyo de Winston Churchill, pero no así de Francia; o el proyecto de unión económica que, siguiendo la iniciativa planteada por el ministro belga Henri Spaak, se llevó a cabo entre Bélgica, Holanda y Luxemburgo en al año 1944 dando lugar a la Unión Económica del Benelux y que tenía como objetivo la integración económica de estos Estados mediante la creación de una unión aduanera. En cierto modo, suponía un precedente en la posterior creación de las Comunidades Europeas; o, finalmente, la propuesta de Winston Churchill una vez finalizada la guerra en el año 1946, en su famoso discurso pronunciado en la Universidad de Zúrich, donde plasmaba la idea de una integración europea continental —sin abandonar la posición aislacionista inglesa— y proponía la creación de una especie de Estados Unidos de Europa con una ciudadanía común, planteando una primera aproximación y asociación entre Francia y Alemania.

Todas estas iniciativas dieron lugar a la construcción europea, que es un proyecto único que ha permitido a los países superar sus diferencias y desarrollar un marco común de entendimiento en los ámbitos político, económico y social. No exento de dificultades, este proceso de integración aún inacabado —el *Brexit* es un buen ejemplo de ello— ha sido referencia para otras zonas de integración en diversas regiones del mundo, y fue galardonado con el Premio Nobel de la Paz en el año 2012, reconociendo así la contribución de la Unión Europea durante todo este tiempo a la promoción de la paz y la reconciliación, la democracia y los derechos humanos.

II. LOS TRATADOS CONSTITUTIVOS Y EL PROCESO INTEGRADOR EN EUROPA

A. La Europa de los seis, la creación de la AELC y las primeras solicitudes de ampliación

El punto de partida para el proceso integrador en Europa viene auspiciado por el político francés Jean Monnet y se anuncia en el discurso pronunciado por Robert Schuman, ministro de Asuntos Exteriores de Francia, el 9 de mayo de 1950. En este, anunciaba la creación de la Comunidad Europea del Carbón y del Acero (CECA), optando, así, por la elección de la vía económica como primer paso para mantener la paz, conseguir la cooperación entre los países de Europa y, finalmente, su integración.

DECLARACIÓN DE ROBERT SCHUMAN, 9 de mayo de 1950

La paz mundial no puede salvaguardarse sin unos esfuerzos creadores equiparables a los peligros que la amenazan. […]

Europa no se hará de una vez ni en una obra de conjunto: se hará gracias a realizaciones concretas, que creen en primer lugar una solidaridad de hecho. La agrupación de las naciones europeas exige que la oposición secular entre Francia y Alemania quede superada, por lo que la acción emprendida debe afectar en primer lugar a Francia y Alemania.

Con este fin, el Gobierno francés propone actuar de inmediato sobre un punto limitado, pero decisivo: «El Gobierno francés propone que se someta el conjunto de la producción franco-alemana de carbón y de acero a una Alta Autoridad común, en una organización abierta a los demás países de Europa».

La puesta en común de las producciones de carbón y de acero garantizará inmediatamente la creación de bases comunes de desarrollo económico, prima etapa de la federación europea, y cambiará el destino de esas regiones, que durante tanto tiempo se han dedicado a la fabricación de armas, de las que ellas mismas han sido las primeras víctimas[…]

https://www.robert-schuman.eu/es/doc/questions-d-europe/qe-204-es.pdf

---

De este modo, la industria del carbón en Alemania y la siderúrgica en Francia se complementarían mutuamente, permitiendo con este acuerdo los intercambios recíprocos entre ambos países. Además, con la autoridad para el control común de la industria del carbón y del acero —no solo de Francia y Alemania, sino también del resto de países de Europa que así lo aceptasen— se acabaría con el enfrentamiento tradicional entre estos países y se facilitaría la integración europea; pues no hay que olvidar que el acero y el carbón eran dos elementos esenciales para la fabricación de armas que, a la postre, representan el caldo de cultivo de las guerras.

La respuesta no se hizo esperar y, junto a Francia, la propia Alemania, Italia y los países del Benelux —Bélgica, Holanda y Luxemburgo— aceptaron la propuesta a favor de la pacificación de Europa. Gran Bretaña, sin embargo, deseosa de seguir manteniendo intacta su soberanía nacional y sus compromisos con los países de la Commonwealth, rechazó la invitación.

El 18 de abril de 1951 se firmó el Tratado de París por el que se instituía la Comunidad Europea del Carbón y del Acero entre Francia, Alemania, Italia, Bélgica, Holanda y Luxemburgo, que entró en vigor el 25 de julio de 1952 con una duración de cincuenta años. Este tratado de la CECA establecía tres instituciones: la Alta Autoridad, la Asamblea Parlamentaria y el Tribunal de Justicia. Junto a ellas, se estableció también un Consejo de Ministros que compartiría la adopción de decisiones con la Alta Autoridad.

En el año 1955, los países del Benelux proponen al resto de países miembros de la CECA seguir avanzando en la integración europea mediante la creación de instituciones comunes, la creación de un mercado común y la armonización de sus políticas sociales. El memorando conjunto de los países del Benelux dio lugar a la celebración de la Conferencia de Mesina (Sicilia) donde los ministros de Asuntos Exteriores de los seis Estados miembros de la CECA adoptaron una resolución en la que se marcaban como objetivo la creación de un mercado común europeo con el establecimiento de una unión aduanera, así como el estudio de la creación de una organización común para el desarrollo pacífico de la energía atómica. De este modo, se creó el comité Spaak para coordinar los diferentes trabajos y avanzar en la redacción de los Tratados de la Comunidad Económica y de la Energía Atómica. Gran Bretaña fue invitada a participar en los trabajos del mencionado comité, pero enseguida dejó de formar parte activa del mismo.

Finalmente, el 25 de marzo de 1957 se firmaron en Roma el Tratado constitutivo de la Comunidad Económica Europea (CEE) y el Tratado de la Comunidad Europea de la Energía Atómica (EURATOM), que entraron en vigor el 1 de enero de 1958. En ellos se establecían las siguientes instituciones: una Asamblea y un Tribunal de Justicia comunes a ambas Comunidades y un Consejo de Ministros y una Comisión para cada una de ellas. El elemento nuclear, sin duda alguna, era la cesión de parte de la soberanía nacional de los seis Estados firmantes a favor de las Comunidades Europeas.

Estos tres Tratados, el constitutivo de la Comunidad Europea del Carbón y del Acero y los dos Tratados de Roma (CEE y EURATOM) son considerados los tratados constitutivos de la Unión Europea. Nacía así una nueva potencia comercial, pues la eliminación de las barreras aduaneras entre los seis Estados miembros y el establecimiento de una tarifa aduanera común de cara al exterior iba a afectar de modo significativo al resto de países.

Por entonces se debatió en el seno de la Organización Europea para la Cooperación Económica (OECE) la creación de una zona de libre cambio que pudiese ser compatible con el mercado común y actuase de puente entre los países de la Comunidad Europea y de la OECE. El 4 de enero de 1960, siete países de la OECE firmaron la Convención de Estocolmo por la que se instituía la Asociación Europea de Libre Comercio (AELC o EFTA según su acrónimo inglés, *European Free Trade Association*). Se trataba de Austria, Dinamarca, Noruega, Portugal, Suecia, Suiza y Gran Bretaña, si bien algunos de estos países ya manifestaron desde el principio su interés por incorporarse a la Comunidad Europea. Y así, en 1961, el Gobierno británico planteó el inicio de negociaciones para su adhesión a la Comunidad Europea. Si bien, tres aspectos iban a ser determinantes a la hora de llevar a cabo esas negociaciones:

a) La situación de los países de la Commonwealth. Reino Unido no admitía que las relaciones más estrechas con los países de la Comunidad Europea pudiesen romper los lazos históricos con los países de la Commonwealth.

b) La situación de los países participantes en la EFTA. Estos países, sin embargo, siguiendo la estela de Gran Bretaña, presentaron su petición de adhesión a la Comunidad de forma sucesiva: Dinamarca, Noruega, Austria, Suecia y Suiza en 1961, Portugal en 1962.

c) La situación de la agricultura británica.

Sin embargo, esa primera solicitud de adhesión por parte de Gran Bretaña fue vetada por el gobierno francés, aduciendo que antes de proceder a una ampliación convenía buscar la cohesión interna de la Comunidad, tesis que, por otro lado, no era compartida por el resto de Estados miembros, pues consideraban que la cohesión interna y la ampliación no tenían que ser cuestiones antagónicas.

B. La primera ampliación: Dinamarca, Irlanda, Reino Unido y Noruega

El 29 de octubre de 1971 se firmó el Tratado de Adhesión de Gran Bretaña y el 22 de enero de 1972 el Tratado de Adhesión de Irlanda, Dinamarca y Noruega, que entraron en vigor el 1 de enero de 1973. Noruega, sin embargo, no pudo ratificar el Tratado de Adhesión por el pronunciamiento en referéndum de sus ciudadanos en contra de su adhesión a las Comunidades Europeas.

C. Las sucesivas ampliaciones de la Comunidad: de nueve a veintiocho Estados miembros

En julio de 1976, se abrieron oficialmente las negociaciones para la adhesión de Grecia a las Comunidades Europeas, finalizando con la firma del Tratado de Adhesión en Atenas el 28 de mayo de 1979 que entró en vigor el 1 de enero de 1981.

El 28 de marzo de 1977, fue Portugal quien solicitó su adhesión a las Comunidades Europeas, mientras que España lo hacía el 28 de julio de 1977. El 12 de Junio de 1985 se firmaron los Tratados de Adhesión de España y Portugal, que entraron en vigor el 1 de enero de 1986 ampliándose, así, la Comunidad a doce Estados miembros.

A finales de los años ochenta, se produjo otro hecho transcendental en Europa, la caída del muro del Berlín el 9 de noviembre de 1989 y la posterior reunificación de las dos Alemanias. De este modo, en octubre de 1990, la antigua Alemania Oriental se incorporaba a la Comunidad Europea.

Tras la firma de los Tratados de Adhesión de Noruega, Austria, Finlandia y Suecia a la Unión Europea el día 24 de junio de 1994 en Corfú, el referéndum negativo de los ciudadanos noruegos impide (por segunda vez) que Noruega entre a formar parte de la Unión Europea. Sin embargo, el 1 de enero de 1995 se producía la adhesión de los otros tres países —Austria, Finlandia y Suecia— a la Unión Europea.

En diciembre de 1997, se iniciaron las negociaciones de adhesión con doce nuevos países; diez de Europa Central y Oriental —Bulgaria, Chequia, Eslovaquia, Eslovenia, Estonia, Hungría, Letonia, Lituania, Polonia y Rumania—, además de Chipre y Malta. Estas negociaciones culminaron con la firma del Acta de Adhesión el 1 de mayo de 2004 y la incorporación a la Unión Europea de ocho países de la Europa Central y Oriental, poniendo así fin a la división de Europa acordada por las grandes potencias en 1945 en Yalta. Se trataba de Chequia, Eslovaquia, Eslovenia, Estonia, Hungría, Letonia, Lituania, Polonia. Y, junto a ellos, también se incorporaron dos países del mediterráneo: Chipre y Malta. Así, la Unión Europea ya había alcanzado los veinticinco Estados miembros.

El 1 de enero de 2007 los dos países de Europa Oriental —Bulgaria y Rumanía— que no habían conseguido la adhesión en 2004, pasaron a formar parte de la Unión Europea alcanzando, así, los veintisiete Estados miembros.

En fin, en el año 2003 Croacia solicitó formalmente su adhesión y, tras seis años de negociación entre los años 2005 y 2011, el 9 de diciembre de 2011 se firmó el Tratado de Adhesión, pasando a ser el Estado miembro número veintiocho de la Unión Europea el día 1 de julio de 2013.

III. LOS TRATADOS MODIFICATIVOS DE LA UNIÓN EUROPEA

A. El Tratado de Fusión: Tratado de Bruselas

Este tratado, que se firmó el 8 de abril de 1965 y que entró en vigor el 1 de julio de 1967, llevó a cabo la fusión de los órganos ejecutivos de las tres Comunidades Europeas. Con ello se pretendía racionalizar las instituciones creando una sola Comisión y un único Consejo al servicio de las tres Comunidades Europeas (CEE, EURATOM y CECA), contrariamente a lo que había sucedido hasta entonces. Este tratado fue derogado por el Tratado de Ámsterdam.

B. El Acta Única Europea

A pesar de la supresión de los derechos de aduana prevista en el Tratado de la Comunidad Europea, las divergencias entre las legislaciones nacionales seguían impidiendo la liberalización plena de los intercambios comerciales dentro de la Comunidad.

Por ello, en el Consejo Europeo de Luxemburgo celebrado en diciembre de 1985, los diez Estados miembros acordaron revisar el Tratado de Roma y relanzar la integración europea mediante la redacción de un Acta Única Europea donde se establecía la creación del mercado único antes de 1993. De esta forma, el 17 de febrero de 1986, se firmó el Acta Única Europea, que entró en vigor el 1 de julio de 1987 y que tenía como finalidad reformar las instituciones para preparar la adhesión de España y Portugal. Además, establecía un programa de seis años para eliminar las trabas a la libre circulación de mercancías dentro del territorio de la Comunidad y la creación del mercado único. Para ello, introduce un sistema de mayoría cualificada en el Consejo que hacía más difícil el veto por un solo país y los procedimientos de cooperación y dictamen conforme, que daban más peso al Parlamento.

Se pasa, de este modo, del objetivo inicial del mercado común al del mercado único y a la completa realización del mercado interior, donde las libertades previstas en el tratado debían ser una realidad en el año 1992. Además, a partir de este momento, la CEE pasó a denominarse Comunidad Europea.

C. El Tratado de la Unión Europea: Tratado de Maastricht

Después del Acta Única Europea y de la consecución del mercado único, los Estados miembros se plantean establecer las bases para una futura unión política, así como una unión económica y monetaria. Fruto de dos conferencias intergubernamentales para la reforma de los tratados surge el Tratado sobre la Unión Europea (también conocido como el Tratado de Maastricht), que se firmó el 7 de febrero de 1992 y entró en vigor el 1 de noviembre de 1993. Este tratado tenía como objetivo transformar la Comunidad Europea en una Unión Europea.

En él, se establecían normas para preparar la Unión Monetaria Europea y la futura creación de la moneda única. Del mismo modo, introducía novedades en temas relacionados con la política exterior y de seguridad común de la Unión, la ciudadanía, y la cooperación en materia de justicia y asuntos de interior. Y dotaba al Parlamento de mayor protagonismo en la toma de decisiones introduciendo, para ello, el procedimiento de codecisión. A partir del Tratado de Maastricht la Unión Europea sustituye oficialmente a la Comunidad Europea.

El Tratado de la Unión estructuró la Unión Europea sobre la base de tres pilares: el primero, integrado por el Tratado Constitutivo de la Comunidad Europea (disposiciones ya preexistentes en materia Política, Económica y Monetaria); el segundo, que incluye las disposiciones relativas a la Política Exterior y de Seguridad Común (PESC) y el tercero, que engloba las disposiciones relativas a la cooperación en los asuntos de Justicia e Interior.

D. El Tratado de Ámsterdam

El 2 de octubre de 1997 se firmó el Tratado de Ámsterdam, que entró en vigor el 1 de mayo de 1999. Este tratado, que modificó el Tratado de

Maastricht, incorporaba disposiciones destinadas a reformar las instituciones europeas para preparar las futuras ampliaciones y reforzar la participación y el peso de la Unión Europea en el mundo; ampliaba los derechos de ciudadanía europea y la cooperación en materia de empleo. Además, introducía mayor transparencia en la toma de decisiones, favoreciendo la utilización del procedimiento legislativo ordinario. Finalmente, creaba el cargo de Alto representante del Consejo para la Política Exterior y de Seguridad Común (PESC) que actualmente, y a partir del Tratado de Lisboa, se denomina Alto representante de la Unión para Asuntos Exteriores y Política de Seguridad.

E. El Tratado de Niza

El 26 de febrero de 2001, los Estados miembros firmaron el Tratado de Niza, que reformaba las instituciones y las reglas de votación en el seno de la Unión Europea, con el fin de que las instituciones pudiesen funcionar de forma más eficiente tras la última ampliación que elevaba el número de Estados miembros a veinticinco. Este tratado entró en vigor el 1 de febrero de 2003.

F. El Tratado que establecía una Constitución para Europa

Fue el 4 de octubre de 2001 cuando se abrió la Conferencia Intergubernamental encargada de redactar el Tratado Constitucional, y el 29 de octubre de 2004 cuando los veinticinco Estados miembros firmaron el tratado por el que se establecía una Constitución para Europa. Se pretendía con ello simplificar el proceso de decisión democrático y el funcionamiento de una Europa de veinticinco países que en breve podía ampliarse. Además, el tratado establecía la creación de un puesto de ministro europeo de Asuntos Exteriores. Como su entrada en vigor requería su ratificación por todos los Estados miembros, el rechazo de Francia y Holanda en sendos referendos supuso el abandono de este proyecto.

G. El Tratado de Lisboa

Tras la adhesión de Rumanía y Bulgaria, los 27 Estados miembros acordaron negociar un tratado de reforma. Y así, el 13 de diciembre de 2007 firmaron el Tratado de Lisboa por el que se modificaban los anteriores y se suprimían los tres pilares de Maastricht.

Este tratado tiene como finalidad establecer instituciones más modernas y métodos de trabajo más eficientes, así como aumentar la democracia, la eficacia, y la transparencia de la Unión Europea. Con este objetivo, aumentaron las competencias del Parlamento Europeo —generalizando el procedimiento legislativo ordinario—; se introducen cambios en los procedimientos de voto en el Consejo; se incorpora la iniciativa ciudadana —que permite a los ciudadanos de la Unión solicitar a la Comisión Europea la presentación de una propuesta de legislación previamente respaldada por un millón de firmas—; se institucionaliza el Consejo Europeo, que dispondrá de un presidente con carácter permanente —dos años y medio renovables por un segundo mandato– ; y se incorpora el cargo de Alto Representante de la Unión para Asuntos Exteriores y Política de Seguridad. El Tratado de Lisboa fue ratificado por todos los Estados miembros entrando en vigor el 1 de diciembre de 2009.

H. El Tratado para la Estabilidad, la Coordinación y la Gobernanza de la Unión Económica y Monetaria

La crisis financiera desencadenada en el año 2009 dio lugar a la adopción de una serie de instrumentos que permitiesen fortalecer la Unión económica y monetaria y prevenir sucesos similares en el futuro. Así, por ejemplo, la unión bancaria que ha dado lugar a la creación del Mecanismo Único de Supervisión, el Mecanismo Único de Resolución y el Mecanismo Europeo de Estabilidad.

Pues bien, con el fin de asumir su compromiso con la disciplina presupuestaria, y fortalecer la disciplina fiscal mediante sanciones automáticas, en marzo de 2012 se firmó el Tratado internacional sobre Estabilidad, Coordinación y Gobernanza de la Unión Económica y Monetaria por todos los Estados miembros de la Unión Europea, a excepción del Reino Unido, la República Checa y Croacia. Este tratado entró en vigor en enero de 2013.

IV. LOS TRATADOS DE ADHESIÓN

A su vez, los Tratados constitutivos también se han modificado cada vez que se ha producido la incorporación de un nuevo Estado a la Unión Europea. A saber:

- 1973: Dinamarca, Irlanda y Reino Unido.
- 1981: Grecia.
- 1986: España y Portugal.
- 1995: Austria, Finlandia y Suecia.

- 2004: Chipre, Eslovaquia, Eslovenia, Estonia, Hungría, Letonia, Lituania, Malta, Polonia y República Checa.
- 2007: Bulgaria y Rumanía.
- 2013: Croacia.

V. PAISES CANDIDATOS Y CANDIDATOS POTENCIALES PARA FUTURAS AMPLIACIONES DE LA UNIÓN EUROPEA

De conformidad con el **artículo 49 del TFUE en relación con su artículo 2**, cualquier Estado europeo que respete los valores democráticos de la Unión y se comprometa a defenderlos podrá solicitar su adhesión a la Unión Europea. Para ello, han de cumplir una serie de requisitos, conocidos como los «criterios de Copenhague»: a) tener un régimen democrático; b) que respeten el Estado de derecho y los derechos humanos; c) que tengan una economía de mercado; y d) que acepten las normas del Derecho de la Unión Europea y, en particular, los grandes objetivos de Unión política, económica y monetaria.

Si se cumplen los requisitos antes mencionados, se inicia el procedimiento oficial de negociación. Para ello, el país candidato ha de dirigir su solicitud de adhesión al Consejo que se pronunciará por unanimidad tras haber consultado a la Comisión y previa aprobación del Parlamento Europeo por mayoría de sus miembros. El acuerdo entre los Estados miembros y el Estado solicitante se someterá a la ratificación de todos los Estados contratantes y el proceso finalizará con la firma del Acta de Adhesión y la correspondiente incorporación del nuevo Estado como miembro de la Unión Europea.

En el momento actual, entre los países candidatos a futuras ampliaciones de la Unión Europea se encuentran los siguientes:

- Países candidatos oficiales
  - o Albania.
  - o Antigua República Yugoslava de Macedonia.
  - o Montenegro.
  - o Serbia.
  - o Turquía.
- Países candidatos potenciales
  - o Bosnia y Herzegovina.
  - o Kosovo (Balcanes occidentales).

VI. LA ASOCIACIÓN EUROPEA DE LIBRE COMERCIO Y LA UNIÓN EUROPEA: EL ESPACIO ECONÓMICO EUROPEO

A. La Asociación Europea de Libre Comercio (AELC)

La Asociación Europea de Libre Comercio, AELC *(European Free Trade Association, EFTA* según su acrónimo inglés) es una organización intergubernamental que tiene como objetivo la promoción del libre comercio y la integración económica. Sus orígenes se remontan al año 1960 cuando siete países de la OECE —Austria, Dinamarca, Noruega, Portugal, Suecia, Suiza y Reino Unido—, firmaron la Convención de Estocolmo. Posteriormente, se fueron uniendo otros países: Finlandia, en el año 1961; Islandia en 1970 y Liechtenstein en 1991. Con el tiempo, algunos de sus miembros fueron abandonando la Asociación con motivo de su adhesión a las Comunidades Europeas, este es el caso del Reino Unido, Dinamarca, Portugal, Austria, Finlandia y Suecia, por lo que en el momento actual únicamente cuatro estados —Islandia, Liechtenstein, Noruega y Suiza— forman parte de la misma.

Los países que forman parte de la AELC constituyen una asociación de libre comercio que se basa en la eliminación de los aranceles aduaneros y las barreras comerciales entre sus productos y servicios, y en el mantenimiento de su arancel propio respecto a los productos y servicios procedentes del exterior. Sin embargo, este principio tiene sus excepciones en el marco del Acuerdo sobre el Espacio Económico Europeo.

B. El Acuerdo sobre el Espacio Económico Europeo

El Acuerdo sobre el Espacio Económico Europeo se firmó en 1992, y entró en vigor en el año 1994, entre la Unión Europea y la Asociación Europea de Libre Comercio. En aquel momento, los Estados miembros de la Unión Europea (12) eran: Alemania, Francia, Italia, Bélgica, Holanda, Luxemburgo, Dinamarca, Irlanda, Reino Unido, Grecia, España y Portugal; y los países de la AELC: Austria, Finlandia, Islandia, Liechtenstein, Noruega y Suiza, si bien, este último rechazó el Acuerdo posteriormente. Actualmente, Austria, Finlandia y Suecia siguen formando parte del Acuerdo, pero como Estados miembros de la Unión Europea, así como el resto de países que con posterioridad a la firma del Acuerdo se integraron en la Unión Europea. Así pues, los veintiocho Estados miembros de la UE más tres de los cuatro Estados miembros de la AELC (Islandia, Liechtenstein y Noruega) forman parte del EEE.

El objetivo de este Acuerdo es crear un espacio entre los países que forman parte de ambas zonas de integración económica, la UE y la AELC, en el que se garanticen las cuatro libertades: libre circulación de mercancías, personas, servicios y capitales. Además, este Acuerdo también abarca otros aspectos relacionados con los siguientes ámbitos: investigación y desarrollo, educación, política social, medioambiente, protección al consumidor, turismo y cultura e incluye normas de competencia y sobre ayudas de Estado.

Para ello, el Acuerdo del EEE prevé que la legislación adoptada en el seno de la Unión Europea, en cuya adopción no participan los Estados de la AELC, pues únicamente   pueden participar en los trabajos preparatorios y formular observaciones, será de aplicación en el EEE. Así, cuando los tres países de la AELC consideren que esa legislación es relevante para el EEE, se iniciará el proceso para su incorporación al Acuerdo del EEE y, de ser adoptada, se aplicará igualmente en Islandia, Liechtenstein y Noruega en las materias que son objeto del Acuerdo antes mencionadas.

Con el fin de desarrollar los mencionados objetivos, el Acuerdo del EEE cuenta con una serie de organismos que reproducen el sistema institucional de la Unión Europea:

- El Comité mixto EEE, del que forman parte la Comisión Europea (a través del Servicio Europeo de Acción Exterior, es decir, el servicio diplomático de la UE compuesto por funcionarios y otros agentes de la UE) y la AELC (embajadores de los tres países de dicha Asociación). La función principal de este órgano es la adopción de decisiones, por consenso, en relación a la incorporación de la legislación adoptada en el seno de la UE al Acuerdo EEE.
- El Consejo del EEE, del que forman parte miembros del Consejo de la Unión Europea y de la Comisión (a través del Servicio Europeo de Acción Exterior) y por parte de la AELC los ministros de Asuntos Exteriores de los tres países de la Asociación. Este Consejo se reúne dos veces al año y tiene como funciones principales definir la dirección estratégica del Acuerdo y la orientación del Comité Mixto del EEE.
- El Comité consultivo del EEE, integrado por miembros del Comité Económico y Social Europeo y del Comité Consultivo de la AELC.
- El Comité Parlamentario mixto del EEE, constituido por miembros del Parlamento Europeo y de los diferentes parlamentos nacionales de Islandia, Liechtenstein y Noruega. Tiene como función controlar y examinar aquellas políticas y decisiones adoptadas en el seno de la

UE que puedan ser relevantes para el EEE.

Por otra parte, la AELC cuenta con dos organismos propios que desarrollan una función esencial en el marco del Espacio Económico Europeo:

- El Órgano de Vigilancia de la AELC, que tiene como misión garantizar el cumplimiento de las obligaciones que emanan del Acuerdo EEE por parte de los tres Estados de la AELC (una función equivalente a la que desarrolla la Comisión Europea como guardiana de los Tratados en el ámbito de la UE y de sus Estados miembros).
- El Tribunal de la AELC, competente para fallar sobre los recursos interpuestos por el Órgano de Vigilancia de la AELC contra un país de la AELC en relación a la ejecución, la aplicación o la interpretación de las normas del EEE (función similar a la que desempeña el TJUE en el ámbito de los países de la UE).

ACUERDO SOBRE EL ESPACIO ECONÓMICO EUROPEO

El Acuerdo sobre el Espacio Económico Europeo se firmó en 1992 y entró en vigor en el año 1994, entre la Unión Europea y la Asociación Europea de Libre Comercio. En la actualidad, forman parte del mismo los veintiocho Estados miembros de la Unión Europea más tres de los cuatro Estados miembros de la AELC (Islandia, Liechtenstein y Noruega).

Tiene por objeto la creación de un espacio entre los países que forman parte de ambas zonas de integración económica en el que se garanticen las cuatro libertades: libre circulación de mercancías, personas, servicios y capitales, además de abarcar otros aspectos relacionados con la investigación y desarrollo, la educación, la política social, el medioambiente, la protección al consumidor, el turismo y la cultura. Asimismo, incluye normas de competencia y ayudas de Estado.

https://eur-lex.europa.eu/legal-content/ES/TXT/?uri=LEGISSUM%3Aem0024

Capítulo 2

EL ORDENAMIENTO JURÍDICO DE LA UNIÓN EUROPEA

I. LAS FUENTES DEL DERECHO DE LA UNIÓN EUROPEA

    A. El Derecho originario
    B. El Derecho derivado
    C. Las fuentes complementarias

II. LAS CARACTERÍSTICAS DEL DERECHO DE LA UNIÓN EUROPEA

    A. Primacía
    B. Aplicabilidad directa
    C. Efecto directo
    D. Incumplimiento del Derecho de la Unión Europea y responsabilidad de los Estados miembros

I. LAS FUENTES DEL DERECHO DE LA UNIÓN EUROPEA

Las fuentes del Derecho de la Unión Europea pueden clasificarse del siguiente modo:

A. El Derecho originario

1. Los Tratados

El derecho primario o derecho originario de la Unión Europea está constituido por los tratados fundacionales, así como por sus modificaciones y los tratados de adhesión. Los tratados fundacionales son los siguientes:

- Tratado constitutivo de la Comunidad Europea del Carbón y del Acero, Tratado CECA, firmado el 18 de abril de 1951 (entró en vigor el 23 de julio de 1952 y expiró el 23 de julio de 2002).
- Tratado de Roma, por el que se constituye la Comunidad Económica Europea (CEE) o «mercado común», firmado el 25 de marzo de 1957 (entró en vigor el 1 de enero de 1958).
- Tratado EURATOM (*European Atomic Energy Community Treaty)*, firmado el 25 de marzo de 1957 (entró en vigor el 1 de enero de 1958).

Los tratados modificativos de los tratados fundacionales son los firmados entre los Estados miembros que han sido ennumerados en el capítulo anterior:

- El Tratado de Fusión.
- El Acta Única Europea.
- El Tratado de la Unión Europea (Tratado de Maastricht).
- El Tratado de Ámsterdam.
- El Tratado de Niza.
- El Tratado de Lisboa.
- El Tratado para la Estabilidad, la Coordinación y la Gobernanza de la Unión Económica y Monetaria.

A su vez, los tratados de adhesión que se han firmado en cada una de siete ocasiones en las que se ha producido la adhesión de nuevos estados a la Unión Europea también forma parte del Derecho originario.

B. El Derecho derivado

El derecho derivado lo compone el conjunto de normas que emanan del derecho originario. Desarrolla los principios y objetivos establecidos en los tratados y viene constituido por los actos adoptados por las instituciones de la Union Europea, a saber: reglamentos, directivas, decisiones, recomendaciones, dictámenes y otros actos legislativos. En este punto, hay que distinguir entre actos jurídicos vinculantes, como son los reglamentos, las directivas y las decisiones, y aquellos que no lo son, entre los que se encuentran las recomendaciones y los dictámenes.

El **artículo 288 del TFUE** dispone:

> Para ejercer las competencias de la Unión, las instituciones adoptarán reglamentos, directivas, decisiones, recomendaciones y dictámenes. El reglamento tendrá un alcance general. Será obligatorio en todos sus elementos y directamente aplicable en cada Estado miembro.
>
> La directiva obligará al Estado miembro destinatario en cuanto al resultado que deba conseguirse, dejando, sin embargo, a las autoridades nacionales la elección de la forma y de los medios. La decisión será obligatoria en todos sus elementos. Cuando designe destinatarios, solo será obligatoria para estos. Las recomendaciones y los dictámenes no serán vinculantes.

Por otra parte, todo acto legislativo adoptado por las instituciones de la Unión Europea ha de tener una base jurídica y ha de establecer en su preámbulo el artículo del tratado en el que se basa, ya que este será el que establezca el procedimiento legislativo que ha de seguir para su adopción.

1. Reglamentos

Tendrá un alcance general. Será obligatorio en todos sus elementos y directamente aplicable en cada Estado miembro.

- Alcance general significa que será de aplicación tanto a los Estados miembros cuanto a las personas físicas y jurídicas.
- Obligatorio en todos sus elementos quiere decir que la totalidad de las disposiciones del reglamento han de aplicarse.
- Directamente aplicable significa que el reglamento será de aplicación en todos los Estados miembros sin necesidad de la adopción de ninguna medida adicional por parte de los Estados.
- En todos los Estados miembros, es decir, que el reglamento ha aplicarse de la misma forma y al mismo tiempo en todo el territorio de la Unión.

- Los reglamentos han de ser publicados en el *Diario Oficial de la Unión Europea* en las 24 lenguas oficiales, entrando en vigor en la fecha designada en el mismo y, si no se especifica, a los 20 días a partir de la fecha de su publicación.

LENGUAS OFICIALES EN LA UNION EUROPEA

Alemán, búlgaro, checo, croata, danés, eslovaco, esloveno, español, estonio, finés, francés, griego, húngaro, inglés, irlandés, italiano, letón, lituano, maltés, neerlandés, polaco, portugués, rumano y sueco.

https://europa.eu/european-union/abouteuropa/language-policy_es

---

2. Directivas

La directiva obligará al Estado miembro destinatario en cuanto al resultado que deba conseguirse, dejando, sin embargo, a las autoridades nacionales la elección de la forma y de los medios.

- El objetivo de la directiva es permitir la consecución de los objetivos comunes a través de la intervención de los Estados miembros.
- Por ello, únicamente se dirigen a los Estados miembros.
- Los Estados han de adoptar las disposiciones nacionales pertinentes para incorporar los principios establecidos en la directiva dentro del plazo concedido al efecto.
- La forma para incorporar en derecho interno los principios establecidos en la directiva se deja en manos de los Estados miembros.
- Una vez incorporadas en el derecho nacional las obligaciones derivadas de las directivas, estas resultan obligatorias para empresas y particulares a través de la legislación estatal.
- Las directivas han de ser publicadas en el *Diario Oficial de la Unión Europea* en las 24 lenguas oficiales.
- Cuando un Estado no incorpore una directiva en su legislación nacional dentro del plazo establecido al efecto, o lo haga de forma inadecuada, incorrecta o incompleta, los particulares, bajo ciertas condiciones, podrán invocar el «efecto directo» de esta norma.

3. Decisiones

La decisión será obligatoria en todos sus elementos. Cuando designe destinatarios, solo será obligatoria para estos.

- Obligatoria en todos sus elementos significa que la decisión ha de ser aplicada completamente.
- La decisión es obligatoria únicamente para sus destinatarios.
- Estos destinatarios pueden ser tanto un Estado cuanto un particular (persona física o empresa).
- Para que sea aplicable, la decisión no requiere la adopción de ningún tipo de legislación nacional por parte de los Estados micmbros.
- Las decisiones se notificarán a sus destinatarios y surtirán efecto a partir de ese momento.
- Las decisiones que afecten a derechos de terceros se publicarán en el *Diario Oficial de la Unión Europea* en las 24 lenguas oficiales.

4. Recomendaciones y Dictámenes

Las recomendaciones y los dictámenes no serán vinculantes.

Esto significa que los destinatarios de las recomendaciones no se verán obligados por su contenido. Del mismo modo, tampoco podrán ser objeto de recurso ante el Tribunal de Justicia ya que no son obligatorias ni vinculantes. Consecuentemente, las recomendaciones pueden ser consideradas como una "invitación" por parte de las instituciones de la Unión Europea a un sector o colectivo profesional o económico para que actúen en un determinado sentido en relación a las normas que regulan una materia, tratando de conseguir con ello la armonización de las legislaciones nacionales.

Los dictámenes, a su vez, son actos jurídicos cuya competencia recae en las instituciones de la Unión Europea (Parlamento, Consejo, Comisión, Comité de las Regiones, Comité Económico y Social Europeo) y que les permiten emitir declaraciones no vinculantes para sus destinatarios.

5. Los actos delegados y de ejecución

Además de los actos jurídicos vinculantes —reglamentos, directivas y decisiones— o no —recomendaciones y dictámenes—, el **artículo 290 del TFUE** dispone que:

> 1. Un acto legislativo podrá delegar en la Comisión los poderes para adoptar actos no legislativos de alcance general que completen o modifiquen determinados elementos no esenciales del acto legislativo. Los actos legislativos delimitarán de forma expresa los objetivos, el contenido, el alcance y la duración de la delegación de poderes. La regulación de los elementos esenciales de un ámbito estará reservada al

acto legislativo y, por lo tanto, no podrá ser objeto de una delegación de poderes.

De este modo, permite que el Parlamento Europeo y el Consejo puedan delegar en la Comisión la posibilidad de adoptar actos no legislativos que complementen a los adoptados por las mencionadas instituciones.

Por su parte, el **artículo 291 del TFUE** prevé la posibilidad de que, en determinados supuestos, se pueda facultar a la Comisión para adoptar actos de ejecución que, normalmente, han de ser adoptados por los Estados miembros. Así:

> 1. Los Estados miembros adoptarán todas las medidas de Derecho interno necesarias para la ejecución de los actos jurídicamente vinculantes de la Unión.
>
> 2. Cuando se requieran condiciones uniformes de ejecución de los actos jurídicamente vinculantes de la Unión, éstos conferirán competencias de ejecución a la Comisión o, en casos específicos debidamente justificados y en los previstos en los artículos 24 y 26 del Tratado de la Unión Europea, al Consejo».

C. Las fuentes complementarias

1. La jurisprudencia del Tribunal de Justicia de la Unión Europea

No cabe duda de que las decisiones del Tribunal de Justicia interpretando las disposiciones del tratado y del Derecho derivado de la Unión Europea constituyen una fuente muy valiosa para el Derecho de la Unión, pues con su interpretación uniforme vienen a completar y clarificar la aplicación de determinados preceptos que, de otro modo, resultarían muy complicados de aplicar. Así, por ejemplo, a través de las cuestiones prejudiciales planteadas por los órganos jurisdiccionales nacionales, el Tribunal de Justicia ha contribuido al desarrollo armonioso del Derecho de la Unión.

2. Los principios generales del Derecho

Los principios generalmente reconocidos y admitidos por las distintas jurisdicciones nacionales forman parte de lo que se denominan fuentes complementarias del Derecho de la Unión Europea y han sido aplicados por el Tribunal de Justicia en determinadas ocasiones y en ausencia de otras fuentes más relevantes. Entre los principios generales comunes a los Derechos de los Estados que han sido reconocidos por el Tribunal de Justicia pueden citarse: el principio del enriquecimiento sin causa, el principio de la buena fe, el principio de legalidad o el de seguridad jurídica.

II. LAS CARACTERÍSTICAS DEL DERECHO DE LA UNIÓN EUROPEA

A. Primacía

Como consecuencia de la cesión de una parte de su soberanía por parte de los Estados miembros, las instituciones de la Unión Europea tienen competencia para adoptar normas jurídicas en determinadas materias que, junto a los tratados, constituyen el ordenamiento jurídico de la Unión Europea. De este modo, el Derecho de la Unión Europea constituye un ordenamiento jurídico propio, diferente y autónomo del resto de los ordenamientos jurídicos nacionales que, sin embargo, se integra en el sistema jurídico de los Estados miembros y que puede ser alegado por sus nacionales y obliga a los Estados en cuanto a su aplicación. La característica principal de este ordenamiento jurídico es su primacía sobre los ordenamientos jurídicos nacionales.

La doctrina de la primacía del Derecho de la Unión Europea ha sido desarrollada por el Tribunal de Justicia, ya que los tratados constitutivos no contenían una declaración expresa sobre esta. Sin embargo, el Tratado de Lisboa incorporó un anexo donde se declara la primacía del Derecho de la Unión Europea sobre las legislaciones nacionales (Declaraciones relativas a disposiciones de los tratados. Declaración 17).

> Declaración relativa a la primacía
> La Conferencia recuerda que, con arreglo a una jurisprudencia reiterada del Tribunal de Justicia de la Unión Europea, los tratados y el Derecho adoptado por la Unión sobre la base de los mismos priman sobre el Derecho de los Estados miembros, en las condiciones establecidas por la citada jurisprudencia.

El principio de primacía del Derecho de la Unión Europea derivado de la cesión de soberanía efectuada por los Estados miembros implica que ha de aplicarse con preferencia al derecho nacional de los Estados miembros:

> [...] que la transferencia realizada por los Estados, de su ordenamiento jurídico interno en favor del comunitario, de los derechos y obligaciones correspondientes a las disposiciones del tratado, entraña por tanto una limitación definitiva de su soberanía, contra la que no puede prevalecer un acto unilateral ulterior incompatible con el concepto de Comunidad.
>
> Sentencia del Tribunal de Justicia de 15 de julio de 1964, asunto 6/64, *Costa c. ENEL*

Además, este principio se predica de todas las normas de Derecho de la Unión Europea, ya sean originarias o derivadas, y afecta a todas las normas nacionales, ya sean constitucionales, legislativas, administrativas o jurisdiccionales.

La primacía del derecho de la Unión tiene que ser asegurado por los jueces nacionales ya que, tal y como indicó el TJUE en su Sentencia *Simmenthal:*

> [...] el Juez nacional encargado de aplicar, en el marco de su competencia, las disposiciones del Derecho comunitario, está obligado a garantizar la plena eficacia de dichas normas dejando, si procede, inaplicadas, por su propia iniciativa, cualesquiera disposiciones contrarias de la legislación nacional, aunque sean posteriores, sin que esté obligado a solicitar o a esperar la derogación previa de estas por vía legislativa o por cualquier otro procedimiento constitucional.

Por otra parte, este principio afecta no solo a las disposiciones nacionales ya en vigor sino, igualmente, a las que las que se pretendan adoptar en el futuro:

> [...] en virtud del principio de la primacía del Derecho comunitario, las disposiciones del tratado y los actos de las instituciones directamente aplicables tienen por efecto, en sus relaciones con el Derecho interno de los Estados miembros, no solamente hacer inaplicable de pleno derecho, por el hecho mismo de su entrada en vigor, toda disposición de la legislación nacional existente que sea contraria a los mismos, sino también —en tanto que dichas disposiciones y actos forman parte integrante, con rango de prioridad, del ordenamiento jurídico aplicable en el territorio de cada uno de los Estados miembros—, impedir la formación válida de nuevos actos legislativos nacionales en la medida en que sean incompatibles con las normas comunitarias.
>
> Sentencia del Tribunal de Justicia de 9 de marzo de 1978, asunto 106/77, *Simmenthal*

La primacía del Derecho de la Unión Europea se complementa con la doctrina de la aplicabilidad directa, el efecto directo y la responsabilidad de los Estados miembros por incumplimiento del Derecho de la Unión Europea.

B. Aplicabilidad directa

Esta doctrina hace referencia a la integración del Derecho de la Unión Europea en los ordenamientos jurídicos de los Estados miembros y a su aplicación directa en los mismos. Así, algunas de las disposiciones de los tratados tienen reconocida su aplicabilidad directa por el Tribunal de Justicia sin que pueda alegarse en contrario el incumplimiento de su recepción formal por parte de los Estados, pues no requieren de esta. Igualmente, algunos de los actos de derecho derivado tampoco requieren ningún tipo de recepción en los ordenamientos nacionales, por ejemplo, los reglamentos que no precisan la adopción de ninguna medida por parte de los Estados miembros, ya que entran en vigor una vez publicados en el *Diario Oficial de la Unión Europea*; o las decisiones, que serán aplicables en los Estados miembros desde el momento de su publicación o notificación. Por el contrario, las directivas requieren medidas nacionales de aplicación con el fin de alcanzar el resultado perseguido por ellas.

C. Efecto directo

Al igual que cualquier norma jurídica de carácter nacional, las normas comunitarias otorgan derechos e imponen obligaciones tanto a los particulares cuanto a los Estados miembros, pudiendo invocarse ante los tribunales nacionales.

1. Efecto directo y derecho originario

El efecto directo no se encuentra recogido en los tratados. Sin embargo, el Tribunal de Justicia, encargado de la interpretación del tratado, ha venido a reconocer ese efecto directo como uno de los principios fundamentales del Derecho de la Unión Europea. Ya en el asunto *Van Gend en Loos* reconocía que el Derecho de la Unión no solo crea obligaciones recíprocas entre los Estados miembros, sino que produce efectos inmediatos en beneficio de los ciudadanos y de las empresas, atribuyéndoles derechos individuales que deben ser protegidos por las autoridades y los tribunales nacionales. Así, la interpretación del efecto directo se limitó, en un principio, a los artículos del tratado y a su efecto vertical.

> [...] el artículo 12 debe ser interpretado en el sentido de que produce efectos directos y genera derechos individuales que los órganos jurisdiccionales nacionales deben proteger.
>
> Sentencia del Tribunal de Justicia, de 5 de febrero de 1963, asunto 26/62, *Van Gend en Loos*.

Sin embargo, en el asunto *Defrenne,* el Tribunal tuvo ocasión de pronunciarse sobre el efecto directo horizontal del artículo 119 del tratado, al pretender un particular la aplicación de una norma del tratado frente a una empresa. El Tribunal concluía:

> [...]que el principio de la igualdad de retribución del artículo 119 puede ser invocado ante los órganos jurisdiccionales nacionales y que estos tienen el deber de garantizar la protección de los derechos que tal precepto confiere a los justiciables, en particular en el caso de discriminaciones cuya causa directa sean disposiciones legislativas o convenios colectivos de trabajo, así como en el supuesto de retribución desigual de trabajadores femeninos y masculinos para un mismo trabajo, cuando este último se realice en un mismo establecimiento o servicio, privado o público.
>
> Sentencia del Tribunal de Justicia de 8 de abril de 1976, asunto, 43/75, *Defrenne c. Sabena*

En general, el efecto directo de las disposiciones del tratado no ha planteado excesivas controversias, si bien el Tribunal también ha reconocido ciertas limitaciones al mismo. Para su aplicación será necesario que se trate de normas claras, precisas e incondicionales y que no dependan de una acción posterior de los Estados.

2. Efecto directo y derecho derivado

a) Los reglamentos y las decisiones

Pues bien, esta interpretación se fue trasladando posteriormente al derecho derivado —reglamentos, directivas y decisiones—. Por lo que respecta a los reglamentos, el efecto directo es claro y no plantea controversias, si tenemos en cuenta que el **artículo 288 del TFUE** dispone que tienen un alcance general y es obligatorio en todos sus elementos y directamente aplicable en cada Estado miembro. Así, en el año 1971, el Tribunal de Justicia señalaba que:

> [...] *by reason of their nature and their function in the system of the sources of community law, regulations have direct effect and are as such, capable of creating individual rights which national courts must protect* [...].
>
> Sentencia del Tribunal de Justicia de 14 de diciembre de 1971, asunto 43/71, *Politi S.A.S.*

Las decisiones, a su vez, pueden tener un efecto directo cuando el destinatario sea un Estado miembro y siempre que contengan disposiciones claras y precisas. Así lo señalaba el Tribunal de Justicia en su Sentencia *Hansa Fleisch*, donde reconocía que un particular podía invocar una disposición frente a un Estado miembro (efecto directo vertical).

> [...] el hecho de que una decisión permita a los Estados miembros destinatarios establecer excepciones a disposiciones claras y precisas contenidas en esa misma decisión, no puede, en sí mismo, privar a dichas disposiciones de efecto directo. En particular, dichas disposiciones pueden tener efecto directo cuando el recurso a las posibilidades de establecer excepciones de tal modo reconocidas puede ser objeto de control jurisdiccional [...].
>
> Sentencia del Tribunal de Justicia de 10 de noviembre de 1992, asunto C-156/91, **Hansa Fleisch.**

b) Especial referencia al efecto directo de las directivas

Sin duda alguna, las normas que han planteado más problemas en este sentido han sido las directivas, teniendo en cuenta que requieren la intervención de los Estados miembros para incorporar su contenido en los ordenamientos jurídicos nacionales y alcanzar los objetivos comunes previstos en las mismas.

En este sentido, el Tribunal de Justicia distingue entre efecto directo vertical (cuando los particulares invoquen disposiciones de las directivas frente a los Estados) y efecto directo horizontal (cuando se pretendan invocar las disposiciones de las directivas por un particular frente a otro).

i) Efecto directo vertical

La cuestión, por tanto, es determinar si las directivas contienen disposiciones directamente aplicables que otorgan a los particulares derechos subjetivos que los órganos jurisdiccionales nacionales deben proteger.

El Tribunal de Justicia consideró por vez primera el efecto directo de las directivas en su sentencia **Van Duyn** señalando:

> [...] que sería incompatible con el efecto obligatorio que el artículo 189 otorga a la Directiva excluir, en principio, la posibilidad de que los afectados puedan alegar dicha obligatoriedad.
>
> Sentencia del Tribunal de Justicia de 4 de diciembre de 1974, asunto 41/74, **Van Duyn**

Para ello hay que determinar, en primer lugar, si el Estado miembro ha adoptado, dentro del plazo previsto por la directiva, las medidas de ejecución que impone la misma. De ser así, la normativa nacional sería la aplicable en cada Estado miembro. Ahora bien, en el caso contrario, un Estado no puede oponer frente a los particulares su propio incumplimiento de las obligaciones que la directiva implica. *Sensu contrario*, un particular podría invocar el efecto directo de la directiva frente al Estado siempre y cuando:

■ Hubiese transcurrido el plazo de incorporación en Derecho nacional, sin adaptarlo a la directiva o mediante una incorporación incorrecta de la misma.

■ Las disposiciones de la directiva fuesen claras, precisas e incondicionales.

En esos supuestos,

> [...] un órgano jurisdiccional nacional al que recurra un justiciable, que se ha atenido a las disposiciones de una directiva, solicitando que no se aplique una disposición nacional incompatible con la directiva a la que no se ha adaptado el ordenamiento jurídico interno del Estado que la incumple, debe estimar dicha petición siempre que la obligación de que se trate sea incondicional y suficientemente precisa.
>
> Sentencia del Tribunal de Justicia de 5 de abril de 1979, asunto 148/78, *Ratti*

Esto significa que los Estados miembros no podrán aplicar su derecho interno, cuando no se haya adaptado a la directiva una vez expirado el plazo fijado para su entrada en vigor, a un particular —persona física o jurídica— que se haya ajustado a las disposiciones de la mencionada directiva.

En el asunto *Becker*, el Tribunal de Justicia clarificaba aún más esta cuestión al declarar que:

> [...] en todos los casos en que las disposiciones de una directiva parecen ser, desde el punto de vista de su contenido, incondicionales y suficientemente precisas, dichas disposiciones, si no se han adoptado dentro del plazo prescrito medidas de aplicación, pueden ser invocadas contra cualquier disposición nacional no conforme a la directiva, o en la medida en que definen derechos que los particulares pueden alegar frente al Estado.
>
> Sentencia del Tribunal de Justicia de 19 de enero de 1982, asunto 8/81, *Becker*

Más recientemente, en el asunto **Vodafone España S.A.**, donde se dilucidaban sendos litigios entre dos operadores de telecomunicaciones que operaban en España —Vodafone España y France Telecom España— y las administraciones locales del lugar en el que desarrollaban su actividad por la aprobación de varias ordenanzas que gravaban a las empresas de telecomunicaciones con cánones por el uso privativo o el aprovechamiento especial del dominio público municipal, el Tribunal Supremo español planteó varias cuestiones prejudiciales, entre ellas, la interpretación y el posible efecto directo del artículo 13 de la Directiva 2002/20/CE del Parlamento Europeo y del Consejo, de 7 de marzo de 2002, relativa a la autorización de redes y servicios de comunicaciones electrónicas. A pesar de que esta directiva ya había sido incorporada en derecho español, las empresas reclamantes consideraban que la legislación española era contraria al derecho de la Unión.

Pues bien, el Tribunal de Justicia recordaba en su sentencia que:

> [...] según jurisprudencia reiterada del Tribunal de Justicia, en todos aquellos casos en que las disposiciones de una directiva, desde el punto de vista de su contenido, no estén sujetas a condición alguna y sean suficientemente precisas, los particulares están legitimados para invocarlas ante los órganos jurisdiccionales nacionales contra el Estado, bien cuando este no haya adaptado el Derecho nacional a la directiva dentro de los plazos señalados, bien cuando haya hecho una adaptación incorrecta.

Para concluir que:

> El artículo 13 de la Directiva 2002/20 tiene efecto directo, de suerte que confiere a los particulares el derecho a invocarlo directamente ante los órganos jurisdiccionales nacionales para oponerse a la aplicación de una resolución de los poderes públicos incompatible con dicho artículo.
>
> **Sentencia del Tribunal de Justicia de 12 de julio de 2012, asuntos acumulados C55/11, C57/11 y C58/11, *Vodafone España S.A.***

En definitiva, el Tribunal siempre ha reconocido el efecto directo vertical de las directivas en contraposición al efecto directo horizontal de las mismas, es decir, la aplicación de los derechos derivados de las directivas en los conflictos que se susciten entre individuos o empresas.

ii) Efecto directo horizontal

¿Qué sucede, sin embargo, cuando se pretende invocar ante un tribunal nacional las disposiciones de una directiva no incorporada en plazo en el ordenamiento jurídico interno de un Estado, o incorporada de forma incorrecta, en un conflicto surgido entre particulares?

En estos casos, el Tribunal de Justicia no ha reconocido el efecto directo (horizontal) de las directivas. Considera el Tribunal que una directiva no puede ser invocada contra un particular porque:

> [...] según el artículo 189 del Tratado el carácter obligatorio de una directiva sobre el que se basa la posibilidad de invocar esta ante un órgano jurisdiccional nacional solo existe respecto a «todo Estado miembro destinatario». De ello se deriva que una directiva no puede, por sí sola, crear obligaciones a cargo de un particular y que una disposición de una directiva no puede, por consiguiente, ser invocada, en su calidad de tal, contra dicha persona.
>
> **Sentencia del Tribunal de Justicia de 26 de febrero de 1986, asunto 152/84, *Marshall***

Esto significa que un particular no podrá hacer valer los derechos derivados de una directiva frente a otro individuo o empresa que haya incumplido sus obligaciones contraviniendo así las disposiciones de la mencionada norma. Ahora bien, esta situación no concuerda con la obligación de los Estados miembros que es alcanzar el resultado que la directiva prevé adoptando, para ello, las medidas necesarias y evitando que un particular pueda sufrir un perjuicio por la inaplicación de la misma.

Esta tarea afecta no solo a las autoridades legislativas, sino también jurisdiccionales por lo que, cuando un estado no haya adaptado su derecho interno al contenido de una directiva o lo haya hecho de forma incorrecta una vez transcurrido el plazo concedido al efecto, en ausencia de normativa nacional que incorpore la directiva, los jueces y tribunales nacionales tienen la obligación de tomar en consideración todas las normas de derecho nacional e interpretarlas, en la medida de lo posible, a la luz de la letra y de la finalidad de dicha directiva para llegar a una solución conforme al objetivo perseguido por esta última:

> [...] al aplicar el Derecho nacional, ya sea disposiciones anteriores o posteriores a la directiva, el órgano jurisdiccional nacional que debe interpretarla está obligado a hacer todo lo posible, a la luz de la letra y de la finalidad de la directiva, para, al efectuar dicha interpretación, alcanzar el resultado a que se refiere la directiva y de esta forma atenerse al párrafo tercero del artículo 189 del Tratado.
>
> **Sentencia del Tribunal de Justicia de 13 de noviembre de 1990, asunto C-106/89, *Marleasing***

D. Incumplimiento del Derecho de la Unión Europea y responsabilidad de los Estados miembros

Cuando un estado no incorpore, o lo haga de forma incorrecta, el contenido de las directivas en su ordenamiento jurídico interno dentro del plazo concedido al efecto estará incumpliendo las obligaciones que le impone el Tratado. En estos casos, la Comisión Europea podrá llevarlo ante el Tribunal de Justicia, tal y como dispone el **artículo 258 del TFUE**:

> Si la Comisión estimare que un Estado miembro ha incumplido una de las obligaciones que le incumben en virtud de los Tratados, emitirá un dictamen motivado al respecto, después de haber ofrecido a dicho Estado la posibilidad de presentar sus observaciones.
>
> Si el Estado de que se trate no se atuviere a este dictamen en el plazo determinado por la Comisión, esta podrá recurrir al Tribunal de Justicia de la Unión Europea.

Sin embargo, este hecho no remedia los posibles perjuicios que los particulares o empresas puedan sufrir como consecuencia del incumplimiento de sus obligaciones por los Estados miembros. Por ello, resulta importante determinar su responsabilidad en estos supuestos.

El principio de responsabilidad de los Estados se producirá cuando exista una violación de los Tratados, ya sea por parte del poder legislativo, ejecutivo o judicial. Ahora bien, han de cumplirse una serie de requisitos antes de poder afirmar la existencia de responsabilidad por parte de un Estado miembro que genere una indemnización a favor de los particulares. Estos son los siguientes:

- Que el resultado prescrito por la directiva implique la atribución de derechos a favor de particulares (requisito directamente relacionado con el efecto directo de las directivas).
- Que el contenido de estos derechos pueda ser identificado basándose en las disposiciones de la directiva (si bien el Tribunal no indicaba el alcance de esta identificación).
- Que exista una relación de causalidad entre el incumplimiento de la obligación que incumbe al Estado y el daño sufrido por las personas afectadas.

Estos requisitos que, en principio, son los mismos que se aplican para determinar si existe responsabilidad de una institución de la Unión Europea en situaciones de hecho comparables, han de ser apreciados por los órganos jurisdiccionales nacionales para determinar la naturaleza de la violación del derecho de la Unión Europea y comprobar la existencia de una relación de causalidad directa, así como para determinar la cuantía de la indemnización que, con arreglo a su derecho interno, un particular puede exigir directamente a su Estado.

El principio de la responsabilidad de los Estados por incumplimiento del derecho de la Unión fue establecido por el Tribunal de Justicia en su Sentencia *Francovich y Bonifaci,* un supuesto de responsabilidad por incumplimiento del Estado italiano al no haber incorporado una directiva en su ordenamiento jurídico dentro del plazo previsto.

Posteriormente, el principio de la responsabilidad de los Estados fue ampliado a todos los actos y omisiones de las instituciones del Estado, ya sean legislativas, ejecutivas o judiciales que infrinjan el derecho de la Unión Europea, siempre que se cumpla el test establecido en la Sentencia *Francovich.*

Además, el Tribunal también ha identificado los criterios que han de tomarse en consideración para declarar la seriedad o gravedad de la violación del Derecho comunitario por parte de los Estados en su sentencia *Brasserie du pêcheur SA:*

> […] entre los elementos que el órgano jurisdiccional competente puede tener que considerar, debe señalarse el grado de claridad y de precisión de la norma vulnerada, la amplitud del margen de apreciación que la norma infringida deja a las autoridades nacionales o comunitarias, el carácter intencional o involuntario de la infracción cometida o del perjuicio causado, el carácter excusable o inexcusable de un eventual error de Derecho, la circunstancia de que las actitudes adoptadas por una Institución comunitaria hayan podido contribuir a la omisión, la adopción o al mantenimiento de medidas o de prácticas nacionales contrarias al Derecho comunitario.

Señalando, además, que:

> […] el derecho a reparación constituye el corolario necesario del efecto directo reconocido a las disposiciones comunitarias cuya infracción ha dado lugar al daño causado.
>
> Sentencia del Tribunal de Justicia de 5 de marzo de 1996, asuntos acumulados C-46/93 y 48/93, *Brasserie du pêcheur SA*

En definitiva, puede concluirse que la responsabilidad del Estado por incumplimiento coexiste con el efecto directo de las directivas y no surge ante la inaplicación del mencionado efecto directo.

> ➤ **Responsabilidad del Estado italiano y obligación de indemnizar a los particulares por los perjuicios sufridos a consecuencia de la no incorporación de una directiva: el asunto *Francovich***

El Sr. Francovich, tras haber trabajado para una empresa en Vicenza, no había percibido el importe íntegro de los salarios devengados. Por este motivo, interpuso la correspondiente demanda ante la *Pretura di Vicenza* que, tras condenar a la empresa demandada al pago de los salarios debidos ordenó, en su fase ejecutiva, el correspondiente embargo. Resultando negativa la diligencia de embargo, el Sr. Francovich invocó su derecho a obtener del Estado italiano las garantías previstas por la Directiva 80/987/CEE del Consejo sobre la aproximación de las legislaciones de los Estados miembros relativas a la protección de los trabajadores asalariados en caso de insolvencia del empresario o, en su defecto, una indemnización del mismo.

En esta directiva se establecía la obligación de los Estados miembros de garantizar el pago de los créditos impagados de los trabajadores asalariados que resulten de los contratos de trabajo o de relaciones laborales, adoptando, para ello, las medidas necesarias. Igualmente, determinarán las instituciones que deban garantizar el pago de estos créditos.

Sin embargo, en el momento en que el Sr. Francovich introdujo su demanda ante la *Pretura di Vicenza*, si bien el periodo fijado para la transposición de la directiva en los ordenamientos internos de los Estados miembros ya había transcurrido, la República italiana no había incorporado la misma en su derecho interno (omisión que ya había sido constatada por el Tribunal de Justicia mediante Sentencia de 2 de febrero de 1989, asunto 22/87, Comisión c. Italia) tras el recurso presentado ante el mismo por la Comisión en su función de garante de la aplicación del Derecho comunitario que le atribuye el Tratado.

En esta Sentencia, de innegable transcendencia, ya que en ella se establecía, por primera vez, la responsabilidad de un Estado por la inacción u omisión del poder legislativo, el Tribunal de Justicia consideraba que las disposiciones de la Directiva 80/987/CEE no podían ser alegados por los mismos ante sus jurisdicciones nacionales frente a su Estado al no encontrarse tal norma incorporada mediante la preceptiva transposición en su derecho interno. Esta afirmación que, sin duda alguna, se apartaba de la aplicación del efecto directo vertical que la doctrina del Tribunal de Justicia ya había reconocido en favor de las directivas (en los asuntos 148/78, Ratti, y 8/81, Becker, antes citados), se fundamentaba en que la directiva objeto de interpretación no cumplía las condiciones que deben predicarse de una norma comunitaria para que esta pueda ser alegada ante los órganos jurisdiccionales nacionales, aún cuando el Estado no haya procedido a adoptar las correspondientes medidas de aplicación en el plazo señalado. Así, y pese a que las disposiciones de la Directiva 80/987 podían considerarse incondicionales y suficientemente precisas, no sucedía lo mismo respecto al deudor de la garantía. Es decir, la institución que deberá asegurar el cumplimiento de la precitada garantía. En este sentido, dado que el Estado miembro dispone de un margen de apreciación política para designar tales instituciones, parece claro que tal norma no cumplía todos los requisitos que la doctrina del Tribunal de Justicia ha venido considerando necesarios para que una directiva pueda tener efecto directo.

Consiguientemente, en ausencia de incorporación de la directiva en derecho interno, y no siendo esta directamente aplicable por las circunstancias ya señaladas, el Tribunal declaraba la responsabilidad del Estado italiano y, por tanto, su obligación de indemnizar a los particulares por los perjuicios sufridos a consecuencia de la no transposición de la directiva ya que, de otro modo,

> [...] la plena eficacia de las normas comunitarias se vería cuestionada y la protección de los derechos que reconocen se debilitaría si los particulares no tuvieran la posibilidad de obtener una reparación cuando sus derechos son lesionados por una violación del Derecho comunitario imputable a un Estado miembro.
>
> Sentencia del Tribunal de Justicia de 19 de noviembre de 1991, asuntos acumulados C-6/90 y 9/90, *Francovich y Bonifaci*

> ➤ **No incorporación de una directiva en el ordenamiento jurídico español en el plazo previsto: el asunto de los derechos de los accionistas de sociedades cotizadas**

La Directiva 2007/36/CE del Parlamento Europeo y del Consejo, de 11 de julio de 2007, sobre el ejercicio de determinados derechos de los accionistas de sociedades cotizadas disponía en su artículo 15 que los Estados miembros debían adoptar las disposiciones legales, reglamentarias y administrativas necesarias para dar cumplimiento a esa directiva a más tardar el 3 de agosto de 2009.

Ante la ausencia de disposición nacional para dar cumplimiento a lo dispuesto en la mencionada directiva, y tras haber observado los plazos y requerimientos previstos en el Tratado en estos casos, la Comisión interpuso un recurso por incumplimiento contra el Reino de España con arreglo al artículo 258 TFUE.

En el mismo, el Tribunal de Justicia recordaba que:

> [...] un Estado miembro no puede alegar disposiciones, prácticas ni circunstancias de su ordenamiento jurídico interno para justificar el incumplimiento de las obligaciones y los plazos establecidos por una directiva.

Por lo que procedía:

> Declarar que el Reino de España ha incumplido las obligaciones que le incumben en virtud del artículo 15 de la Directiva 2007/36/CE del Parlamento Europeo y del Consejo, de 11 de julio de 2007, sobre el ejercicio de determinados derechos de los accionistas de sociedades cotizadas, al no haber adoptado, en el plazo previsto, las disposiciones legales, reglamentarias y administrativas necesarias para dar cumplimiento a dicha Directiva.
>
> **Sentencia del Tribunal de Justicia de 24 de marzo de 2001, asunto C-375/10, *Comisión c. Reino de España***

Consecuentemente, el Reino de España, además de ser condenado por el Tribunal de Justicia por haber incumplido sus obligaciones podía incurrir en responsabilidad frente a los administrados perjudicados por la no incorporación de la directiva en el derecho español.

> ➤ **Incorporación incorrecta del Derecho de la Unión Europea en el ordenamiento jurídico español: el caso del seguro obligatorio de responsabilidad civil de vehículos automóviles**

La Sentencia del TJUE, en el asunto *Ministerio Fiscal c. Rafael Ruiz Bernáldez* tuvo lugar con ocasión del recurso prejudicial planteado ante el Tribunal de Justicia por la Sala Primera de la Audiencia Provincial de Sevilla en relación a la normativa en materia de seguros obligatorios de responsabilidad civil en el ámbito de los vehículos automóviles. La legislación aplicable en aquel momento en España establecía la exclusión de la cobertura obligatoria de los daños materiales producidos cuando el conductor del vehículo se encontraba en estado de embriaguez.

Las cuestiones ante el Tribunal de Justicia planteaban si las disposiciones de derecho comunitario aplicables en la materia, en concreto, las Directivas 72/166/CEE, 84/5/CEE y 90/232/CEE, debían interpretarse en el sentido de que se oponían a la legislación nacional que permitía la exclusión de la cobertura obligatoria de un seguro respecto a los daños causados a un tercero por un conductor que se encontrase bajo los efectos del alcohol, favoreciendo de este modo que la víctima de un accidente ocurrido en tales circunstancias pudiese quedar privada de indemnización.

El Tribunal de Justicia señalaba la necesidad de preservar en todo caso el objetivo de protección reiteradamente definido en las tres precitadas directivas. Protección que tenía que permitir, en cualquier caso, la indemnización por los daños corporales y materiales sufridos por un tercero, víctima de un accidente causado por un vehículo. Cualquier otra interpretación, no facilitaría el objetivo de armonización de las legislaciones perseguido por la normativa comunitaria. Y así, concluía el Tribunal que el espíritu del artículo 3, párrafo 1 de la Directiva 72/166/CEE que, recordemos, imponía la obligación a los Estados miembros de garantizar la cobertura de un seguro, se oponía a que un asegurador, en base a una disposición legal o a una cláusula contractual, pudiese dejar sin indemnización a un tercero víctima de un accidente causado por el vehículo asegurado. Por otra parte, la Directiva 84/5/CEE no contemplaba la posibilidad de que el supuesto de conducción en estado de embriaguez pudiese ser objeto de una cláusula de exclusión de responsabilidad de la compañía aseguradora.

Por todo ello, el Tribunal consideraba que:

> [...] un contrato de seguro obligatorio no puede contemplar que en determinados supuestos, y en particular el de un conductor de un vehículo que se encuentre en estado de embriaguez, el asegurador no esté obligado a indemnizar los daños corporales y materiales causados a terceros por el vehículo asegurado.
>
> **Sentencia del Tribunal de Justicia de 28 de marzo de 1996, asunto C-129/94, *Ministerio Fiscal c. Rafael Ruiz Bernáldez***

Consecuentemente, esta Sentencia ponía de manifiesto que la normativa española en materia de seguro obligatorio de vehículos de motor vigente en aquel momento (artículo 3, párrafo 4 del R.D. 1301/1986 y artículo 12, párrafo 3b) del R.D. 2641/1986) se oponía frontalmente a la interpretación de la normativa comunitaria en la materia. Dicho de otro modo, se trataba de una incorrecta incorporación del derecho de la Unión Europea en el derecho interno español.

Por lo tanto, el Estado español debía proceder a modificar la normativa interna pues, de otro modo, podía incurrir en responsabilidad frente a sus administrados por los daños causados a los mismos por el incumplimiento de las obligaciones que le incumben en virtud del Tratado, siendo responsable de la consiguiente reparación por el daño causado, tal y como ya había declarado en el asunto *Brasserie du pêcheur, S.A.* Y, sin duda alguna, la incorrecta incorporación de una directiva en el ordenamiento jurídico interno representaba una clara violación del Derecho comunitario.

Capítulo 3

EL GOBIERNO DE LA UNIÓN EUROPEA: INSTITUCIONES Y ÓRGANOS CONSULTIVOS

I. INSTITUCIONES

   A. El Parlamento Europeo
   B. El Consejo de la Unión Europea
   C. La Comisión Europea
   D. El Tribunal de Justicia de la Unión Europea

II. ÓRGANOS CONSULTIVOS DE LA UNIÓN EUROPEA

   A. El Comité Económico y Social de la Unión Europea
   B. El Comité Europeo de las Regiones
   C. El Banco Europeo de Inversiones

III. OTRAS INSTITUCIONES Y ORGANISMOS INTERINSTITUCIONA-
     LES DE LA UNIÓN EUROPEA

I. INSTITUCIONES

El TFUE, en sus **artículos 223 y siguientes,** establece siete instituciones principales, a saber: el Parlamento Europeo, el Consejo Europeo, el Consejo, la Comisión, el Tribunal de Justicia de la Unión Europea, el Banco Central Europeo, y el Tribunal de Cuentas. Además, existen otros organismos consultivos de la Unión Europea que asesoran y ayudan a las mencionadas instituciones. Estos son, el Comité Económico y Social Europeo, el Comité de las Regiones y el Banco Europeo de Inversiones.

A. El Parlamento Europeo

El Parlamento Europeo tiene su sede oficial en Estrasburgo (Francia) donde se desarrollan los plenos del Parlamento 12 veces al año. Además, tiene otros lugares de trabajo en Bruselas (donde se celebran plenos adicionales y comisiones) y Luxemburgo.

1. Composición

Cada cinco años, los ciudadanos de la Unión Europea eligen a sus representantes en el Parlamento Europeo. Las últimas elecciones tuvieron lugar en el año 2014, si bien con una baja participación de los ciudadanos de la Unión Europea (el 42,61 %). Actualmente el Parlamento Europeo se compone de 751 diputados (750 más el presidente que representa al Parlamento ante el resto de instituciones de la Unión y en el exterior), que se distribuyen entre los diferentes Estados miembros en función de la población que representan en la Unión Europea, si bien ningún país puede tener menos de 6 (Malta, Luxemburgo, Chipre y Estonia) ni más de 96 (Alemania) eurodiputados.

Los representantes de los partidos políticos nacionales se agrupan en el Parlamento Europeo en grupos políticos por afinidades (en la actualidad ocho grupos políticos), no por nacionalidades.

GRUPOS POLITICOS EN EL PARLAMENTO EUROPEO

* Grupo del Partido Popular Europeo (Demócrata-Cristianos)
* Grupo de la Alianza Progresista de los Socialistas y Demócratas en el Parlamento Europeo
* Grupo de la Alianza de los Demócratas y Liberales por Europa
* Grupo de los Conservadores y Reformistas Europeos
* Grupo Confederal de la Izquierda Unitaria Europea/Izquierda Verde Nórdica
* Grupo de los Verdes/Alianza Libre Europea
* Grupo Europa de la Libertad y de la Democracia Directa
* Grupo Europa de las Naciones y de las Libertades
* No inscritos

http://www.europarl.europa.eu/meps/es/crosstable.html

2. Funcionamiento

El trabajo del Parlamento se desarrolla a dos niveles:

En primer lugar, en las comisiones donde se examinan las propuestas de legislación y se presentan enmiendas o se rechazan proyectos de ley (existen 20 comisiones y dos subcomisiones, cada una de las cuales se ocupa de un ámbito político determinado). En segundo lugar, en las sesiones plenarias donde se reúnen los diputados del Parlamento para votar la legislación propuesta y, en su caso, aprobarla.

3. Competencias

Las funciones o competencias del Parlamento Europeo pueden agruparse en tres grandes apartados:

a) Competencias legislativas

■ A partir de las propuestas de la Comisión Europea, el Parlamento aprueba la legislación de la Unión Europea junto con el Consejo de la Unión Europea.

■ Además, decide sobre los acuerdos internacionales celebrados por la Unión Europea;

- Igualmente, decide sobre las ampliaciones de la Unión Europea.
- Finalmente, el Parlamento revisa el programa de trabajo de la Comisión y le solicita que elabore propuestas de legislación.

b) Competencias de supervisión

- El Parlamento es el encargado del control democrático de todas las instituciones de la Unión Europea.
- Elige al Presidente de la Comisión y aprueba a la Comisión como órgano colegiado (en este sentido, tiene la potestad de aprobar una moción de censura que obligue a la Comisión a dimitir).
- Aprueba la gestión del presupuesto.
- Examina las peticiones de los ciudadanos y realiza investigaciones.
- Debate la política monetaria con el Banco Central Europeo.
- Formula preguntas a la Comisión y al Consejo.
- Tiene la facultad de participar como observador electoral.

EL DERECHO DE PETICIÓN ANTE EL PARLAMENTO EUROPEO

«Cualquier ciudadano de la Unión, así como cualquier persona física o jurídica que resida o tenga su domicilio social en un Estado miembro, tendrá derecho a presentar al Parlamento Europeo, individualmente o asociado con otros ciudadanos o personas, una petición sobre un asunto propio de los ámbitos de actuación de la Unión que le afecte directamente».

Este derecho, recogido en el **artículo 227 del TFUE** es, igualmente, extensible a las empresas, organizaciones o asociaciones que tengan su sede social en algunos de los Estados miembros.

Esta vía permite que los ciudadanos y las empresas ejerzan un derecho fundamental consistente en poner en conocimiento del Parlamento Europeo aquellas quejas o solicitudes respecto a los Estados miembros, instituciones de la Unión o autoridades nacionales y permite la intervención del Parlamento con el fin de llamar la atención sobre las mismas, contribuyendo así a alcanzar una solución que ponga fin a la situación que las ha generado.

www.europarl.europa.eu/ftu/pdf/es/FTU_4.1.4.p

---

c) Competencias presupuestarias

- Junto al Consejo, el Parlamento establece el presupuesto de la Unión Europea.
- Aprueba el presupuesto de la Unión Europea a largo plazo (marco financiero plurianual).

4. El Parlamento Europeo y el poder legislativo

El **artículo 289 del TFUE** prevé dos tipos de procedimientos legislativos: el ordinario y el especial:

> 1. El procedimiento legislativo ordinario consiste en la adopción conjunta por el Parlamento Europeo y el Consejo, a propuesta de la Comisión, de un reglamento, una directiva o una decisión. Este procedimiento se define en el artículo 294.
> 2. En los casos específicos previstos por los Tratados, la adopción de un reglamento, una directiva o una decisión, bien por el Parlamento Europeo con la participación del Consejo, bien por el Consejo con la participación del Parlamento Europeo, constituirá un procedimiento legislativo especial.

a) El procedimiento legislativo ordinario

El procedimiento legislativo ordinario, que se encuentra regulado en el **artículo 294 del TFUE,** implica la intervención del Parlamento Europeo como colegislador junto con el Consejo y se ha convertido en el procedimiento legislativo más utilizado. La regla de voto en el ámbito del procedimiento legislativo ordinario es la mayoría cualificada.

Además de otros, este procedimiento se utiliza para la adopción de decisiones en los ámbitos de la cooperación judicial en materia civil, la cooperación policial, la ayuda humanitaria o los controles de las fronteras exteriores, el asilo y la inmigración.

b) Los procedimientos legislativos especiales

Mediante estos procedimientos, que suponen una excepción al procedimiento legislativo ordinario, se trata de simplificar el proceso de toma de decisiones de la Unión Europea. Se caracterizan porque en estos casos el Consejo de la Unión Europea es el único legislador mientras que el Parlamento Europeo solo está asociado al procedimiento y su función se limita a la consulta o la aprobación según los casos. Cuando el procedimiento es de consulta, el Parlamento Europeo puede aprobar o rechazar la propuesta legislativa o proponer enmiendas a la misma mientras que cuando es de aprobación, el Parlamento Europeo tiene la facultad de aceptar o rechazar una propuesta legislativa mediante votación por mayoría absoluta, pero no puede modificarla.

Los procedimientos legislativos especiales no se encuentran descritos en el TFUE por lo que habrá que estar a lo que dispongan los respectivos artículos del Tratado para saber en qué materias y ámbitos son de aplicación.

B. El Consejo de la Unión Europea

Junto al Parlamento Europeo, el Consejo de la Unión Europea, que tiene su sede en Bruselas, es la institución que interviene en la adopción de la legislación de la Unión Europea. Además, tiene como misión representar a los Gobiernos de los Estados miembros y coordinar su actuación, impulsar la política exterior y de seguridad común, celebrar acuerdos internacionales y adoptar el presupuesto de la Unión junto al Parlamento Europeo.

1. Composición

El Consejo de la Unión Europea está constituido por los ministros de los Gobiernos de los 28 Estados miembros. De este modo, los miembros del Consejo de Ministros variarán dependiendo del asunto que se vaya a tratar y los Estados estarán representados por los ministros responsables de la materia objeto de debate en cada Consejo. Los miembros del Consejo tienen competencias para asumir compromisos en nombre del Gobierno al que representan en relación con los temas tratados y los acuerdos adoptados en estas reuniones.

DISTINTAS FORMACIONES DEL CONSEJO EN FUNCIÓN DE LOS TEMAS QUE TRATAR

* Agricultura y pesca
* Asuntos económicos y financieros
* Asuntos exteriores
* Asuntos generales
* Competitividad
* Educación, juventud, cultura y deporte
* Empleo, política social, sanidad y consumidores
* Justicia y asuntos de interior
* Medio ambiente
* Transporte, telecomunicaciones y energía

http://www.consilium.europa.eu/es/council-eu/configurations/

El Consejo de Ministros es presidido por el ministro del país que en ese momento ostente la presidencia de la Unión Europea, excepto cuando se trate del Consejo de Ministros de Asuntos Exteriores, que será presidido por la Alta Representante de la Unión para Asuntos Exteriores y Política de Seguridad.

PRESIDENCIA ROTATORIA DE LA UNIÓN EUROPEA

La presidencia del Consejo es asumida por turnos de seis meses por los distintos Estados miembros de la Unión Europea. Durante ese periodo, el Estado que asume la presidencia preside las sesiones en todos los niveles del Consejo para garantizar así la continuidad del trabajo de la Unión en esa institución. El orden de la Presidencia del Consejo hasta el año 2020 es el siguiente:

Austria: julio-diciembre de 2018
Rumanía: enero-junio de 2019
Finlandia: julio-diciembre de 2019
Croacia: enero-junio de 2020
Alemania: julio-diciembre 2020

http://www.consilium.europa.eu/es/council-eu/presidency-council-eu/

Por lo que se refiere a los Consejos de Asuntos Económicos y Financieros, dado que no todos los países de la Unión han adoptado el euro, los ministros de economía y finanzas de los países de la zona del euro coordinan sus políticas económicas a través del Eurogrupo, que suele reunirse un día antes del Consejo de Asuntos Económicos y Financieros. Además, los acuerdos adoptados en el Eurogrupo se adoptan en el Consejo de Asuntos Económicos y Financieros, siendo votados únicamente por los ministros de los países participantes en la Eurozona.

2. Funcionamiento y adopción de decisiones

El Consejo solamente puede votar para adoptar una decisión legislativa si la mayoría de sus miembros están presentes, es decir, al menos 15 Estados miembros. Cabe la posibilidad de que un miembro del Consejo actúe en nombre de otro. A partir de aquí existen tres tipos de procedimientos de votación:

a) Mayoría cualificada

En el seno del Consejo, la adopción de propuestas de la Comisión o de la Alta Representante de la Unión para Asuntos Exteriores y Política de Seguridad se hace habitualmente mediante mayoría cualificada. Se utiliza, pues, en el marco del procedimiento legislativo ordinario regulado en el **artículo 294 del TFUE** que implica la intervención del Parlamento Europeo como colegislador. En este procedimiento, cada Estado miembro tiene un voto. Esto significa que, de forma cumulativa, han de cumplirse dos condiciones (la denominada doble mayoría):

- El voto afirmativo del 55 % de los Estados (es decir, 16 de los 28 Estados miembros).
- Que esos Estados representen, como mínimo, al 65 % de la población total de la Unión Europea.

Del mismo modo, para poder ejercer el bloqueo en el seno del Consejo sobre una decisión hay que tener en cuenta la denominada minoría de bloqueo, es decir:

- Que sea ejercitada, al menos, por 4 Estados miembros.
- Que, a su vez, representen, como mínimo el 35 % de la población de la Unión Europea.

Existen excepciones cuando se trate de adoptar decisiones en las que no participen todos los miembros del Consejo, por ejemplo, por la exclusión voluntaria de los mismos en determinadas medidas relativas a los asuntos de justicia e interior. En esos casos las decisiones se adoptarán:

- Con el voto favorable del 55 % de los Estados participantes.
- Siempre que los mismos representen, al menos el 65 % de los Estados miembros participantes.

Del mismo modo, cuando el Consejo no decida sobre una propuesta de la Comisión ni de la Alta Representante de la Unión para Asuntos Exteriores y Política de Seguridad, las decisiones se adoptarán cuando:

- Voten a favor de la propuesta, al menos, el 72 % de los miembros del Consejo.
- Y estos Estados representen, al menos, el 65 % de la población de la Unión Europea.

Finalmente, hay que señalar que cuando se aplica el sistema de mayoría cualificada en la toma de decisiones, las abstenciones se consideran como votos en contra.

b) Unanimidad

Sin embargo, existe una excepción al sistema de mayoría cualificada que no se aplicará cuando se trate de adoptar decisiones en temas sensibles. Por ejemplo: en materia de política exterior y de seguridad común, de seguridad social o protección social, en temas relacionados con la ciudadanía de la Unión, con las adhesiones a la Unión Europea, con la fiscalidad indirecta, con los movimientos de capitales, o en determinados asuntos en materia de justicia e interior. En estos casos, se requiere la unanimidad, es decir, el voto favorable de todos los Estados miembros o su abstención para que una decisión pueda ser adoptada en el seno del Consejo.

c) Mayoría simple

Por último, para las votaciones no legislativas, es decir, las cuestiones administrativas y asuntos de procedimiento, se requiere únicamente la mayoría simple, que supone el voto favorable de 15 miembros del Consejo.

3. Competencias

El Consejo es el principal órgano de decisión de la Unión Europea que comparte, con el Parlamento Europeo, el poder legislativo y presupuestario. De este modo, las competencias del Consejo son las siguientes:

- A partir de las propuestas legislativas presentadas por la Comisión, negociar y adoptar junto con el Parlamento Europeo la legislación de la Unión Europea.
- Coordinar las políticas de los Estados miembros.
- Siguiendo las directrices del Consejo Europeo, desarrollar la política exterior y de seguridad.
- Celebrar acuerdos entre la Unión Europea y otros países u organizaciones internacionales.
- Aprobar el presupuesto de la Unión junto con el Parlamento Europeo.

Para llevar a cabo sus tareas, el Consejo es asistido por el Comité de Representantes Permanentes de los Gobiernos de los Estados miembros de la Unión Europea (Coreper), que actúan como embajadores nacionales ante la Unión Europea, así como por más de 150 grupos de trabajo y comités altamente especializados que se denominan órganos preparatorios del Consejo.

EL CONSEJO EUROPEO

El Consejo de Ministros no debe confundirse con el Consejo Europeo. Esta institución, que no es un órgano legislativo, está integrada por los Jefes de Estado o de Gobierno de los 28 Estados Miembros, por su presidente, actualmente Donald Tusk, y por el presidente de la Comisión Europea. Cuando se tratan cuestiones de asuntos exteriores también participa la Alta Representante de la Unión para Asuntos Exteriores y Política de Seguridad.

En sus reuniones, también denominadas cumbres trimestrales, el Consejo Europeo define las prioridades políticas generales y se marcan las grandes líneas de la política de la Unión Europea. Al final de las mismas se hacen públicas sus conclusiones, en las que señala las cuestiones políticas de interés y las acciones que considera necesarias poner en práctica.

La adopción de decisiones se hace por consenso en la mayoría de los casos si bien en otros casos, siguiendo los mandatos del TFUE, ha de hacerse por unanimidad o mayoría cualificada. En las votaciones participan únicamente los representantes de los 28 Estados Miembros.

http://www.consilium.europa.eu/es/european-council/

LA ALTA REPRESENTANTE DE LA UNIÓN PARA ASUNTOS EXTERIORES Y POLÍTICA DE SEGURIDAD

Este cargo fue creado por el Tratado de Ámsterdam y, posteriormente, en el Tratado de Lisboa se perpetúan sus funciones. En el año 2014, Federica Mogherini fue designada por el Consejo Europeo por mayoría cualificada por un mandato de cinco años (2014-2020).

Entre las funciones de la Alta Representante de la Unión para Asuntos Exteriores y Política de Seguridad se encuentran:

a) Dirigir la Política Exterior y de Seguridad Común, incluyendo la Política de Seguridad y Defensa común.

b) Asegurar la coherencia de la acción exterior de la Unión.

c) Presidir el Consejo de Asuntos Exteriores.

d) Ocupar el cargo de vicepresidenta de la Comisión Europea, donde es la responsable de esta materia.

Para desarrollar su cometido, la Alta Representante de la Unión para Asuntos Exteriores y Política de Seguridad cuenta con el Servicio Europeo de Acción Exterior, del que forman parte funcionarios y agentes de la Unión Europea y personal delegado de los servicios diplomáticos de todos los Estados miembros.

https://eur-lex.europa.eu/legal-content/ES/TXT/?uri=LEGISSUM%3Aai0009

C. La Comisión Europea

La Comisión Europea, con sede en Bruselas, es el **órgano ejecutivo** de la Unión Europea y se encarga de proponer y aplicar la legislación comunitaria, supervisar el respeto de los Tratados, y gestionar el día a día de la Unión.

1. Composición

Sus 28 comisarios, uno por cada Estado miembro, son independientes políticamente de los países que los nombran y son elegidos para un periodo de cinco años —el colegio actual ejercerá su mandato hasta el 31 de octubre de 2019— en función de sus competencias y compromiso con la Unión Europea.

Para designar al presidente de la Comisión, el Consejo Europeo presenta un candidato que ha de obtener el apoyo de la mayoría de diputados del Parlamento Europeo. Una vez elegido, el presidente, a propuesta de los Estados miembros, prepara una lista para elegir a los vicepresidentes y comisarios.

Esa lista de candidatos debe ser aprobada por los dirigentes nacionales reunidos en el Consejo Europeo. Después, el presidente explicará su propuesta ante el Parlamento y este decidirá si acepta o no su propuesta de equipo para formar la Comisión, Si es así, el Consejo Europeo lo ha de designar por mayoría cualificada.

2. Funcionamiento y toma de decisiones

El colegio de comisarios compuesto por el presidente de la Comisión, un vicepresidente primero, siete vicepresidentes, la alta representante de la Unión para Asuntos Exteriores y Política de Seguridad y 20 comisarios, cada uno responsable de una política, se reúne semanalmente en las sedes de Bruselas y Luxemburgo.

El «Colegio de Comisarios» toma sus decisiones de forma colectiva de tal forma que todos los comisarios responden por igual de las decisiones adoptadas. El consenso es la forma más habitual de adoptar las decisiones en el seno de la Comisión si bien, en algunas circunstancias, cuando sea necesario acudir a la votación —en estos casos cada comisario tiene un voto— se aprobarán por mayoría simple.

El presidente, preside las reuniones semanales del colegio de comisarios y establece la agenda política de la Comisión. A su vez, los vicepresidentes actúan en representación del presidente y son los encargados de coordinar los trabajos en función del área de competencia que tengan asignada. Los comisarios, por su parte, también serán responsables de un ámbito político determinado —asignado a cada Dirección General—, bajo la supervisión del correspondiente vicepresidente.

De acuerdo con el Reglamento interno de la Comisión Europea, el procedimiento interno de toma de decisiones puede ser oral, escrito, de habilitación —cuando la Comisión habilite o delegue a uno o varios comisarios en su nombre—, o de delegación —que se produce en favor de los directores generales o los jefes de departamento.

3. Competencias

La Comisión tiene atribuidas las siguientes funciones:

a) Guardiana de los Tratados

La Comisión tiene como función primordial velar por los intereses generales de la Unión Europea proponiendo y comprobando que se cumplan los Tratados y la legislación derivada de los mismos. De este modo, y juntamente con el Tribunal de Justicia, garantiza que la legislación de la Unión se aplique correctamente en todos los Estados miembros.

Por otra parte, cuando la Comisión considere que un Estado miembro no ha cumplido sus obligaciones derivadas del Tratado, por ejemplo, por no incorporar una directiva en su ordenamiento interno dentro del plazo establecido al efecto, puede recurrir al Tribunal de Justicia. Igualmente, la Comisión interviene cuando un Estado miembro considere que otro no ha cumplido las obligaciones que le incumben de acuerdo con el Tratado. Finalmente, la Comisión ha de velar por que los actos o la inacción de otras instituciones no constituyan una infracción de los Tratados.

b) Funciones ejecutivas

La Comisión es la encargada de velar por los intereses generales de la Unión Europea aplicando sus políticas. Para ello, elabora el presupuesto de la Unión Europea que, posteriormente, será aprobado por el Parlamento Europeo y el Consejo, con base a las prioridades de gasto y supervisa su ejecución.

c) Iniciativa legislativa

Además, en la Comisión recae la iniciativa legislativa, es decir, es la institución responsable de elaborar propuestas de nueva legislación europea y presentarlas al Parlamento Europeo y al Consejo para su aprobación, así como de aplicar las decisiones del Parlamento Europeo y del Consejo.

En el desarrollo de esta tarea, la Comisión debe respetar tres objetivos fundamentales: en primer lugar, identificar los intereses de la Unión Europea; además, organizar consultas tan amplias como sean necesarias sobre los temas objeto de propuesta legislativa; y, finalmente, respetar el principio de subsidiariedad.

En este punto, conviene recordar que el Tratado de Lisboa incorporó la iniciativa que permite a los ciudadanos de la Unión someter propuestas legislativas a la Comisión para que sean presentadas a su aprobación, siempre que tengan el respaldo de un millón de firmas.

d) Representación institucional

Finalmente, la Comisión es la encargada de representar a la Unión Europea a escala internacional, por ejemplo, ante los organismos internacionales en cuestiones de política comercial, como la Organización Mundial del Comercio, y ayuda humanitaria, donde habla con una sola voz y negocia acuerdos en nombre de la Unión.

4. Direcciones generales

Para llevar a cabo su actividad, la Comisión se divide en 33 Direcciones Generales, cada una de ellas encargada de una materia y responsabilidad concreta.

DIRECCIONES GENERALES DE LA COMISIÓN EUROPEA

- Acción por el Clima
- Agricultura y Desarrollo Rural
- Asuntos Económicos y Financieros
- Asuntos Marítimos y Pesca
- Centro Común de Investigación
- Comercio
- Competencia
- Comunicación
- Cooperación Internacional y Desarrollo
- Educación y Cultura
- Empleo, Asuntos Sociales e Inclusión
- Energía
- Estabilidad Financiera, Servicios Financieros y Unión de los Mercados de Capitales
- Eurostat
- Fiscalidad y Unión Aduanera
- Informática
- Interpretación
- Investigación e Innovación
- Justicia y Consumidores
- Medio Ambiente
- Mercado Interior, Industria, Emprendimiento y Pymes
- Migración y Asuntos de Interior
- Movilidad y Transportes
- Política de Vecindad y Negociaciones de Ampliación
- Política Regional y Urbana
- Presupuestos
- Protección Civil y Operaciones de Ayuda Humanitaria Europeas
- Recursos Humanos y Seguridad
- Redes de Comunicación, Contenido y Tecnologías
- Salud y Seguridad Alimentaria
- Secretaría General
- Servicio de Instrumentos de Política Exterior
- Traducción

https://ec.europa.eu/info/about-european-commission/organisational-structure_es

5. Supervisión de la Comisión

La Comisión se encuentra sometida al control del Parlamento Europeo. De este modo, además del rol que juega en la designación del presidente y comisarios de la Comisión, el Parlamento puede censurar las actuaciones de esta institución. Igualmente, el Parlamento Europeo debe recibir informes mensuales de la Comisión acerca de la ejecución presupuestaria, así como el Informe General de las actividades desarrolladas por la Comisión que elabora anualmente.

D. El Tribunal de Justicia de la Unión Europea

El Tribunal de Justicia de la Unión Europea, con sede en Luxemburgo, tiene como misión interpretar la legislación de la Unión Europea (derecho originario y derecho derivado) con el fin de garantizar su aplicación uniforme en todos los Estados miembros.

Su origen lo encontramos en los Tratados fundacionales que establecían un Tribunal para cada una de las Comunidades (Comunidad Europea del Carbón y el Acero, Euratom y Comunidad Económica Europea). Posteriormente, por el Tratado de Fusión, los tres se fusionaron en el Tribunal de Justicia de las Comunidades Europeas. A su vez, el Acta Única Europea creó el Tribunal de Primera Instancia con el fin de aligerar la carga de trabajo que tenía el Tribunal de Justicia. El Tratado de Niza, por su parte, estableció la posibilidad de crear tribunales especializados, lo que permitió crear en el año 2004 el Tribunal de la Función Pública que tenía competencia para resolver los litigios entre las instituciones de la Unión Europea y su personal. Sin embargo, el 1 de septiembre de 2016 quedó disuelto el Tribunal de la Función Pública, siendo traspasadas sus competencias al Tribunal General. En definitiva, actualmente el Tribunal de Justicia queda constituido por dos **órganos** y cada uno de ellos ostenta competencias específicas: el Tribunal de Justicia y el Tribunal General (anteriormente el Tribunal de Primera Instancia).

1. El Tribunal de Justicia

a) Composición

El Tribunal de Justicia está compuesto por 28 jueces —uno por cada Estado miembro— y 11 abogados generales propuestos por los Estados miembros y nombrados de común acuerdo por los Gobiernos (previo informe de un

Comité sobre la idoneidad de los candidatos para desarrollar esta función) por un periodo renovable de seis años. Estos candidatos han de ser personas de reconocida competencia para desempeñar la labor jurisdiccional y que ofrezcan absolutas garantías de independencia. El presidente y vicepresidente del Tribunal son elegidos entre los propios jueces para un mandato renovable de tres años. La función del presidente es presidir las vistas del Tribunal y sus deliberaciones, tareas en las que es asistido por el vicepresidente de la institución. El Tribunal cuenta también con un secretario general.

Los abogados generales tienen como misión asistir al Tribunal mediante la presentación de las conclusiones en los asuntos que les sean asignados. Estas conclusiones constituyen un dictamen jurídico sobre el asunto asignado que pueden o no ser seguidas en su deliberación y fallo por el Tribunal de Justicia pero, en cualquier caso, coadyuvan a la adopción final de la decisión por parte del Tribunal.

b) Funcionamiento

El Tribunal de Justicia puede reunirse en pleno, es decir, en gran sala compuesta por quince jueces, si bien esto sucederá únicamente en casos excepcionales previstos en el Estatuto del Tribunal de Justicia, o cuando sea solicitado por una institución o un Estado miembro parte en el proceso. Fuera de estos casos, el Tribunal se reúne en salas compuestas por tres o cinco jueces. Su idioma de trabajo es el francés, aunque todos los documentos son traducidos a todas las lenguas oficiales de la Unión Europea.

Cuando un asunto es registrado ante el Tribunal de Justicia se le asigna un juez y un abogado general. A partir de ahí, hay dos fases de instrucción: la primera, escrita y, la segunda, oral.

- Procedimiento escrito. Las partes que intervienen en el asunto han de presentar ante el Tribunal sus alegaciones. En esta fase también pueden presentar observaciones los Gobiernos nacionales, las instituciones de la Unión Europea y, en algunos casos, los particulares. El juez ponente resume las alegaciones y observaciones sometidas por las partes y, a la vista de la importancia o complejidad del asunto, el Tribunal decide si ha de ser visto por una Sala de tres o cinco jueces o por el pleno del Tribunal, y si debe celebrarse vista y es necesario dictamen del abogado general.
- Procedimiento oral: la vista pública. Las partes, a través de sus abogados, exponen y defienden ante el Tribunal sus argumentos y este puede formular preguntas. Posteriormente, el Tribunal delibera y dicta Sentencia.

c) Competencias

El Tribunal de Justicia es el órgano competente para dilucidar los litigios que se planteen entre los Gobiernos nacionales y las instituciones europeas; entre las instituciones europeas; y, en determinados supuestos, entre los particulares —personas físicas o jurídicas— y las instituciones de la Unión Europea. Igualmente, el Tribunal de Justicia tiene competencia para:

- Conocer de determinados litigios relacionados con el Banco Europeo de Inversiones (artículo 271 del TFUE);
- Juzgar en virtud de una cláusula compromisoria contenida en un contrato de Derecho público o de Derecho privado celebrado por la Unión o por su cuenta (artículo 272).
- Pronunciarse sobre cualquier controversia entre Estados miembros relacionada con el objeto de los tratados, si dicha controversia le es sometida en virtud de un compromiso (artículo 273 del TFUE);
- Pronunciarse sobre la compatibilidad con los tratados de cualquier acuerdo previsto, teniendo en cuenta que, en caso de dictamen negativo del Tribunal de Justicia, el acuerdo previsto no podrá entrar en vigor salvo modificación de este o revisión de los tratados (artículo 218 (11) del TFUE).

Las competencias jurisdiccionales que tiene atribuidas el Tribunal de Justicia las desarrolla a través de los siguientes recursos jurisdiccionales que pueden dividirse en recursos directos y recursos indirectos.

d) Recursos directos ante el Tribunal de Justicia

i) El recurso por incumplimiento

Mediante este recurso, el Tribunal de Justicia puede controlar el cumplimento de las obligaciones del Tratado por parte de los Estados miembros. Previamente a la presentación del recurso, el Estado afectado ha de ser requerido por la Comisión para que plantee sus objeciones y ponga fin al incumplimiento que se le imputa.

Puede tratarse de un procedimiento de la Comisión contra un Estado miembro, tal y como establece el **artículo 258 del TFUE:**

> Si la Comisión estimare que un Estado miembro ha incumplido una
> de las obligaciones que le incumben en virtud de los Tratados, emitirá un

dictamen motivado al respecto, después de haber ofrecido a dicho Estado la posibilidad de presentar sus observaciones.

Si el Estado de que se trate no se atuviere a este dictamen en el plazo determinado por la Comisión, esta podrá recurrir al Tribunal de Justicia de la Unión Europea.

O de un recurso de un Estado miembro contra otro Estado miembro, en cuyo caso la Comisión también ha de intervenir emitiendo un dictamen motivado con base a lo dispuesto en el **artículo 259 del TFUE:**

Cualquier Estado miembro podrá recurrir al Tribunal de Justicia de la Unión Europea, si estimare que otro Estado miembro ha incumplido una de las obligaciones que le incumben en virtud de los Tratados.

Antes de que un Estado miembro interponga, contra otro Estado miembro, un recurso fundado en un supuesto incumplimiento de las obligaciones que le incumben en virtud de los Tratados, deberá someter el asunto a la Comisión.

La Comisión emitirá un dictamen motivado, una vez que los Estados interesados hayan tenido la posibilidad de formular sus observaciones por escrito y oralmente en procedimiento contradictorio.

Si la Comisión no hubiere emitido el dictamen en el plazo de tres meses desde la fecha de la solicitud, la falta de dictamen no será obstáculo para poder recurrir al Tribunal.

➢ Recurso de incumplimiento presentado por la Comisión Europea contra el Reino de España: el asunto de las empresas estibadoras en los puertos Estatales

Para que los prestadores de servicios pudiesen desarrollar su actividad en los puertos estatales, la legislación española establecía que debían cumplir los siguientes requisitos: inscribirse en una Sociedad Anónima de Gestión de Estibadores Portuarios, participar en el capital de esta, contratar con carácter prioritario a trabajadores puestos a disposición por dicha sociedad y contratar a un mínimo de tales trabajadores sobre una base permanente. Estas obligaciones podían implicar para las empresas estibadoras extranjeras una adaptación que les acarrease consecuencias financieras negativas y perturbaciones en su normal funcionamiento, hasta el punto de disuadirlas para establecerse en los puertos españoles de interés general, lo que podía ser contrario al artículo 49 del TFUE relativo a la libertad de establecimiento. Por este motivo, la Comisión, tras enviar un dictamen motivado y escuchar las alegaciones del gobierno español, decidió presentar ante el TJUE un recurso por incumplimiento del Reino de España de las obligaciones que le incumben en virtud del Tratado.

El Tribunal de Justicia declaró fundado este recurso y en su Sentencia señalaba que:

> […] el artículo 49 TFUE se opone a cualquier medida nacional que, aun cuando se aplique sin discriminación alguna por razón de la nacionalidad, pueda obstaculizar o hacer menos atractivo el ejercicio, por parte de los nacionales de la Unión, de la libertad de establecimiento garantizada por el Tratado

Además:

> […] la restricción a la libertad de establecimiento que resulta del régimen portuario español […] constituye una restricción que va más allá de lo que resulta necesario para alcanzar los objetivos perseguidos y que, por consiguiente, no está justificada.

En consecuencia, consideró pertinente:

> Declarar que el Reino de España ha incumplido las obligaciones que le incumben en virtud del artículo 49 TFUE, al imponer a las empresas de otros Estados miembros que deseen desarrollar la actividad de manipulación de mercancías en los puertos españoles de interés general tanto la obligación de inscribirse en una Sociedad Anónima de Gestión de Estibadores Portuarios y, en su caso, de participar en el capital de esta, por un lado, como la obligación de contratar con carácter prioritario a trabajadores puestos a disposición por dicha Sociedad Anónima, y a un mínimo de tales trabajadores sobre una base permanente, por otro lado.
>
> Sentencia del Tribunal de Justicia, de 11 de diciembre de 2014, asunto C576/13, *Comisión Europea c. Reino de España*

ii) El recurso de anulación

El Tribunal de Justicia es competente para controlar la legalidad de los actos (por acción) adoptados por las instituciones de la Unión Europea. De esta suerte, el recurso de anulación permite solicitar ante el Tribunal de Justicia la anulación de un acto (reglamento, directiva o decisión) adoptado por una institución, un órgano o un organismo de la Unión Europea. El recurso contra estos actos podrá ser presentado por un Estado miembro, el Parlamento Europeo, el Consejo o la Comisión. El **artículo 263 del TFUE** así lo establece:

> El Tribunal de Justicia de la Unión Europea controlará la legalidad de los actos legislativos, de los actos del Consejo, de la Comisión y del Banco Central Europeo que no sean recomendaciones o dictámenes, y de los actos del Parlamento Europeo y del Consejo Europeo destinados a producir efectos jurídicos

frente a terceros. Controlará también la legalidad de los actos de los órganos u organismos de la Unión destinados a producir efectos jurídicos frente a terceros.

A tal fin, el Tribunal de Justicia de la Unión Europea será competente para pronunciarse sobre los recursos por incompetencia, vicios sustanciales de forma, violación de los Tratados o de cualquier norma jurídica relativa a su ejecución, o desviación de poder, interpuestos por un Estado miembro, el Parlamento Europeo, el Consejo o la Comisión.

El Tribunal de Justicia de la Unión Europea será competente en las mismas condiciones para pronunciarse sobre los recursos interpuestos por el Tribunal de Cuentas, por el Banco Central Europeo y por el Comité de las Regiones con el fin de salvaguardar prerrogativas de estos. [...]

Por lo que se refiere a los particulares (personas físicas o jurídicas), estos también podrán interponer un recurso de anulación contra los actos de los que sean destinatarios o que les afecten directa e individualmente, tal y como dispone el párrafo cuarto del mencionado **artículo 263 del TFUE,** si bien, en estos casos, el órgano competente será el Tribunal General:

Toda persona física o jurídica podrá interponer recurso, en las condiciones previstas en los párrafos primero y segundo, contra los actos de los que sea destinataria o que la afecten directa e individualmente y contra los actos reglamentarios que la afecten directamente y que no incluyan medidas de ejecución.

En este sentido, el Tribunal de Justicia ha considerado:

[...] que quienes no sean destinatarios de una decisión solo pueden alegar que esta les afecta individualmente cuando dicha decisión les atañe debido a ciertas cualidades que les son propias o a una situación de hecho que les caracteriza en relación con cualesquiera otras personas y, por ello, les individualiza de una manera análoga a la del destinatario.

Sentencia del Tribunal de Justicia de 15 de julio de 1963, asunto 25/62, *Plaumann*

Además,

[...] el hecho de que un particular esté directamente afectado exige que la medida comunitaria en cuestión produzca directamente efectos sobre su situación jurídica y no permita ninguna facultad de apreciación a los destinatarios de dicha medida que están encargados de su aplicación, por tener esta un carácter meramente automático y derivarse únicamente de la normativa comunitaria sin aplicación de otras normas intermedias.

Sentencia del Tribunal de Justicia de 5 de mayo de 1998, asunto C-386/96 P, *Dreyfus c. Comisión*.

Un buen ejemplo del recurso de anulación contra un acto adoptado por una institución lo encontramos en el siguiente asunto:

> **Recurso de anulación presentado por un particular contra un acto adoptado por una institución de la Unión Europea (Reglamento del Consejo): el asunto *Codorníu***

Este caso marcó un punto de inflexión en la jurisprudencia del Tribunal de Justicia en esta materia, pues era la primera vez que una empresa obtenía una sentencia favorable en un recurso interpuesto solicitando la anulación de un acto adoptado por una institución comunitaria. Además, en esta decisión, el Tribunal establecía un nuevo criterio en la su doctrina en materia de admisibilidad de recursos interpuestos por los particulares contra actos comunitarios, especialmente cuando estos revisten la forma de un Reglamento.

La empresa española Codorníu emprendió sus acciones legales contra un reglamento adoptado del Consejo de la Unión Europea al entender que ciertas disposiciones del mismo eran contrarias al derecho comunitario porque incluían una discriminación clara entre productores de vinos espumosos. Concretamente, solicitaba la anulación de la letra c) del punto 2 del artículo 1 del Reglamento 2045/89 del Consejo, de 19 de junio de 1989, que modificaba el Reglamento 3309/85 por el que se establecen las normas generales para la designación y la presentación de los vinos espumosos y de los vinos espumosos gasificados. De acuerdo con el mencionado Reglamento, se reservaba la mención *«crémant»* para algunos vinos espumosos de calidad producidos en una región determinada (*«v.e.c.p.r.d.»*) elaborados en Francia y Luxemburgo, a fin de proteger esta indicación tradicional utilizada en los dos Estados miembros mencionados para designar otros tipos de productos de procedencia bien determinada.

En el momento en que se adoptó el Reglamento, la empresa española era productora de vinos *«v.e.c.p.r.d.»* con la denominación de cava y era titular, igualmente, para una parte de su producción, de la marca española *«Gran Cremant de Codorniu»*, la cual había venido utilizando a efectos de designar un *«v.e.c.p.r.d.»* desde 1924. Además, Codorníu era el principal productor comunitario de *«v.e.c.p.r.d.»* en cuya designación figura la mención *«crémant»*. De este modo, la entrada en vigor del mencionado reglamento iba a afectar de forma muy negativa a la empresa española porque le privaría de la utilización de la referida mención *«crémant»*, con el perjuicio económico que ello podía representar para esta.

Por todo ello, Codorníu consideraba que la reserva contenida en el mencionado Reglamento 2045/89, a favor de los productores franceses y luxemburgueses, era contraria a derecho comunitario por contener una discriminación implícita y, por tanto, ilegal; y decidió presentar un recurso de anulación ante el Tribunal de Justicia. Para ello, la empresa española tuvo que justificar que la norma en cuestión le afectaba directa e individualmente y así fue reconocido por el Tribunal al considerar que en el presente supuesto la disposición objeto de litigio afectaba de forma negativa, en virtud de determinados elementos que concurrían en el caso, a un productor, lo cual lo individualizaba e identificaba de cualquier otra persona:

> [...] Codorníu ha acreditado la existencia de una situación que la caracteriza, en relación con la disposición objeto de litigio, frente a cualquier otro operador económico.

Y el Tribunal decidió:

> Anular la letra c) del punto 2 del artículo 1 del Reglamento (CEE) 2045/89 del Consejo, de 19 de junio de 1989, que modificaba el Reglamento (CEE) 3309/85 por el que se establecen las normas generales para la designación y la presentación de los vinos espumosos y de los vinos espumosos gasificados [...]
>
> Sentencia del Tribunal de Justicia de 18 de mayo de 1994, asunto C-309/89, *Codorníu*

iii) El recurso por omisión

Del mismo modo, el Tribunal de Justicia es competente para controlar los actos (por inacción) de las instituciones, los órganos o los organismos de la Unión Europea mediante la interposición del recurso por omisión, una vez la institución afectada hubiese sido requerida para actuar y, pese a ello, haya perseverado en su inactividad. El **artículo 265 TFUE** dispone:

> En caso de que, en violación de los Tratados, el Parlamento Europeo, el Consejo Europeo, el Consejo, la Comisión o el Banco Central Europeo se abstuvieren de pronunciarse, los Estados miembros y las demás instituciones de la Unión podrán recurrir al Tribunal de Justicia de la Unión Europea con objeto de que declare dicha violación. El presente artículo se aplicará, en las mismas condiciones, a los órganos y organismos de la Unión que se abstengan de pronunciarse.
>
> Este recurso solamente será admisible si la institución, órgano u organismo de que se trate hubieren sido requeridos previamente para que actúen. Si transcurrido un plazo de dos meses, a partir de dicho requerimiento, la institución, órgano u organismo no hubiere definido su posición, el recurso podrá ser interpuesto dentro de un nuevo plazo de dos meses.

> Toda persona física o jurídica podrá recurrir en queja al Tribunal, en las condiciones señaladas en los párrafos precedentes, por no haberle dirigido una de las instituciones, o uno de los órganos u organismos de la Unión un acto distinto de una recomendación o de un dictamen.

iv) Los recursos en materia de responsabilidad extracontractual

El **artículo 340 del TFUE** dispone:

> En materia de responsabilidad extracontractual, la Unión deberá reparar los daños causados por sus instituciones o sus agentes en el ejercicio de sus funciones, de conformidad con los principios generales comunes a los Derechos de los Estados miembros.

Por su parte, el **artículo 268 e**stablece que:

> El Tribunal de Justicia de la Unión Europea será competente para conocer de los litigios relativos a la indemnización por daños a que se refieren los párrafos segundo y tercero del artículo 340.

Esto significa que cualquier persona física o jurídica podrá litigar ante el Tribunal General para obtener la reparación por daños, en materia de responsabilidad extracontractual, causados por las instituciones de la Unión o sus agentes.

> ➤ **Recurso por responsabilidad extracontractual contra la Comisión Europea y condena por el perjuicio sufrido por un particular: el asunto *Stanley Adams***

En el año 1974, en el curso de un procedimiento de investigación abierto por la Comisión Europea contra la empresa suiza Hoffmann-La Roche por determinadas prácticas contrarias a la competencia, a raíz de una denuncia del Sr. Adams, empleado de la mencionada sociedad, se filtró el nombre del denunciante en alguna de las copias de los documentos entregadas por los funcionarios de la Comisión a los empleados de Roche.

A partir de ahí, el Sr Adams fue detenido e inculpado de espionaje económico con arreglo al artículo 273 del Código penal suizo por lo que fue detenido y, posteriormente, condenado a un año de prisión. Además, durante su encarcelamiento inicial su mujer se suicidó tras sufrir un interrogatorio por la policía suiza.

El Sr. Adams presentó un procedimiento contra la Comisión de las Comunidades Europeas fundado en el artículo 178 y en el párrafo segundo del artículo 215 del Tratado CEE, alegando que las relaciones entre la Comisión y él tenían carácter confidencial y que, además, había una obligación de guardar secreto por parte de la Comisión sobre la identidad del denunciante, tal y como se desprende de los principios generales comunes a los Derechos de los Estados miembros y de las obligaciones que impone a la Comisión el artículo 214 del Tratado y el artículo 20 del Reglamento n.° 17 del Consejo, de 6 de febrero de 1962. Sin embargo, estas obligaciones no habían sido cumplidas, ya que el demandante disponía de una prueba que demostraba de una manera singular la directa responsabilidad de la Comisión en todo el proceso sufrido por el demandante.

En este asunto, el Tribunal de Justicia consideró, al menos parcialmente, responsable a la Comisión de los daños sufridos por el demandante y, por consiguiente, obligada a indemnizar el perjuicio causado:

> […] Procede, por consiguiente, llegar a la conclusión de que, al no haber desplegado toda la diligencia posible para transmitir al demandante las informaciones de las que disponía después de la visita de Me Alder del 8 de noviembre de 1974, cuando haberlo hecho hubiera podido prevenir o por lo menos limitar el daño que podía seguirse de la identificación del demandante a través de los documentos que la Comisión había entregado a Roche, la propia Comisión incurrió en responsabilidad frente al demandante a causa de dicho perjuicio.
>
> […] la Comunidad está obligada a indemnizar el perjuicio derivado de la identificación del demandante a través de los documentos entregados a Roche por la Comisión. Procede sin embargo reconocer que la responsabilidad de la Comisión queda atenuada por las imprudencias cometidas por el propio demandante […]

Decidiendo, así:

> Condenar a la Comisión a indemnizar, en un 50 %, el perjuicio sufrido por el demandante por el hecho de que este pudo ser identificado como autor de las informaciones que llevaron a la Comisión a imponer una multa a la antigua empresa del demandante, la sociedad suiza Hoffmann-La Roche, por determinadas prácticas contrarias a la competencia.
>
> Sentencia del Tribunal de Justicia de 7 de noviembre de 1985, asunto 145/83, **Stanley George Adams**

v) Los recursos de casación

El Tribunal de Justicia actúa no solo como Tribunal de primera instancia sino, también, como Tribunal de casación. De este modo, las sentencias y autos dictados por el Tribunal General podrán ser objeto de recurso de casación ante el

Tribunal de Justicia. Estos recursos se limitan a las cuestiones de Derecho y, de prosperar, anularan la resolución del Tribunal General. El **artículo 56 del TFUE** dispone:

> Contra las resoluciones del Tribunal General que pongan fin al proceso, así como contra las que resuelvan parcialmente la cuestión de fondo o pongan fin a un incidente procesal relativo a una excepción de incompetencia o de inadmisibilidad, podrá interponerse recurso de casación ante el Tribunal de Justicia en un plazo de dos meses a partir de la notificación de la resolución impugnada.
>
> Dicho recurso de casación podrá interponerse por cualquiera de las partes cuyas pretensiones hayan sido total o parcialmente desestimadas. Sin embargo, los coadyuvantes que no sean Estados miembros o instituciones de la Unión sólo podrán interponer recurso de casación cuando la resolución del Tribunal General les afecte directamente.
>
> Salvo en los litigios entre la Unión y sus agentes, el recurso de casación podrá interponerse también por los Estados miembros y las instituciones de la Unión que no hayan intervenido en el litigio ante el Tribunal General. Dichos Estados miembros e instituciones estarán en una posición idéntica a la de los Estados miembros o instituciones que hayan intervenido en primera instancia.

vi) Ejecución de sentencias

Finalmente, con la finalidad de ejecutar las sentencias recaídas contra los Estados miembros, la Comisión podrá interponer un nuevo recurso ante el Tribunal de Justicia solicitando incluso la imposición de una multa coercitiva. Así lo establece el **artículo 260.2 del TFUE:**

> Si la Comisión estimare que el Estado miembro afectado no ha adoptado las medidas necesarias para la ejecución de la sentencia del Tribunal, podrá someter el asunto al Tribunal de Justicia de la Unión Europea, después de haber ofrecido a dicho Estado la posibilidad de presentar sus observaciones. La Comisión indicará el importe de la suma a tanto alzado o de la multa coercitiva que deba ser pagada por el Estado miembro afectado y que considere adaptado a las circunstancias.

e) Recursos indirectos ante el Tribunal de Justicia

i) La cuestión prejudicial

Se denomina recurso indirecto porque permite el acceso de los particulares y empresas al Tribunal de Justicia a través de sus tribunales nacionales. Por otra parte, este recurso permite la estrecha cooperación entre el Tribunal de Justicia y los órganos jurisdiccionales nacionales encargados de aplicar el Derecho de la Unión Europea, favoreciendo la coherencia y la interpretación y aplicación uniforme del derecho de la Unión Europea en todos los Estados miembros, evitando interpretaciones divergentes. Para ello, los tribunales nacionales pueden suspender el procedimiento que se sustancia ante ellos y plantear una cuestión prejudicial ante el Tribunal de Justicia con el fin de obtener una sentencia que les permita resolver el asunto planteado. El **artículo 267 del TFUE** establece al respecto:

> El Tribunal de Justicia de la Unión Europea será competente para pronunciarse, con carácter prejudicial:
> a) Sobre la interpretación de los Tratados.
> b) Sobre la validez e interpretación de los actos adoptados por las instituciones, órganos u organismos de la Unión.
> Cuando se plantee una cuestión de esta naturaleza ante un órgano jurisdiccional de uno de los Estados miembros, dicho órgano podrá pedir al Tribunal que se pronuncie sobre la misma, si estima necesaria una decisión al respecto para poder emitir su fallo.
> Cuando se plantee una cuestión de este tipo en un asunto pendiente ante un órgano jurisdiccional nacional, cuyas decisiones no sean susceptibles de ulterior recurso judicial de Derecho interno, dicho órgano estará obligado a someter la cuestión al Tribunal.
> Cuando se plantee una cuestión de este tipo en un asunto pendiente ante un órgano jurisdiccional nacional en relación con una persona privada de libertad, el Tribunal de Justicia de la Unión Europea se pronunciará con la mayor brevedad.

De este modo, los ciudadanos no acuden directamente ante el Tribunal de Justicia para hacer valer sus derechos porque ante el Tribunal de Justicia solamente cabe ejercitar las acciones directas antes señaladas. Por el contrario, pueden personarse ante sus tribunales nacionales que, cuando tengan alguna duda sobre la interpretación de los tratados o la validez e interpretación de los actos adoptados por las instituciones de la Unión, podrán solicitar al Tribunal de Justicia que se pronuncie con carácter prejudicial sobre la misma.

Por otra parte, hay que mencionar que el Tribunal de Justicia no juzga los hechos planteados en el proceso ante los tribunales nacionales, sino que interpreta el derecho de la Unión Europea que ha de aplicarse por los jueces nacionales con el fin de que estos puedan resolver sobre el fondo del asunto siguiendo la interpretación facilitada por el Tribunal de Justicia.

Para que la cuestión prejudicial pueda plantearse han de cumplirse determinados requisitos: en primer lugar, que exista un verdadero litigio ante los tribunales nacionales, es decir, que no se trate de un supuesto hipotético, irrelevante o que no sea claro. Esto significa que ha de tratarse de una cuestión real surgida de los hechos del proceso; en segundo lugar, que la cuestión prejudicial resulte fundamental para que el tribunal nacional pueda resolver el litigio planteado; finalmente, que la cuestión se plantee de forma precisa y con claridad para que el Tribunal de Justicia pueda resolverla ya que, de otro modo, declarará la misma inadmisible y no entrará a resolver la cuestión planteada.

Todo órgano nacional puede plantear una cuestión prejudicial ante el Tribunal de Justicia, ya sea de oficio o a petición de cualesquiera de las partes que intervengan en el proceso, siempre que el Tribunal estime que existe una cuestión en el sentido del artículo 267. Sin embargo, hay que distinguir si se trata de un órgano jurisdiccional cuyas decisiones son susceptibles de ulterior recurso, en cuyo caso el planteamiento de la cuestión quedará a la discreción del Tribunal remitente; o si no cabe ulterior recurso judicial de derecho interno o se trata de una cuestión de validez del Derecho de la Unión Europea, ya que en esos casos el órgano jurisdiccional nacional estará obligado a plantear la cuestión prejudicial.

Existen, no obstante, ciertas excepciones. La primera de ellas, en aquellos supuestos donde el Tribunal de Justicia ya se haya pronunciado previamente sobre la misma cuestión. En esos casos, aplicando la doctrina del «*precedent*» no será necesario plantear, de nuevo, la misma cuestión, pues los tribunales nacionales se encuentran obligados por el pronunciamiento anterior del Tribunal de Justicia. Tampoco será necesario plantear una cuestión prejudicial en aquellos supuestos en los que el Tribunal nacional considere que la respuesta a la cuestión planteada es obvia en función de la doctrina del «*acte clair*», es decir, cuando considere que la interpretación de la norma es clara y, por lo tanto, con arreglo a la discreción de la que dispone decida no plantear la cuestión prejudicial. Así, lo ha considerado el Tribunal de Justicia en su jurisprudencia:

> […] que un órgano jurisdiccional cuyas decisiones no son susceptibles de ulterior recurso judicial de Derecho interno, cuando se suscita ante él una cuestión de Derecho comunitario, ha de dar cumplimiento a su obligación de someter dicha cuestión al Tribunal a menos que haya comprobado que la cuestión suscitada no es pertinente, o que la disposición comunitaria de que se trata fue ya objeto de interpretación por el Tribunal de Justicia, o que la correcta aplicación del Derecho comunitario se impone con tal evidencia que no deja lugar a duda razonable alguna; la existencia de tal supuesto debe ser apreciada en función de las características propias del Derecho comunitario, de las dificultades particulares que presenta su interpretación y del riesgo de divergencias de jurisprudencia en el interior de la Comunidad.
>
> Sentencia del Tribunal de Justicia de 6 de octubre de 1982, asunto 283/81, *CILFIT*

En definitiva, la necesidad de plantear una cuestión prejudicial, así como la delimitación de las cuestiones que en ella se planteen recae, en última instancia, en el órgano jurisdiccional nacional que resulte competente para dictar sentencia en el litigio principal.

2. El Tribunal General

a) Composición

El Tribunal General está compuesto por 47 jueces (en el año 2019 pasarán a ser 56, es decir, 2 por cada Estado miembro), que son nombrados por el mismo procedimiento señalado para el Tribunal de Justicia y por el mismo periodo, y que desarrollan sus funciones con imparcialidad e independencia. El Presidente del Tribunal es nombrado por sus jueces por un periodo de tres años y el Secretario del tribunal por un periodo de seis años. Este Tribunal no cuenta con abogados generales permanentes si bien, en casos excepcionales, puede atribuirse esta función a uno de sus jueces.

b) Funcionamiento

Para su funcionamiento, el Tribunal General se distribuye en salas compuestas por tres o cinco jueces y, en determinados casos, por un juez único. Excepcionalmente, en casos cuya importancia o complejidad jurídica así lo aconsejen, puede reunirse en gran sala con la presencia de quince jueces.

En general, el procedimiento ante el Tribunal General es similar al que se sigue ante el Tribunal de Justicia, comprendiendo una fase escrita y una oral, con la salvedad de que la mayoría de los asuntos que se dilucidan ante el Tribunal General se hace en salas compuestas por tres jueces y de que no existe abogado general.

c) Competencias

El Tribunal General es competente para conocer de:

- Las acciones directas al amparo de los artículos 263 (recurso de anulación) y 265 (recurso por omisión) del TFUE interpuestas por:
  - Personas físicas o jurídicas:
    - Con el fin de obtener la anulación de los actos de las instituciones, órganos u organismos de la Unión Europea de los que sean destinatarias o que les afecten directa e individualmente,

así como contra los actos reglamentarios que les afecten directamente y que no incluyan medidas de ejecución.

- Con la finalidad de que se constate la inacción de dichas instituciones, órganos u organismos.

- Los recursos interpuestos por los Estados miembros contra la Comisión.

- Los recursos interpuestos por los Estados miembros contra el Consejo respecto a los actos adoptados por este en materia de ayudas de estado, *dumping* y los actos por los que ejerce competencias de ejecución.

- Los recursos relativos a obtener la reparación por daños, en materia de responsabilidad contractual o extracontractual, causados por las instituciones o por los órganos u organismos de la Unión Europea o sus agentes en el ejercicio de sus funciones (artículos 268 y 340 del TFUE).

- Los recursos basados en contratos celebrados por la Unión Europea que prevean expresamente la competencia del Tribunal General (artículo 272 del TFUE).

- Los recursos en el ámbito de la propiedad intelectual dirigidos contra la Oficina de Propiedad Intelectual de la Unión Europea (*EUIPO, European Union Intellectual Property Office*); y contra la Oficina Comunitaria de Variedades Vegetales (OCVV).

- Los litigios entre las instituciones de la Unión Europea y su personal relativos a las relaciones de trabajo y al régimen de Seguridad Social.

Como se ha señalado anteriormente, y de conformidad con el **artículo 56 del TFUE**, las resoluciones dictadas por el Tribunal General pueden ser objeto de casación (limitado a las cuestiones de Derecho) ante el Tribunal de Justicia en un plazo de dos meses a partir de la notificación de la resolución impugnada.

II. ÓRGANOS CONSULTIVOS DE LA UNIÓN EUROPEA

A. El Comité Económico y Social de la Unión Europea

Es un órgano consultivo constituido por representantes de las organizaciones de trabajadores y empresarios y otros grupos de interés. Este organismo tiene como misión emitir dictámenes sobre cuestiones de la Unión Europea, tanto para la Comisión Europea cuanto para el Consejo de la Unión Europea y el Parlamento Europeo. De este modo, es un nexo de unión entre las instituciones de la Unión con capacidad decisoria y los ciudadanos europeos.

B. El Comité Europeo de las Regiones

Igualmente, se trata de un órgano de carácter consultivo compuesto por representantes locales y regionales de los Estados miembros que, a través de sus dictámenes, dan a conocer su opinión sobre la legislación de la Unión Europea que repercute directamente en las regiones y ciudades.

C. El Banco Europeo de Inversiones

Este organismo es de titularidad conjunta de los países de la Unión Europea porque todos ellos son accionistas del banco, y tiene como objetivos impulsar el potencial de crecimiento y empleo de Europa, apoyar las medidas para mitigar el cambio climático y fomentar las políticas de la Unión en otros países. Para alcanzar sus objetivos, el Banco Europeo de Inversiones obtiene financiación de los mercados de capital y, a su vez, concede préstamos en condiciones favorables para desarrollar los proyectos necesarios que contribuyan a cumplir los objetivos de la Unión Europea.

III. OTRAS INSTITUCIONES Y ORGANISMOS INTERINSTITUCIONALES DE LA UNIÓN EUROPEA

Además de las instituciones y órganos consultivos mencionados, la Unión Europea cuenta con las siguientes instituciones y organismos interinstitucionales para el cumplimiento de sus fines y objetivos:

- El Banco Central Europeo.
- El Tribunal de Cuentas Europeo.
- El Servicio Europeo de Acción Exterior.
- El Defensor del Pueblo Europeo.
- El Supervisor Europeo de Protección de Datos.
- La Oficina de Publicaciones.
- La Oficina Europea de Selección de Personal.
- La Escuela Europea de Administración.
- Las agencias especializadas y descentralizadas.

https://europa.eu/european-union/about-eu/institutions-bodies_es

Capítulo 4

MERCADO ÚNICO Y LIBRE CIRCULACIÓN DE MERCANCÍAS

I. OBJETIVOS DE LA LIBRE CIRCULACIÓN DE MERCANCÍAS

   A. Planteamiento
   B. Concepto de mercancías

II. CREACIÓN DE UNA UNIÓN ADUANERA

   A. Eliminación de los derechos de aduana y las exacciones de efecto equivalente entre los Estados miembros
   B. No aplicación de tributos internos discriminatorios
   C. Supresión entre los Estados miembros de las restricciones cuantitativas y las medidas de efecto equivalente
   D. El Arancel Aduanero Común (AAC)

III. EXCEPCIONES A LA LIBRE CIRCULACIÓN DE MERCANCÍAS

   A. Medidas de efecto equivalente a las restricciones cuantitativas justificadas por un interés general no económico
   B. Medidas de efecto equivalente a las restricciones cuantitativas justificadas por exigencias imperativas

IV. ARMONIZACIÓN DE LAS LEGISLACIONES NACIONALES

V. EL PRINCIPIO DEL RECONOCIMIENTO MUTUO

I. OBJETIVOS DE LA LIBRE CIRCULACIÓN DE MERCANCÍAS

A. Planteamiento

Uno de los axiomas que definen y configuran la creación de un mercado único es la eliminación de las fronteras interiores que permita la libre circulación de mercancías y la generación de una mayor competencia y reducción de precios de los productos, con el consiguiente beneficio tanto para los ciudadanos cuanto para las empresas.

Así, el **artículo 26 del TFUE** dispone:

> El mercado interior implicará un espacio sin fronteras interiores, en el que la libre circulación de mercancías, personas, servicios y capitales estará garantizada de acuerdo con las disposiciones de los Tratados.

Al referirnos al mercado único hemos de tener en cuenta los más de 500 millones de personas que viven en los 28 países que forman parte del mismo, así como el gran número de pequeñas y medianas empresas (aproximadamente 21 millones de pymes) que en él operan. De este modo, el comercio entre los Estados miembros es una pieza esencial para el desarrollo y crecimiento de las empresas y, por este motivo, uno de los principales objetivos del Tratado es garantizar la libre circulación de mercancías en el mercado interior. Además, hay que tener en cuenta que, en virtud del Acuerdo sobre el Espacio Económico Europeo, los productos originarios de Islandia, Liechtenstein y Noruega también se benefician de la libre circulación de mercancías en el territorio de la Unión Europea.

Pues bien, el mercado único de mercancías reporta beneficios no solo para las empresas —mayores oportunidades de negocio, mejores costes de producción y productos más competitivos—, sino también para los consumidores —precios más bajos, mayor competencia entre marcas y productos, mayor innovación y desarrollo tecnológico, y mayor protección.

Sin embargo, la libre circulación de mercancías en el mercado interior se encuentra expuesta a restricciones u obstáculos que los Estados miembros pueden imponer cercenando así ese derecho. Por este motivo, el TFUE establece la prohibición de derechos de aduana y exacciones de efecto equivalente entre los Estados miembros y, al mismo tiempo, prohíbe la adopción por los Estados de restricciones cuantitativas a la importación o medidas de efecto equivalente. Este tipo de obstáculos vienen determinados normalmente por reglamentaciones nacionales, en su mayoría de carácter técnico y fiscal, que los Estados pueden verse tentados a adoptar al objeto de dificultar los intercambios intracomunitarios de mercancías.

Para conseguir este objetivo, la libre circulación de mercancías se basa en:

a) El establecimiento de una Unión Aduanera que implica la supresión de los derechos de aduana y el establecimiento de un Arancel Aduanero Común.

b) La eliminación de las restricciones cuantitativas a la importación y exportación entre los Estados miembros.

Además, para completar la realización del mercado interior y favorecer la libre circulación de mercancías, se han adoptado otra serie de medidas complementarias como:

- El principio del reconocimiento mutuo.
- La eliminación de las barreras físicas y técnicas.
- El fomento de la normalización.

B. Concepto de mercancías.

El **artículo 28 del TFUE** no define el término «mercancías». Sin embargo, el Tribunal de Justicia considera que:

> Debe entenderse por mercancías los productos que pueden valorarse en dinero y que, como tales, pueden ser objeto de transacciones comerciales.
>
> Sentencia del Tribunal de Justicia de 10 de diciembre de 1968, asunto 7/68, *Comisión c. Italia*

II. CREACIÓN DE UNA UNIÓN ADUANERA

A. Eliminación de los derechos de aduana y las exacciones de efecto equivalente entre los Estados miembros

En el ámbito interno, la creación de la unión aduanera entre los Estados miembros implica la eliminación de los derechos de aduana de importación y exportación y las exacciones de efecto equivalente.

1. Derechos de aduana

La libre circulación de mercancías se puede limitar o restringir mediante el establecimiento de derechos de aduana, ya que estos incrementan el precio de las mismas cuando se importan o exportan, resultando más caros y menos competitivos en relación a los productos nacionales iguales o similares. De ahí la idea de crear un mercado único donde uno de sus fundamentos debía ser la creación de una unión aduanera que permitiese la eliminación de los derechos de aduana, tal y como el Tratado establecía ya desde sus inicios. El **artículo 28 del TFUE** reza así:

> 1. La Unión comprenderá una unión aduanera, que abarcará la totalidad de los intercambios de mercancías y que implicará la prohibición, entre los Estados miembros, de los derechos de aduana de importación y exportación y de cualesquiera exacciones de efecto equivalente, así como la adopción de un arancel aduanero común en sus relaciones con terceros países.

A su vez, el **artículo 30 del TFUE** dispone:

> Quedarán prohibidos entre los Estados miembros los derechos de aduana de importación y exportación o exacciones de efecto equivalente. Esta prohibición se aplicará también a los derechos de aduana de carácter fiscal.

De esta manera, la doble prohibición que imponen los artículos 28 y 30 del TFUE —derechos de aduana y/o exacciones de efecto equivalente— tiene como objeto facilitar y eliminar los obstáculos a la libre circulación de mercancías.

2. ¿Qué se entiende por productos en libre práctica?

La libre circulación de mercancías en el territorio de la Unión se aplica tanto a los productos originados en los Estados miembros cuanto a los que proceden de terceros países pero ya se encuentren en libre práctica dentro de un Estado miembro. Así lo establece el **artículo 28 del TFUE**:

> 2. Las disposiciones del artículo 30 y las del capítulo 3 del presente título se aplicarán a los productos originarios de los Estados miembros y a los productos procedentes de terceros países que se encuentren en libre práctica en los Estados miembros.

En este sentido, el **artículo 29 del TFUE** define qué productos se consideran en libre práctica:

> Se considerarán en libre práctica en un Estado miembro los productos procedentes de terceros países respecto de los cuales se hayan cumplido, en dicho Estado miembro, las formalidades de importación y percibido los derechos de aduana y cualesquiera otras exacciones de efecto equivalente exigibles, siempre que no se hubieren beneficiado de una devolución total o parcial de los mismos.

3. Exacciones de efecto equivalente a los derechos de aduana

Sin embargo, una vez abolidos los derechos de aduana entre las mercancías que circulen en la Unión Europea, el principal problema que se ha planteado desde el punto de vista práctico está relacionado con las denominadas exacciones de efecto equivalente a los derechos de aduana. Este concepto, que no se encuentra definido en el Tratado, ha sido objeto de interpretación por parte del TJUE que ha considerado:

a) Que cualquier medida que tenga por efecto obstaculizar la libre circulación de mercancías será considerada como una exacción de efecto equivalente con independencia de la denominación que se le asigne en el correspondiente Estado miembro:

> [...] la exacción de efecto, en el sentido de los artículos 9 y 12, puede ser considerada, cualquiera que sea su denominación y su técnica, como un derecho unilateralmente impuesto, bien al efectuar la importación, bien posteriormente, y que al gravar específicamente un producto importado de un país miembro, con exclusión del producto nacional similar, tiene como resultado, al alterar su precio, la misma incidencia sobre la libre circulación de los productos que un derecho de aduana.
>
> Sentencia del Tribunal de Justicia de 14 de diciembre de 1962, asuntos acumulados 2/62 y 3/62, *Comisión c. Luxemburgo y Bélgica*

b) Que cualquier carga pecuniaria, por pequeña que sea, que se imponga sobre unas determinadas mercancías por el mero hecho de proceder de otro Estado, constituye un obstáculo a la libre circulación de mercancías.

> *[...] Consequently, any pecuniary charge, however small and whatever its designation and mode of application, which is imposed unilaterally on domestic or foreign goods by reason of the fact that they cross a frontier, and which is not a customs duty in the strict sense, constitutes a charge having equivalent effect within the meaning of Articles 9, 12, 13 and 16 of the Treaty, even if it is not imposed for the benefit of the State, is not discriminatory or protective in effect and if the product on which the charge is imposed is not in competition with any domestic product.*
>
> Sentencia del Tribunal de Justicia de 1 de Julio de 1969, asunto 24/68, *Comisión c. Italia*

A mayor abundamiento, hay que destacar que el Tribunal de Justicia, con el fin de proteger el buen funcionamiento del mercado interior y la unión aduanera como principal seña de identidad de la Unión Europea, ha interpretado de forma muy estricta el concepto de exacciones de efecto equivalente y ha considerando como tales cualesquiera cargas o gravámenes que se impongan sobre una mercancía por el hecho de proceder de otro Estado miembro.

B. No aplicación de tributos internos discriminatorios

Además de la prohibición de los derechos de aduana y las exacciones de efecto equivalente, los Estados no podrán discriminar los productos procedentes de otros Estados miembros mediante la aplicación de tributos internos discriminatorios. Esto significa que los Estados no pueden diferenciar o segregar en función del origen de los productos —importados o nacionales— a la hora de aplicar sus tributos. Así, tal y como dispone el **artículo 110 del TFUE:**

> Ningún Estado miembro gravará directa o indirectamente los productos de los demás Estados miembros con tributos internos, cualquiera que sea su naturaleza, superiores a los que graven directa o indirectamente los productos nacionales similares.
> Asimismo, ningún Estado miembro gravará los productos de los demás Estados miembros con tributos internos que puedan proteger indirectamente otras producciones.

Ahora bien, el artículo 110 no prohíbe los tributos internos, pues los Estados miembros tienen potestad para establecer los sistemas tributarios que consideren más convenientes para cada producto, pero sí la aplicación discriminatoria de estos a los productos importados y la protección indirecta de los productos nacionales mediante este mecanismo. Para determinar si se incumple lo dispuesto en el Tratado habrá considerar si se cumplen algunas de las siguientes cuestiones:

1. Discriminación directa e indirecta

Si bien resulta relativamente fácil identificar la discriminación directa a los productos importados por la aplicación de tributos, no lo será tanto determinar cuándo se produce una discriminación indirecta. En estos casos, habrá que tener en cuenta los efectos que se produzcan para considerar si existe o no una discriminación indirecta de los productos importados. Así lo ha manifestado el Tribunal de Justicia:

> [...] No obstante, aunque no concurran todos los requisitos para una discriminación directa, un tributo interno puede resultar indirectamente discriminatorio en razón de sus efectos.
>
> Sentencia del Tribunal de Justicia de 5 de octubre de 2006, asuntos acumulados C290/05 y C333/05, *Nádasdi y Németh*

2. Aplicación de gravámenes superiores a los impuestos a los productos nacionales iguales o similares

Por otra parte, el **artículo 110 del TFUE** se refiere a los «productos nacionales similares»; esto significa que la discriminación puede plantearse respecto a productos procedentes de otros Estados miembros no idénticos a los nacionales sino similares, teniendo en cuenta que cumplan una misma función o tengan la misma finalidad. En este sentido, el TJUE ha declarado que este término ha de ser interpretado de una manera flexible considerando «similares» aquellos productos que presentan características similares y satisfacen las mismas necesidades desde el punto de vista del consumidor:

> [...] It follows from the case-law of the Court that for the purpose of defining the concept of «similar products» it is appropriate to compare the taxation on products which, at the same stage of production or marketing, have similar characteristics and meet the same needs from the point of view of consumers.
>
> Sentencia del TJUE, de 27 de febrero de 1980, asunto 168/78, *Comisión c. Francia*.

3. Tributos internos que tengan por objeto proteger otras producciones

Finalmente, otra cuestión relevante es la referida a la protección de las producciones nacionales y, así, aún en el supuesto de que no existan productos nacionales similares, los Estados miembros han de tomar en consideración el posible efecto protector que el establecimiento de esos tributos sobre los productos importados podría tener sobre sus productos nacionales similares.

4. Relación entre el artículo 30 del TFUE (derechos de aduana y exacciones de efecto equivalente) y el artículo 110 del TFUE (tributos internos discriminatorios)

Se trata de dos artículos que son complementarios, pero, al mismo tiempo, excluyentes, es decir, una carga o gravamen no puede ser examinada al mismo tiempo bajo los dos preceptos. Así, las exacciones de efecto equivalente se aplican exclusivamente sobre los productos importados, mientras que los tributos internos discriminatorios se imponen tanto a los productos importados cuanto a los nacionales.

De este modo, una contribución regulada por el régimen general de tributos internos, que grava tanto a los productos nacionales como a los importados según los mismos criterios, solo puede constituir una exacción de efecto equivalente a un derecho de aduana de importación si se cumplen las siguientes condiciones:

- Que esté destinada exclusivamente a financiar actividades que beneficien específicamente al producto nacional gravado.
- Que exista identidad entre el producto gravado y el producto nacional favorecido.
- Que las cargas que gravan el producto nacional se compensen íntegramente.

Así fue declarado por el Tribunal de Justicia en el asunto *Fratelli Cucchi v Avez*

[...] que una contribución regulada por el régimen general de tributos internos que grava tanto a los productos nacionales como a los productos importados según los mismos criterios, solo puede constituir una exacción de efecto equivalente a un derecho de aduana de importación si está destinada exclusivamente a financiar actividades que beneficien específicamente al producto nacional gravado, si existe identidad entre el producto gravado y el producto nacional favorecido y si las cargas que gravan el producto nacional se compensan íntegramente.

Sentencia del Tribunal de Justicia de 25 de mayo de 1977, asunto 77/76, *Fratelli Cucchi c. Avez*

C. Supresión entre los Estados miembros de las restricciones cuantitativas y las medidas de efecto equivalente

La eliminación de los derechos de aduana y las exacciones de efecto equivalente *per se* no son suficientes para garantizar la libre circulación de mercancías en la Unión Europea, pues los Estados pueden tener la tentación de establecer otras barreras o condiciones que limiten el comercio de bienes en el territorio de la Unión. Para impedir estas situaciones, el TFUE prohíbe las restricciones cuantitativas a la importación y a la exportación y aquellas medidas que puedan tener un efecto equivalente a estas restricciones cuantitativas. El **artículo 34 del TFUE** dispone:

> Quedarán prohibidas, entre los Estados miembros, las restricciones cuantitativas a la importación, así como todas las medidas de efecto equivalente

Por su parte, el **artículo 35 del TFUE** señala:

> Quedarán prohibidas, entre los Estados miembros, las restricciones cuantitativas a la exportación, así como todas las medidas de efecto equivalente.

1. Restricciones cuantitativas

De esta manera, los Estados miembros no pueden imponer limitaciones en el número o cantidad de productos o mercancías que accedan a su territorio con la finalidad de proteger su producción nacional, ya sea estableciendo prohibiciones a la importación o estableciendo cuotas, y con independencia de cuál sea su base jurídica —disposición reglamentaria o práctica administrativa.

En este sentido, el Tribunal de Justicia ha considerado como restricciones cuantitativas aquellas medidas que equivalen a una restricción total o parcial de las importaciones, exportaciones o mercancías en tránsito:

> *The prohibition on quantitative restrictions covers measures which amount to a total or partial restraint of, according to the circumstances, imports, exports or goods in transit.*
>
> Sentencia del Tribunal de Justicia de 12 de julio de 1973, asunto 2/73, **Geddo c. Ente Nazionale Rissi**

2. ¿Qué se entiende por medidas de efecto equivalente a las restricciones cuantitativas?

De nuevo, este concepto no definido por el Tratado ha sido objeto de interpretación por parte de la jurisprudencia del Tribunal de Justicia que, en el asunto *Dassonville,* señalaba:

> [...] toda normativa comercial de los Estados miembros que pueda obstaculizar directa o indirectamente, real o potencialmente, el comercio intracomunitario debe considerarse como una medida de efecto equivalente a las restricciones cuantitativas.
>
> Sentencia del Tribunal de Justicia de 11 de julio de 1974, asunto 8/74, *Dassonville*

De este modo, la medida adoptada ha de ser susceptible, de manera objetiva y general, de entorpecer la circulación intracomunitaria de mercancías y de constituir un obstáculo a los intercambios —por ejemplo, mediante la prohibición de la publicidad para ciertos productos, o la indicación obligatoria del origen extranjero de los productos importados—. Por otra parte, la noción de medida de efecto equivalente no presupone la existencia de una regulación comercial, sino que será suficiente cualquier reglamentación nacional, cualquier práctica nacional, una disposición nacional, o una medida nacional.

En el asunto *Cassis de Dijon,* el Tribunal de Justicia desarrolló la jurisprudencia *Dassonville* estableciendo el principio de reconocimiento mutuo en ausencia de armonización de las legislaciones nacionales, lo que implica que los Estados miembros están obligados a permitir la libre circulación y comercialización en sus mercados de los productos legalmente producidos y comercializados en otro Estado miembro. Señalaba el Tribunal que:

> [...] no existe ningún motivo valido para impedir que las bebidas alcohólicas, siempre que sean legalmente producidas y comercializadas en uno de los Estados miembros, se importen a cualquier otro Estado miembro sin que pueda oponerse a su venta una prohibición legal de comercialización de bebidas que contengan un grado alcohólico al límite determinado por la normativa nacional.

Consecuentemente, el Tribunal considera que, en ausencia de armonización de las legislaciones nacionales en una determinada materia, constituyen medidas de efecto equivalente los obstáculos a la libre circulación de mercancías derivados de la aplicación a mercancías procedentes de otros

Estados miembros (donde se fabrican y comercializan legalmente) de normas relativas a los requisitos que deben cumplir esas mercancías aunque dichas normas sean aplicables indistintamente a todos los productos (nacionales e importados). Y en su opinión, los obstáculos a la libre circulación de mercancías resultantes de las disparidades de las legislaciones nacionales relativas a la comercialización de productos únicamente serán lícitos y deben aceptarse:

> [...] en la medida en que estos preceptos sean necesarios para cumplir las exigencias imperativas relativas, en particular, a la eficacia de los controles fiscales, a la protección de la salud pública, a la lealtad de las transacciones comerciales y a la defensa de los consumidores.
>
> **Sentencia del Tribunal de Justicia de 20 de febrero de 1979, asunto 120/78, *Cassis de Dijon***

Ahora bien, la cuestión controvertida radicaba en determinar si la noción de medida de efecto equivalente implicaba la existencia de una normativa que perjudica únicamente a los productos importados o si se consideraba también cuando se aplica indistintamente tanto a productos nacionales cuanto importados.

Pues bien, el Tribunal de Justicia decidió reexaminar y clarificar su jurisprudencia en esta materia en el asunto ***Keck y Mithouard*** donde establecía que:

> [...] la aplicación a productos procedentes de otros Estados miembros de disposiciones nacionales que limiten o prohíban ciertas modalidades de venta no es susceptible de obstaculizar directa o indirectamente, real o potencialmente, el comercio entre los Estados miembros en el sentido de la jurisprudencia Dassonville, siempre que dichas disposiciones se apliquen a todos los operadores afectados que ejerzan su actividad en el territorio nacional, y siempre que afecten del mismo modo, de hecho y de Derecho, a la comercialización de los productos nacionales y a la de los procedentes de otros Estados miembros.
>
> **Sentencia del Tribunal de Justicia de 24 de noviembre de 1993, asuntos acumulados C-267/91 y C-268/91, *Keck y Mithouard***

De este modo, los Estados miembros pueden establecer medidas que no serían prohibidas de acuerdo con el artículo 34 del TFUE siempre que estas no supongan una discriminación en relación a los productos importados.

3. Medidas nacionales —activas o pasivas— que constituyen obstáculos a la libre circulación de mercancías

> ➢ **La promoción de la venta de productos nacionales como medida de efecto equivalente a las restricciones cuantitativas a la importación: el asunto «*Buy Irish*».**

En este asunto se planteó un recurso de incumplimiento contra Irlanda basado en la campaña publicitaria de promoción de venta de productos irlandeses que en el año 1978, y bajo el lema «*Buy Irish*», el Gobierno irlandés había introducido como un programa trienal en favor de la promoción de los productos irlandeses. El objetivo de la campaña consistía en la sustitución de las importaciones por producción irlandesa, hasta un 3 % del total del consumo privado, e incluía un programa de promoción de los productos irlandeses con propuestas específicas para involucrar a los productores, distribuidores y consumidores.

La Comisión, estimaba que la campaña para la promoción de la venta y compra de productos irlandeses en Irlanda debía considerarse una medida de efecto equivalente a una restricción cuantitativa a la importación. El Gobierno irlandés, por su parte, mantenía que no había adoptado ningún acto jurídico obligatorio y que, únicamente, había dado su apoyo moral y económico a la industria irlandesa, por lo que no se podía considerar una medida de efecto equivalente.

Sin embargo el TJUE rechazó este argumento al considerar que:

> […] las actividades controvertidas equivalen a instaurar una práctica nacional, introducida por el Gobierno irlandés y ejecutada con su asistencia, cuyo efecto potencial sobre las importaciones procedentes de otros Estados miembros es comparable al resultante de los actos gubernamentales de carácter obligatorio.
>
> […] dicha práctica restrictiva constituye la ejecución de un programa definido por el Gobierno que afecta a la totalidad de la economía nacional y que persigue frenar los intercambios intracomunitarios mediante la promoción de la compra de productos nacionales, por medio de una campaña publicitaria a escala nacional y la organización de procedimientos especiales aplicables exclusivamente a los productos nacionales, y cuando la totalidad de esas actividades son atribuibles al Gobierno y se ejercen de manera organizada en todo el territorio nacional.
>
> Sentencia del Tribunal de Justicia de 24 de noviembre de 1982, asunto 249/81, *Comisión c. Irlanda*

> **La venta de leches transformadas para la primera infancia (exclusivamente) en establecimientos farmacéuticos: el asunto *Comisión c. Grecia***

En Grecia, la Orden Ministerial n.º A2/oik.361, de 29 de enero de 1988 establecía que las ventas de las leches transformadas para la primera infancia se llevase a efecto exclusivamente en establecimientos farmacéuticos. De este modo, y aun existiendo determinadas excepciones puntuales (generalmente aplicables en zonas donde por su dificultad geográfica se autorizaba la venta de tales productos a los médicos o en establecimientos estatales), podía afirmarse que la legislación griega garantizaba un monopolio de distribución a las farmacias respecto al referido producto. Este hecho, dio lugar a que la Asociación de empresas de alimentos para la infancia presentase una queja ante la Comisión contra la referida Orden Ministerial, alegando que el enunciado de su artículo 10 venía a limitar las importaciones de dicho producto en Grecia.

La Comisión, tras estudiar la denuncia, constató que la precitada norma jurídica representaba una restricción grave a la libre circulación de mercancías dentro de la Comunidad, en concreto, al estimar que la referida normativa constituía una medida de efecto equivalente a una restricción cuantitativa a la importación, medida prohibida a tenor de la redacción del artículo 30 del Tratado (actualmente artículo 34 del TFUE). Así, consideraba que la República Helénica había incumplido sus obligaciones en virtud del Tratado al introducir restricciones cuantitativas a la importación y medidas de efecto equivalentes, e inició el procedimiento previsto en el Tratado que, finalmente, acabó en un recurso de incumplimiento de Estado ante el Tribunal de Justicia.

Se podría pensar que si se hubiese permitido la libre comercialización de este producto, la competencia hubiese aumentando, incidiendo en los precios y propiciando una mayor demanda, así como mayores oportunidades para los exportadores de otros países de la Unión Europea para introducir el mencionado producto en territorio griego. Sin embargo, la norma griega dejaba al margen a determinados operadores, dando así lugar a un posible falseamiento de la competencia.

Había que determinar, por lo tanto, si la medida adoptada por la República Helénica podía dificultar el comercio entre los Estados miembros, bien directa o indirectamente, actual o potencialmente, contrariamente a lo establecido en el Tratado, puesto que esta norma se aplicaba sin ningún tipo de discriminación a todos los productores de leches transformadas para la primera infancia y, por lo que se refiere al producto, la norma se aplicaba sin distinguir el origen del mismo, ya fuese griego o de cualquier otro Estado de la Unión (si bien, en este caso no existía producción nacional de leches transformadas para primera instancia).

En este sentido, hay que recordar que la limitación a las importaciones de productos de otros países ha de tener como consecuencia la protección de los productos nacionales, en definitiva, la existencia de una discriminación encubierta. Dado que no era ese el caso, al aplicarse la medida nacional de forma uniforme tanto a todos los operadores cuanto a todos los productos de la misma naturaleza, el Tribunal de Justicia consideró que los productos procedentes de otros Estados miembros no iban a verse afectados por la norma griega de una forma diferente respecto a los propios productos griegos.

Por otra parte, y aun cuando pudiese parecer claro que la normativa nacional aplicable no buscaba la protección de un producto nacional frente al procedente de otros Estados comunitarios, el hecho de establecer una modalidad de venta en la que determinados operadores quedaban al margen de la misma planteaba la posible consideración de una medida de efecto equivalente. Por todo ello, la Comisión consideraba que el establecimiento de un monopolio de hecho, como el creado en Grecia tras la aplicación de esta normativa, tenía un efecto práctico de restricción de los intercambios comerciales.

Sin embargo, el Tribunal de Justicia, aplicando su línea jurisprudencial establecida en la Sentencia *Keck y Mithouard,* (no aplicación del artículo 30 del Tratado a las restricciones a determinadas modalidades de venta, siempre que las mismas afecten del mismo modo, tanto de hecho como de derecho, a la comercialización de productos nacionales y aquellos procedentes de otros Estados miembros), determinó que la normativa griega no impedía el acceso a su mercado de los productos procedentes de otros Estados miembros, ya que se limitaba a restringir los lugares de distribución de un determinado producto, concluyendo, por tanto, que la expresada norma no constituía una medida de efecto equivalente a una restricción cuantitativa a la importación:

> Así, esta normativa, que tiene el efecto de limitar la libertad comercial de los operadores económicos sin referirse a las características que tienen en sí mismos los productos contemplados, se refiere a las modalidades de venta de determinadas mercancías en cuanto prohíbe la comercialización, salvo exclusivamente en farmacias, de las leches transformadas para la primera infancia y determina, por consiguiente, de manera general los puntos de venta en que pueden dispensarse.
>
> Por otra parte, la normativa [...] se aplica, sin distinguir según el origen de los productos de que se trata, a todos los operadores económicos que ejercen su actividad en el territorio nacional, no afecta a la comercialización de los productos procedentes de otros Estados miembros de manera diferente que a la de los productos nacionales.

Y que únicamente se trataría de una medida de efecto equivalente si:

> [...] resultara que la norma controvertida protege a una producción nacional similar a las leches transformadas para la primera infancia procedentes de otros Estados miembros o que se encuentren en relación de competencia con leches de este tipo.
>
> Sentencia del Tribunal de Justicia, de 29 de junio de 1995, asunto C-391/92, **Comisión** *de las Comunidades Europeas c. República Helénica)*

> ➤ **Normativa nacional que prohíbe a los minoristas de tabaco importar labores de tabaco y su consideración como medida de efecto equivalente a las restricciones cuantitativas a la importación no justificada por razones de interés general: el asunto *ANETT***

La Ley 13/1998, del 4 de mayo, de Ordenación del Mercado de Tabacos y Normativa Tributaria liberalizaba en España el mercado de tabacos, es decir, extinguía el monopolio de fabricación y el monopolio de importación y de comercialización al por mayor de labores de tabaco manufacturado no comunitarias. Sin embargo, establecía algunas limitaciones al señalar que no podrían desarrollar tales actividades los minoristas de tabaco, titulares de una autorización de punto de venta con recargo, o titulares de una expendeduría de tabacos de régimen especial.

En este marco, se planteó un litigio entre la Asociación Nacional de Expendedores de Tabaco y Timbre (ANETT) y la Administración del Estado al considerar la primera que la prohibición impuesta a los minoristas de tabaco de desarrollar la actividad de importación de labores de tabaco era contraria al principio de libre circulación de mercancías, garantizado en el artículo 34 TFUE, por constituir una restricción cuantitativa o una medida de efecto equivalente. El asunto llegó en casación al Tribunal Supremo que decidió suspender el procedimiento y plantear al Tribunal de Justicia una cuestión prejudicial

El Tribunal reiteraba su doctrina y señalaba al respecto que:

> [...] deben considerarse medidas de efecto equivalente a restricciones cuantitativas las medidas adoptadas por un Estado miembro que tienen por objeto o efecto tratar de manera menos favorable a los productos que provienen de otros Estados miembros, así como las normas relativas a los requisitos que deben cumplir dichas mercancías, aunque esas normas sean aplicables indistintamente a todos los productos [...]

> [...] debe destacarse que, al prohibir a los minoristas de tabaco importar directamente dichos productos de otros Estados miembros, la citada normativa los obliga a abastecerse en los mayoristas autorizados. Este modo de abastecimiento puede ocasionar diversos inconvenientes a los que dichos minoristas no tendrían que hacer frente si llevaran a cabo la importación ellos mismos.

Además, el Tribunal consideraba que las medidas incorporadas por la mencionada legislación nacional no estaban justificadas ya que el Gobierno español no había explicado en qué podía afectar negativamente al control fiscal, aduanero y sanitario el hecho de que los minoristas pudiesen participar en las actividades de importación. Y tampoco consideraba que la protección del consumidor pudiese justificar estas medidas ya que el fin perseguido podría haberse alcanzado con medidas menos restrictivas.

Por todo ello, el Tribunal de Justicia declaro que:

> El artículo 34 TFUE debe interpretarse en el sentido de que se opone a una normativa nacional, como la controvertida en el litigio principal, que prohíbe a los titulares de expendedurías de tabaco y timbre desarrollar la actividad de importación de labores de tabaco de otros Estados miembros.
>
> **Sentencia del Tribunal de Justicia de 26 de abril de 2012, asunto C-456/10, *Asociación Nacional de Expendedores de Tabaco y Timbre (ANETT)***

> ➤ **La inactividad de un Estado miembro que favorece las restricciones cuantitativas a la importación: el caso de las fresas españolas en Francia.**

En algunas ocasiones, se puede constatar la existencia de medidas o acciones que, sin tener la consideración técnica de normas o reglamentaciones nacionales tienen por efecto impedir la libre circulación de mercancías en la Unión Europea. Un claro exponente es el boicot que en determinadas ocasiones han efectuado los agricultores franceses contra determinados productos agrícolas españoles. Este tipo de acciones son contrarias al espíritu del Tratado y, además, impiden el pleno desarrollo del mercado único.

Durante varios años, las fresas españolas fueron objeto del mencionado boicot, que fue denunciado ante la Comisión Europea por parte de las autoridades españolas como consecuencia de la pasividad mostrada por las autoridades francesas frente a los actos de violencia cometidos por particulares, y por los movimientos reivindicativos de agricultores franceses contra estos productos agrícolas procedentes de España. Estos actos consistían en interceptar los camiones que transportan tales productos en el territorio francés y en la destrucción de su carga, en llevar a cabo actos violentos contra los camioneros, en amenazar a las grandes superficies francesas en las que se vendían los productos agrícolas originarios de España y otros Estados miembros, y en causar daños a tales mercancías expuestas en establecimientos comerciales en Francia.

Ahora bien, podría alegarse que el Estado miembro implicado, Francia, no infringió el derecho a la libre circulación de mercancías, ya que no había constancia de que hubiese introducido restricciones a las importaciones españolas. La acción, sin embargo, había sido llevada a cabo por una parte de sus súbditos, los agricultores franceses, y ello no le eximía de responsabilidad porque en última instancia es el Estado francés el que ha de garantizar la libre circulación de mercancías en su territorio.

Consecuentemente, y ante la supuesta «inacción» por parte de las autoridades francesas, la Comisión advirtió al Estado francés del cumplimiento de las obligaciones que le impone el Tratado y, posteriormente, llevó el asunto ante el Tribunal de Justicia que en su Sentencia manifestaba:

> [...] sin ignorar las dificultades de las autoridades competentes para hacer frente a situaciones del tipo de las controvertidas en el presente asunto, se ve obligado a llegar a la conclusión de que, habida cuenta de la frecuencia y de la gravedad de los incidentes enumerados por la Comisión, las medidas que el Gobierno francés ha adoptado en el caso de autos no han sido suficientes de modo manifiesto para garantizar la libertad de los intercambios intracomunitarios de productos agrícolas en su territorio, impidiendo eficazmente a los autores de las infracciones de que se trata cometerlas y repetirlas, y disuadiéndolos con eficacia de hacerlo.

Añadiendo que, en ningún caso, podía tener justificación la inacción del Estado francés ya que

> [...] el temor de dificultades internas no puede justificar el hecho de que un Estado miembro no aplique correctamente el Derecho comunitario

Y concluyendo, de este modo, que:

> La República Francesa había incumplido las obligaciones que se derivan del artículo 30 del Tratado, en relación con el artículo 5 de dicho Tratado, y de las organizaciones comunes de mercados de productos agrícolas, al no adoptar todas las medidas necesarias y proporcionadas para que determinadas acciones de particulares no obstaculicen la libre circulación de frutas y hortalizas.
>
> Sentencia del Tribunal de Justicia de 9 de diciembre de 1997, asunto C-265/1995, **Comisión c. Francia**

No se trata, por tanto, de la adopción de medidas por parte de un Estado miembro con el fin de obstaculizar el comercio transfronterizo, por ejemplo, mediante la imposición de derechos de aduana o exacciones de efecto equivalente; tampoco del establecimiento de una restricción cuantitativa a la importación o una medida de efecto equivalente. Sin embargo, en este caso la inacción por parte de un Estado miembro, al no adoptar las medidas de seguridad necesarias ante la situación creada, propiciaba un efecto similar, pues no garantizaba la libre circulación de mercancías procedentes de otro Estado miembro en su propio territorio.

D. El Arancel Aduanero Común (AAC)

Desde el punto de vista externo, la unión aduanera se completa con el establecimiento de un arancel aduanero común por el que cualquier producto importado en la Unión Europea será gravado con el mismo arancel con independencia de la frontera física por la que se lleve a cabo la importación y, una vez satisfecho, los productos procedentes de terceros Estados podrán circular libremente —en libre práctica— por el resto del territorio de la Unión Europea.

III. EXCEPCIONES A LA LIBRE CIRCULACIÓN DE MERCANCÍAS

A. Medidas de efecto equivalente a las restricciones cuantitativas justificadas por un interés general no económico

El TFUE permite que los Estados miembros puedan adoptar medidas de efecto equivalente a las restricciones cuantitativas cuando estén justificadas por un interés general no económico. Así lo dispone el **artículo 36 del TFUE**:

> Las disposiciones de los artículos 34 y 35 no serán obstáculo para las prohibiciones o restricciones a la importación, exportación o tránsito justificadas por razones de orden público, moralidad y seguridad públicas, protección de la salud y vida de las personas y animales, preservación de los vegetales, protección del patrimonio artístico, histórico o arqueológico nacional o protección de la propiedad industrial y comercial. No obstante, tales prohibiciones o restricciones no deberán constituir un medio de discriminación arbitraria ni una restricción encubierta del comercio entre los Estados miembros.

No obstante, estas excepciones han de interpretarse y aplicarse de forma estricta y, tal y como dispone el artículo 36, las medidas nacionales no pueden constituir un medio de discriminación arbitraria ni una restricción encubierta del comercio entre los Estados miembros. En definitiva, se trata de evitar la discriminación de las mercancías procedentes de otros Estados miembros mediante la adopción de medidas proteccionistas.

Por otra parte, una excepción ya no estará justificada cuando se haya adoptado un acto legislativo de la Unión Europea en el mismo ámbito y dicho acto no contemple tal excepción. Finalmente, las medidas deben tener un efecto directo sobre el interés general que se trata de proteger, han de ser necesarias para alcanzar el objetivo declarado y no deben exceder del nivel necesario para alcanzar el mencionado objetivo (principio de proporcionalidad).

1. Razones de orden público, moralidad y seguridad públicas

Los Estados miembros pueden determinar el concepto de orden público y moralidad pública de conformidad con su propia escala de valores pero sin establecer estándares diferentes para productos nacionales e importados. Además, habrán de hacerlo respetando el derecho de la Unión Europea y sin que constituya un medio de discriminación arbitraria.

Así lo manifestaba el Tribunal de Justicia en el asunto *The Qeen c. Henn y Darby*:

> Corresponde, en principio, a cada Estado miembro determinar las exigencias de la moralidad pública en su territorio, según su propia escala de valores y de la forma que haya elegido
>
> En consecuencia, [...] cuando una prohibición que afecta a la importación de mercancías puede justificarse por razones de moralidad pública y se impone con tal fin, la aplicación de dicha prohibición no puede constituir un medio de discriminación arbitraria o una restricción encubierta del comercio, contraria al artículo 36, cuando no existe comercio lícito de dichas mercancías en el Estado miembro afectado.
>
> Sentencia del Tribunal de Justicia de 14 de diciembre de 1979, asunto 34/79, *The Qeen c. Henn y Darby*

Por todo ello, la aplicación de estos motivos para justificar las prohibiciones o restricciones a las importaciones, exportaciones o tránsito ha sido interpretada de modo restrictivo por parte del Tribunal de Justicia y han sido admitidos en casos relacionados con los juegos de azar —interés público—, artículos obscenos o indecentes —moralidad pública—, o vídeos o DVD —protección de menores—.

2. Protección de la salud y vida de las personas, animales y vegetales

Cuando los Estados quieran imponer restricciones a las importaciones alegando la protección de la salud y la vida de las personas no han de olvidar el principio de proporcionalidad. Esto significa que han de adoptar las medidas necesarias para proteger la salud humana sin recurrir, en la medida de lo posible, a medidas que supongan la prohibición total de importación de productos de otros Estados miembros, tal y como ha tenido ocasión de manifestar el Tribunal de Justicia:

> En estas circunstancias, el Reino Unido podría obtener, en su afán de protección de la salud humana, garantías equivalentes a las que ha fijado para su producción interior de leche UHT, sin recurrir a la medida adoptada, que equivale a una prohibición total de importación.
>
> Sentencia del Tribunal de Justicia de 8 de febrero de 1983, asunto 124/81, *Comisión c. United Kingdom*.

A mayor abundamiento, el Tribunal ha recordado que el principio de proporcionalidad en el que se basa la última frase del artículo 36 del TFUE:

> [...] exige que la facultad de los Estados miembros de prohibir las importaciones de los productos controvertidos procedentes de otros Estados miembros se limite a lo necesario para alcanzar los objetivos de protección de la salud legítimamente perseguidos. En consecuencia, una normativa nacional que prevea tal prohibición solo está justificada si se conceden autorizaciones de comercialización cuando son compatibles con las necesidades de la protección de la salud.
>
> Sentencia del tribunal de Justicia de 14 de julio de 1983, asunto 174/82, *Sandoz BV*

3. Protección de la propiedad industrial y comercial

Los derechos de propiedad industrial y comercial —patentes, marcas, derechos de autor, derechos sobre dibujos y modelos y denominaciones de origen— son objeto de protección por parte de las diferentes legislaciones nacionales, si bien estas no pueden introducir elementos discriminatorios. Por otra parte, cuando el titular de estos derechos —o un tercero con su consentimiento— haya distribuido legalmente el producto en un Estado miembro se produce el principio del agotamiento de los derechos, es decir, ese producto podrá ser comercializado por el resto del territorio de la Unión Europea sin que su titular pueda oponerse a su importación.

Ahora bien, en determinados supuestos la protección de estos derechos puede limitar la libre circulación de mercancías siempre que se cumplan las condiciones que permitan aplicar la excepción a la prohibición de medidas de efecto equivalente a las restricciones cuantitativas tal y como prevé el **artículo 36 del TFUE.**

> **Intercambios comerciales, protección de las denominaciones de origen y justificación de las restricciones a la importación a la luz del artículo 36 del Tratado: el asunto «*turrón de Jijona*»**

Un buen ejemplo sobre las restricciones a la importación justificadas por la protección de la propiedad industrial y comercial lo encontramos en el asunto que se expone a continuación.

El 27 de Junio de 1973 se firmó el Convenio sobre la protección de las denominaciones de origen, indicaciones de procedencia y denominaciones de ciertos productos, entre España y Francia, que tenía por objeto la protección de las indicaciones de procedencia y denominaciones de origen españolas en territorio francés y viceversa. Según se desprende del artículo 3 y el Anexo B del referido texto, la utilización de las denominaciones «turrón de Alicante» y «turrón de Jijona» quedaban reservadas exclusivamente en el territorio de la República francesa para los productos y mercancías españolas, remitiéndose en cuanto a su utilización a lo dispuesto por la legislación española y estableciéndose, asimismo, en el artículo 5 del Convenio que la utilización de estas denominaciones en fraude de las normas del Convenio quedaban prohibidas. Además, esta prohibición se ampliaba a aquellos supuestos en que las indicadas denominaciones fuesen utilizadas acompañadas de términos tales como «clase», «género», «tipo», «estilo», «imitación» o «similares».

En el año 1990, se planteó un conflicto a raíz del conocimiento, por parte de la sociedad española Exportur S.A. (Asociación de Empresas Exportadoras de Turrones de Jijona), de la existencia de dos sociedades francesas, Lor S.A. y Confiserie du Tech, domiciliadas en Perpignan, que fabricaban y comercializaban turrón en Francia utilizando las denominaciones *«touron Alicante» y «touron Jijona»* por parte de la primera, y *«touron catalán type Alicante» y «touron catalán type Jijona»* por lo que a la segunda se refiere.

La sociedad Exportur, aduciendo el contenido del Convenio hispano-francés de 1973, demandó a las empresas francesas ante el Tribunal de Commerce de Perpignan, instando a que se prohibiese a las mismas utilizar las referidas denominaciones españolas. Ante el fallo desestimatorio en primera instancia, Exportur recurrió el mismo ante la Cour d'appel de Montpellier. Las sociedades francesas, por su parte, alegaron en defensa de sus intereses que, dado que el Convenio hispano-francés databa de 1973 y España se había incorporado a la Comunidad en 1986, este no podía ser de aplicación por ser incompatible con el derecho comunitario.

El Tribunal de Apelación francés, ante las dudas planteadas de la posible compatibilidad del Convenio con el derecho comunitario, planteó una cuestión prejudicial al Tribunal de Justicia con el fin de determinar si la prohibición de las restricciones cuantitativas a la importación y exportación, así como de las medidas de efecto equivalente contempladas en los artículos 30 y 34 del Tratado (actualmente artículos 34 y 36 del TFUE), podían interpretarse en el sentido de alcanzar a las medidas de protección de las denominaciones de origen o de procedencia (en especial las de Alicante y Jijona) contenidas en el Convenio hispano-francés de 1973.

En principio, se podría concluir que las normas del Convenio hispano-francés de 1973 podían obstaculizar, al menos potencialmente, el comercio intra-comunitario. Así, por ejemplo, cuando una empresa italiana intentase exportar productos a Francia o España, utilizando una denominación protegida de las contempladas en el referido Convenio, no podría utilizar la misma en estos dos Estados, medida esta que sin duda afecta al comercio intracomunitario. Sin embargo, procedía analizar el contenido del artículo 36 del Tratado, donde se establece una cláusula de escape en cuanto a la aplicación y efectos de la prohibición contenida en el artículo 30 para aquellos supuestos donde existan razones justificadas; entre ellas, la protección de la propiedad industrial y comercial.

Para ello, procedía distinguir entre las indicaciones de procedencia y denominaciones de origen y las llamadas denominaciones genéricas. Y así, al titular de una indicación de procedencia o denominación de origen le asiste el derecho de utilizar esta en la promoción de sus productos, y la utilización indebida por parte de un tercero supondría un perjuicio para el titular que no sería compatible con el principio de lealtad que debe presidir las transacciones comerciales y con la libre circulación de mercancías prevista en el Tratado. Por el contrario, el tratamiento ha de ser diferente cuando nos encontremos ante denominaciones que hayan adquirido el carácter de genéricas ya que, en estos casos, debido a la ausencia de su contenido específico, al designar únicamente un tipo de producto y estar abierta su utilización a cualquier productor o fabricante de ese género no cabe admitir una protección de las mismas.

A estos efectos, conviene recordar que las circunstancias bajo las cuales una denominación de origen puede convertirse en denominación genérica vienen determinadas por la inacción del interesado para proteger su derecho frente a los posibles ataques que pueda sufrir una denominación geográfica de la que sea titular. Es decir, mediante la autorización de un productor para que sus competidores utilicen su denominación durante un tiempo considerable y sin que el primero se oponga a ello.

El Tribunal en este asunto concluyó que, en virtud de la aplicación e interpretación de los artículos 30 y 36 del Tratado, los mismos no se oponían a la aplicación de las normas establecidas por el Convenio hispano-francés de 1973 relativo a la protección de las indicaciones de procedencia y denominaciones de origen, siempre y cuando las denominaciones protegidas no hubiesen adquirido, en el momento de la entrada en vigor de dicho Convenio o posteriormente, carácter genérico en el Estado de origen, en este caso en España. Reconocía así la protección de las denominaciones de origen en tanto en cuanto representa un derecho inmaterial de las empresas e integra el concepto de los derechos que configuran la propiedad industrial y comercial, de acuerdo con el artículo 36 del Tratado:

> Habida cuenta de que la protección garantizada por un Estado a denominaciones que designan regiones o lugares de su territorio está justificada a la luz del artículo 36 del Tratado, este tampoco se opone a que dicha protección se extienda al territorio de otro Estado miembro.
>
> Vistas las consideraciones expuestas, procede responder al órgano jurisdiccional nacional que los artículos 30 y 36 del Tratado no se oponen a la aplicación de las normas establecidas por un Convenio bilateral entre Estados miembros relativo a la protección de las indicaciones de procedencia y denominaciones de origen, como el Convenio hispano-francés de 27 de junio de 1973, siempre y cuando las denominaciones protegidas no hayan adquirido, en el momento de la entrada en vigor de dicho Convenio o posteriormente, carácter genérico en el Estado de origen.
>
> **Sentencia del Tribunal de Justicia, de 10 de noviembre de 1992, asunto C-3/91, *Exportur, S.A. c. LOR S.A. y Confiserie du Tech***

B. Medidas de efecto equivalente a las restricciones cuantitativas justificadas por exigencias imperativas

Por otra parte, el Tribunal de Justicia ha reconocido en su jurisprudencia que los Estados miembros pueden establecer excepciones a la prohibición de las medidas de efecto equivalente sobre la base de exigencias imperativas (relativas, en particular, a la eficacia de los controles fiscales, la lealtad de las transacciones comerciales, la protección de los consumidores y la protección del medio ambiente).

> Que los obstáculos a la circulación intracomunitaria que sean consecuencia de disparidades entre legislaciones nacionales relativas a la comercialización de los productos controvertidos deben aceptarse en la medida en que estos preceptos sean necesarios para cumplir las exigencias imperativas relativas, en particular, a la eficacia de los controles fiscales, a la salvaguardia de la salud pública, a la lealtad de las transacciones comerciales y a la protección de los consumidores.
>
> **Sentencia del Tribunal de Justicia de 20 de febrero de 1979, Asunto 120/78, *Cassis de Dijon*.**

En estos supuestos, los Estados miembros están obligados a notificar estas medidas nacionales de excepción a la Comisión en virtud de los **artículos 114 y 117 del TFUE**.

IV. ARMONIZACIÓN DE LAS LEGISLACIONES NACIONALES

En fin, una de las medidas esenciales para suprimir los obstáculos a la libre circulación de mercancías ha sido la armonización de las legislaciones nacionales que ha permitido establecer normas comunes. Esta armonización se ha llevado a cabo a través de la adopción de actos legislativos, especialmente reglamentos y directivas, que se limita a los requisitos esenciales y a aquellos casos en los que las normas nacionales no pueden considerarse equivalentes y, por lo tanto, no pueden reconocerse y su aplicación es susceptible de crear restricciones a la libre circulación de mercancías.

De este modo, cuando las mercancías hayan sido objeto de armonización por una norma de la Unión Europea —vía reglamento o directiva— su libre circulación en el mercado interior no debería plantear mayores problemas. Sin embargo, en ausencia de armonización, o cuando esta sea parcial, serán de aplicación las disposiciones del Tratado relativas a la libre circulación de mercancías que han sido objeto de estudio en el presente capítulo.

V. EL PRINCIPIO DEL RECONOCIMIENTO MUTUO

Tal y como señaló el TJUE en el asunto ***Cassis de Dijon,*** en ausencia de armonización de las legislaciones nacionales, los Estados miembros están obligados a permitir la libre circulación y comercialización en sus mercados de los productos legalmente producidos y comercializados en otro Estado miembro. En virtud de este principio básico, los productos y servicios pueden circular libremente en la Unión Europea aun cuando no exista armonización de las legislaciones nacionales. Esto significa que esos productos y servicios pueden no cumplir con las normas técnicas que se aplican en el estado de acogida para productos iguales o similares. Sin embargo, la comercialización en otros Estados de ciertos productos sensibles puede requerir el cumplimiento de requisitos específicos relacionados, por ejemplo, con la salud, la seguridad y la protección del consumidor.

> ➤ **Ausencia de normas comunes para la fabricación de productos y reconocimiento mutuo: el asunto *Kelderman,* importación de pan francés en Holanda**

En el asunto ***Kelderman,*** donde una empresa radicada en Holanda importaba pan producido en Francia para comercializarlo en Holanda, se planteó un litigio como consecuencia de la ausencia de normas comunes o armonización para la fabricación y comercialización de este producto. En este caso, la prohibición de importar pan de otro Estado miembro por no cumplir con las disposiciones aplicables en el país de importación —referidas especialmente a la composición y peso del producto— podía representar una medida contraria a la libre circulación de mercancías, salvo que la misma estuviese justificada por razones de salud pública o protección del consumidor.

Tras analizar todas las circunstancias del caso, el Tribunal de Justicia señalaba la potestad de los Estados miembros para establecer sus normas de de fabricación en ausencia de armonización legislativa en una determinada materia:

> *[...] in the absence of common or harmonized rules on the making and marketing of bread it is for Member States to regulate all matters relating to the composition, making and marketing of that foodstuff on their own territory.*

No obstante, esos obstáculos derivados de la ausencia de armonización han de aceptarse únicamente en la medida en que las disposiciones nacionales constituyan requisitos imperativos para garantizar la protección de la salud pública y del consumidor.

Por todo ello, el Tribunal de Justicia concluyó que en el asunto Kelderman, la normativa holandesa que regulaba la composición y cualidad del producto, en este caso el pan, podía constituir una medida de efecto equivalente a las restricciones cuantitativas a la importación al no ser de aplicación las excepciones que el Tratado dispone pues, considera el Tribunal que, con el fin de garantizar la protección del consumidor, existían otros medios para informarle sobre el contenido del producto, por ejemplo, mediante el etiquetado. Consecuentemente, la prohibición de importación de ese producto fabricado en Francia en el territorio holandés constituía una medida de efecto equivalente a una restricción cuantitativa contraria a la libre circulación de mercancías:

> *[...] the obstacle preventing the marketing in the Netherlands of bread lawfully produced and marketed in another Member State is not justified on any ground of public interest and that therefore the application of the relevant national legislation to imported bread constitutes a measure having an effect equivalent to a quantitative restriction which is prohibited by Article 30 of the Treaty.*
>
> Sentencia del Tribunal de Justicia de 19 de febrero de 1981, asunto 130/80, **Kelderman**

Capítulo 5

CIUDADANIA DE LA UNIÓN Y LIBRE CIRCULACIÓN DE PERSONAS

I. CIUDADANÍA DE LA UNIÓN

   A. Concepto, contenido y límites
   B. Los ciudadanos de la Unión y el control en las fronteras
   C. Ciudadanía de la Unión y nacionales de terceros Estados

II. LIBRE CIRCULACIÓN DE PERSONAS

   A. Derecho de circular y residir libremente en el territorio de los Estados miembros
   B. Aspectos relacionados con la cobertura sanitaria y los sistemas de Seguridad Social

III. LIBRE CIRCULACIÓN DE TRABAJADORES

   A. Alcance de este derecho
   B. Concepto de trabajador
   C. Acceso al empleo
   D. Ejercicio del empleo en igualdad de trato
   E. Limitaciones al ejercicio de este derecho
   F. Derecho a permanecer en el Estado miembro una vez finalizada la actividad laboral por cuenta ajena

IV. EL DEPORTE COMO ACTIVIDAD ECONÓMICA Y LA LIBRE CIRCULACIÓN DE DEPORTISTAS

   A. La libre circulación de deportistas profesionales en la Unión Europea

I. CIUDADANÍA DE LA UNIÓN

A. Concepto, contenido y límites

El concepto de ciudadanía de la Unión fue introducido por el Tratado de Maastricht en 1992 y se aplica a toda persona que tenga la nacionalidad de uno de los 28 Estados miembros de la Unión Europea.
El **artículo 20 del TFUE** establece:

> Será ciudadano de la Unión toda persona que ostente la nacionalidad de un Estado miembro. La ciudadanía de la Unión se añade a la ciudadanía nacional sin sustituirla.

Por su parte, el **artículo 21** reconoce el derecho de los ciudadanos de la Unión a:

> Circular y residir libremente en el territorio de los Estados miembros, con sujeción a las limitaciones y condiciones previstas en los Tratados y en las disposiciones adoptadas para su aplicación.

El principio de la ciudadanía de la Unión ha de ser aplicado de forma conjunta con el principio de no discriminación por razón de nacionalidad previsto en el **artículo 18 del TFUE** y su aplicación ha de favorecer a los ciudadanos que se desplacen a otros Estados miembros, de manera especial a aquellos que lo hacen por cuestiones no relacionadas con las actividades económicas, por ejemplo, con la finalidad de buscar trabajo o llevar a cabo estudios en otro Estado, y que anteriormente no podían beneficiarse de la libre circulación de trabajadores al amparo del **artículo 45** del Tratado.
Así, en su sentencia ***Baumbast,*** el Tribunal de Justicia manifestaba:

> Un ciudadano de la Unión Europea que ya no disfruta en el Estado miembro de acogida de un derecho de residencia como trabajador migrante puede, en su condición de ciudadano de la Unión, disfrutar en ese Estado de un derecho de residencia en virtud de la aplicación directa del artículo 18 CE, apartado 1.
>
> Sentencia del Tribunal de Justicia de 17 de septiembre de 2002, asunto C-413/99, ***Baumbast***

Empero, los Estados miembros podrán adoptar medidas apropiadas que limiten el ejercicio de los derechos que confiere la ciudadanía de la Unión. En relación al contenido y límites de los derechos que confiere la ciudadanía de la Unión hay que referirse a la Sentencia *Trojani* donde el Tribunal de Justicia reconocía que estos derechos no son incondicionales y que se encuentran limitados por las condiciones previstas en el Tratado y en las disposiciones adoptadas para su aplicación. En este sentido, un Estado miembro puede condicionar la residencia de los ciudadanos de la Unión que no sean económicamente activos, es decir, que no desarrollen una actividad económica en su territorio, a la disponibilidad de un seguro de enfermedad que cubra la totalidad de los riesgos en el Estado miembro de acogida y de recursos suficientes a fin de que no se conviertan, durante su residencia, en una carga para la asistencia social del Estado miembro de acogida, si bien respetando el principio de igualdad de trato previsto en el Tratado.

> Un ciudadano de la Unión Europea que no disfruta en el Estado miembro de acogida de un derecho de residencia en virtud de los artículos 39 CE, 43 CE o 49 CE puede disfrutar, por su mera condición de ciudadano de la Unión, de un derecho de residencia en virtud de la aplicación directa del artículo 18 CE, apartado 1. El ejercicio de este derecho está supeditado a las limitaciones y condiciones previstas por dicha disposición, pero las autoridades competentes deberán velar porque la aplicación de las referidas limitaciones y condiciones se haga respetando los principios generales del Derecho comunitario y, en particular, el principio de proporcionalidad.
>
> Sentencia del Tribunal de Justicia de 7 de septiembre de 2004, asunto C-456/02, *Trojani*

El mismo criterio de no discriminación por razón de la nacionalidad se aplica cuando se trate de estudiantes de un Estado miembro que se desplazan a otro para continuar sus estudios, tal y como el Tribunal ha reiterado:

> El hecho de que un ciudadano de la Unión prosiga sus estudios universitarios en un Estado miembro distinto de aquel cuya nacionalidad ostenta no puede, per se, privarlo de la posibilidad de invocar la prohibición de cualquier discriminación por razón de nacionalidad, recogida en el artículo 6 del Tratado.
>
> Sentencia del Tribunal de Justicia de 20 de septiembre de 2001, asunto C-184/99, *Rudy Grzelczyk*

O en relación a los estudiantes que han terminado sus estudios en un centro de enseñanza de otro estado miembro y pretenden acceder a los subsidios concedidos en su propio estado miembro a los ciudadanos que buscan su primer empleo:

> [...] el Derecho comunitario se opone a que un Estado miembro deniegue a uno de sus nacionales, estudiante en busca de un primer empleo, la concesión de los subsidios de espera por el mero hecho de que dicho estudiante haya terminado sus estudios secundarios en otro Estado miembro.
>
> Sentencia del Tribunal de Justicia de 11 de julio de 2002, asunto C-224/98, *D'Hoop c. Office national de l'emploi*

En fin, otra cuestión importante que podría condicionar el derecho de los ciudadanos de la Unión a circular y residir libremente en el territorio de otro Estado miembro tiene que ver con los apellidos de los ciudadanos. En esta materia, el Tribunal ha declarado que, a pesar de tratarse de una competencia de los Estados miembros, una normativa de Derecho nacional que regula la inscripción en el Registro Civil del apellido de una persona y que deniegue el reconocimiento e inscripción del apellido de un ciudadano de un Estado miembro es contraria al derecho de la Unión Europea. Baste señalar, a título de ejemplo, las siguientes sentencias del TJUE:

> Los artículos 12 CE y 17 CE deben interpretarse en el sentido de que se oponen a que [...] la autoridad administrativa de un Estado miembro deniegue una solicitud de cambio de apellido para hijos menores que residen en dicho Estado y que tienen la doble nacionalidad de dicho Estado y de otro Estado miembro, cuando dicha solicitud tiene por objeto que los hijos puedan llevar el apellido de que serían titulares en virtud del Derecho y de la tradición del segundo Estado miembro.
>
> Sentencia del Tribunal de Justicia de 2 de octubre de 2003, asunto C-148/02, *García Avello.*

> El artículo 18 CE se opone [...] a que las autoridades de un Estado miembro, aplicando el Derecho nacional, denieguen el reconocimiento del apellido de un niño tal como ha sido determinado e inscrito en otro Estado miembro en el que ese niño nació y reside desde entonces, y quien al igual que sus padres solo posee la nacionalidad del primer Estado miembro.
>
> Sentencia del Tribunal de Justicia de 14 de octubre de 2008, asunto C-353/06, *Grunkin y Paul.*

Finalmente, hay que tener en cuenta que la ciudadanía de la Unión no tiene por objeto extender el ámbito de aplicación material del Tratado a situaciones internas que no tengan ningún vínculo con el Derecho comunitario, tal y como tuvo ocasión de manifestar el Tribunal de Justicia en los asuntos *Uecker y Jacquet* donde se planteaba la aplicación de la normativa comunitaria en materia de libre circulación de los trabajadores a una situación en la que los trabajadores nunca habían ejercido el derecho de libre circulación dentro de la Comunidad.

> [...] procede señalar que la ciudadanía de la Unión, prevista en el artículo 8 del Tratado CE, no tiene por objeto extender el ámbito de aplicación material del Tratado también a situaciones internas que no tienen ningún vínculo con el Derecho comunitario.
>
> **Sentencias del Tribunal de Justicia de fecha 5 de junio de 1997, asuntos acumulados C-64/96 y C-65/96, *Uecker y Jacquet***

B. Los ciudadanos de la Unión y el control en las fronteras

Inicialmente, la idea de abolir los controles fronterizos dentro de la Unión Europea fue una iniciativa gubernamental promovida por siete Estados miembros —Alemania, Bélgica, España, Francia, Luxemburgo, Países Bajos y Portugal— que firmaron en el año 1985 el Acuerdo Schengen. Hoy en día, ya forma parte del conjunto de normas que constituyen el derecho de la Unión Europea.

El 26 de marzo de 1995 entraron en vigor los acuerdos de Schengen en los mencionados Estados sobre supresión de fronteras interiores y, en virtud de los mismos, los ciudadanos de cualquier nacionalidad pueden visitar estos países sin control de pasaportes en las fronteras. Desde entonces, otros países se han ido incorporando a la zona Schengen.

EL ESPACIO SCHENGEN
(El control en las fronteras exteriores)

En virtud de este acuerdo, tanto los ciudadanos de la Unión Europea cuanto los nacionales de terceros estados pueden viajar libremente por el espacio Schengen, integrado por 26 países, ya que estos no realizan entre ellos controles en sus fronteras internas. Estos países son todos los de la Unión Europea (excepto Bulgaria, Chipre, Croacia, Irlanda, Reino Unido y Rumanía), más los cuatro Estados de la AELC (Islandia, Liechtenstein, Noruega y Suiza). No obstante, el Reino Unido e Irlanda participan en algunas disposiciones del acervo de Schengen como son la cooperación policial y judicial en materia penal, la lucha contra los estupefacientes y el Sistema de Información Schengen (SIS). Por otra parte, hay que señalar que Bulgaria y Rumanía se encuentran en el proceso de adhesión al espacio Schengen.

Sin embargo, en las fronteras exteriores —entre un Estado Schengen y un Estado no perteneciente a Schengen— se han intensificado los controles, que se realizan de forma armonizada y ajustados a criterios previamente definidos. Para ello, ha sido necesaria la cooperación policial y la activación del Sistema de Información de Schengen que permite a las autoridades aduaneras, policiales y fronterizas el intercambio de información y alertas sobre personas buscadas o desaparecidas y vehículos o documentos robados.

Así, por ejemplo, los vuelos procedentes de los seis Estados de la Unión Europea que no forman parte del espacio Schengen se consideran exteriores y quedan sujetos a controles fronterizos. No obstante, se ha de respetar el derecho a la libre circulación del que goza todo ciudadano de la Unión, por lo que cuando un ciudadano de la Unión entre en un Estado no perteneciente al espacio Schengen, o viceversa, únicamente podrá ser sometido a un control mínimo y requerido simplemente para mostrar su identidad presentando su pasaporte o documento nacional de identidad.

Por otra parte, en circunstancias excepcionales —cuando existan amenazas serias contra el orden público o la seguridad de un país— este, previa información al resto de países del espacio Schengen, al Parlamento Europeo y a la Comisión, podrá reintroducir los controles en sus fronteras por un periodo máximo de 30 días.

https://ec.europa.eu/home-affairs/what-we-do/policies/borders-and-visas/schengen_en

C. Ciudadanía de la Unión y nacionales de terceros Estados

No obstante, tal y como el Tribunal de Justicia ha declarado, el Tratado no otorga derechos propios o autónomos a los nacionales de terceros Estados sino que estos derivan de los derechos que tiene el ciudadano de la Unión, al igual que sucede con la Directiva 2004/38 que confiere derechos a los nacionales de terceros Estados que sean miembros de la familia del ciudadano de la Unión.

> [...] los eventuales derechos conferidos a los nacionales de terceros países por las disposiciones del Tratado relativas a la ciudadanía de la Unión no son derechos propios de esos nacionales, sino derechos derivados del ejercicio de la libertad de circulación por parte de un ciudadano de la Unión.
>
> **Sentencias del Tribunal de Justicia de 5 de mayo de 2011, asunto C434/09, *McCarthy* y de 15 de noviembre de 2011, asunto C256/11, *Dereci***

De este modo, el derecho de residencia de un ciudadano de la Unión en otro Estado miembro ha de hacerse extensible a los nacionales de terceros Estados miembros de su familia, ya que no reconocer estos derechos:

> [...] puede suponer un menoscabo de la libertad de circulación del ciudadano de la Unión, disuadiéndole de ejercer sus derechos de entrada y de residencia en el Estado miembro de acogida
>
> **Sentencias del Tribunal de Justicia de 8 de mayo de 2013, asunto C-87/12, *Ymeraga y otros*; y de 10 de octubre de 2013, asunto C-86/12, *Alokpa y Moudoulou***

II. LIBRE CIRCULACIÓN DE PERSONAS

A. Derecho de circular y residir libremente en el territorio de los Estados miembros

Originariamente, el concepto de libre circulación de personas en la Unión Europea iba unido al ejercicio de algún tipo de actividad económica por parte de esa persona, ya fuese como trabajador —por cuenta propia o ajena—, prestador de servicios o receptor de servicios. Sin embargo, el concepto de ciudadanía de la Unión, tal y como ha venido siendo interpretado por el TJUE, introduce un derecho autónomo para los nacionales de los Estados miembros con independencia de cual sea el motivo de su traslado a otro país de la Unión. Esto implica que los ciudadanos de la Unión Europea son titulares de los siguientes derechos y deberes tal y como dispone el **artículo 20.2 del TFUE:**

a) De circular y residir libremente en el territorio de los Estados miembros.

b) De sufragio activo y pasivo en las elecciones al Parlamento Europeo y en las elecciones municipales del Estado miembro en el que residan, en las mismas condiciones que los nacionales de dicho Estado.

c) De acogerse, en el territorio de un tercer país en el que no esté representado el Estado miembro del que sean nacionales, a la protección de las autoridades diplomáticas y consulares de cualquier Estado miembro en las mismas condiciones que los nacionales de dicho Estado.

d) De formular peticiones al Parlamento Europeo, de recurrir al Defensor del Pueblo Europeo, así como de dirigirse a las instituciones y a los órganos consultivos de la Unión en una de las lenguas de los Tratados y de recibir una contestación en esa misma lengua.

Además, no hay que olvidar que todos estos derechos han de ejercerse en las condiciones y dentro de los límites definidos por el Derecho de la Unión Europea.

1. La Directiva 2004/38 relativa al derecho de los ciudadanos de la Unión Europea y de los miembros de sus familias a circular y residir libremente en el territorio de los Estados miembros

a) Objetivos

La Directiva 2004/38/CE del Parlamento Europeo y del Consejo recoge el derecho de los ciudadanos de la Unión y de los miembros de sus familias a circular y residir libremente en el territorio de los Estados miembros y establece las condiciones para el ejercicio de este derecho. Esta norma, tiene como objetivo facilitar la libre circulación y residencia de los ciudadanos de la Unión y sus familiares, reduciendo los trámites administrativos a lo estrictamente necesario y para ello:

- Establece las condiciones que han de cumplirse para el ejercicio de este derecho tanto por parte de los ciudadanos de la Unión cuanto de los miembros de sus familias.
- Señala los límites al ejercicio de ese derecho por motivos de orden público, seguridad pública o salud pública.

- Define y clarifica la situación de los trabajadores por cuenta ajena, los trabajadores por cuenta propia, los estudiantes y las personas que no trabajen a cambio de una remuneración.

Pero ¿quiénes son los familiares de los ciudadanos de la Unión que pueden beneficiarse de estos derechos? De acuerdo con la Directiva 2004/38 son los siguientes:

MIEMBROS DE LA FAMILIA DEL CIUDADANO DE LA UNIÓN EUROPEA

Artículo 2. 2) de la Directiva 2004/38

a) El cónyuge.

b) La pareja con la que el ciudadano de la Unión ha celebrado una unión registrada, con arreglo a la legislación de un Estado miembro, si la legislación del Estado miembro de acogida otorga a las uniones registradas un trato equivalente a los matrimonios y de conformidad con las condiciones establecidas en la legislación aplicable del Estado miembro de acogida.

c) Los descendientes directos menores de 21 años o a cargo y los del cónyuge o de la pareja definida en la letra b).

d) Los ascendientes directos a cargo y los del cónyuge o de la pareja definida en la letra b).

---

b) Derechos de los ciudadanos de la Unión y sus familiares

La directiva enumera una serie de derechos autónomos para los ciudadanos de la Unión y los miembros de sus familias que son los siguientes:

- Salir del territorio de un Estado miembro para trasladarse a otro Estado miembro estando en posesión de un documento de identidad o un pasaporte válidos. Los miembros de la familia del ciudadano de la Unión que no sean ciudadanos de la Unión deben estar en posesión de un pasaporte válido (artículo 4).
- Entrar en el territorio de otro Estado miembro previa presentación de un documento de identidad o un pasaporte válidos sin necesidad de visado. Los miembros de su familia que no sean nacionales de un Estado miembro han de estar en posesión de un pasaporte válido y estarán sometidos a la obligación de visado de entrada (artículo 5).

- Residir en el territorio del Estado miembro de acogida por un periodo de hasta tres meses sin estar sometidos a otra condición o formalidad que la de estar en posesión de un documento de identidad o pasaporte válidos (artículo 6).
- Residir en el territorio del Estado miembro de acogida por un periodo superior a tres meses siempre que se cumpla alguna de las siguientes condiciones (artículo 7):
  a) Que el ciudadano de la Unión sea un trabajador por cuenta ajena o por cuenta propia en el Estado de acogida; o
  b) Que disponga para sí, y los miembros de su familia, de recursos suficientes y seguro de enfermedad para no convertirse en una carga para la asistencia social del Estado miembro de acogida durante su periodo de residencia; o
  c) Que el ciudadano de la Unión se encuentre matriculado en un centro público o privado, reconocido o financiado por el Estado miembro de acogida, y cuente con un seguro de enfermedad que cubra todos los riesgos en el Estado miembro de acogida y garantice a la autoridad nacional competente que posee recursos suficientes para sí, y los miembros de su familia, para no convertirse en una carga para la asistencia social del Estado miembro de acogida durante su periodo de residencia; o
  d) Que sea un miembro de la familia que acompaña a un ciudadano de la Unión, o va a reunirse con él, y que cumple las condiciones contempladas en las letras a), b) o c).

Ademas, la directiva dispone que los ciudadanos de la Unión que posean un documento de identidad o un pasaporte válido, así como los miembros de sus familias, han de cumplir una serie de trámites administrativos, a saber:

- Los ciudadanos de la Unión tienen la obligacion de registrarse ante las autoridades competentes si van a vivir en el país durante más de tres meses. Los miembros de su familia que no sean nacionales de la Unión necesitan una tarjeta de residencia con una validez de cinco años (artículos 8 y 9).
- Sin embargo, el incumplimiento de la obligación de registro por parte de los ciudadanos de la Unión o de solicitud de la tarjeta de residencia por parte de los miembros de su familia que no sean nacionales de un Estado miembro no puede llevar aparejada la expulsión de ese Estado, si bien podrá conllevar castigos con sanciones proporcionadas y no discriminatorias.

Por lo que se refiere al alcance del derecho de entrada y residencia en otro Estado de la Unión Europea para los ciudadanos de la Unión y los miembros de su familia que no sean nacionales de un Estado miembro se establece que:

- Tienen derecho de residencia permanente si han vivido legalmente en otro país de la Unión Europea durante un periodo de cinco años consecutivos, extensible a los miembros de su familia (artículo 16).
- Tienen derecho a ser tratados en las mismas condiciones que los nacionales del Estado de acogida. Sin embargo, las autoridades de dicho país no están obligadas a conceder beneficios a los ciudadanos de la Unión que no trabajen a cambio de una remuneración durante los primeros tres meses de la estancia (artículo 24).
- Además, en determinadas condiciones, los miembros de la familia del ciudadano de la Unión pueden conservar el derecho a vivir en el país de que se trate si el ciudadano de la Unión fallece o abandona el país (artículo 12).
- Igualmente, los miembros de su familia pueden mantener el derecho de residencia en caso de divorcio, anulación del matrimonio o fin de la unión registrada con el ciudadano de la Unión (artículo 13).

Pues bien, en relación a la tarjeta de residencia de familiar de un ciudadano de la Unión el Tribunal de Justicia, en el asunto **McCarthy,** tuvo ocasión de clarificar los supuestos en los que los Estados miembros pueden denegar la entrada y la residencia por razones de orden público, de seguridad pública o de salud pública, así como la justificación de la adopción de medidas para denegar, extinguir o retirar los derechos que otorga la directiva. Concluía el Tribunal que esas medidas han de ser proporcionadas y sujetas a las garantías procesales que la propia directiva incorpora, de tal forma que los Estados miembros están obligados a reconocer la tarjeta de residencia expedida en otro Estado miembro para entrar en su territorio sin visado:

> [...] a menos que haya indicios concretos, referidos al caso específico de que se trate, que hagan dudar de la autenticidad de dicha tarjeta y de la exactitud de los datos que contiene y permitan llegar a la conclusión de que existe un abuso de derecho o un fraude.

Y que no podrán denegar la entrada en su territorio a los miembros de la familia de un ciudadano de la Unión Europea por ese motivo. En definitiva la directiva no permite que:

> [...] un Estado miembro, persiguiendo un objetivo de prevención genérica, someta a los miembros de la familia de un ciudadano de la Unión Europea que no tengan la nacionalidad de un Estado miembro y sean titulares de una tarjeta de residencia válida, expedida con arreglo al artículo 10 de la Directiva 2004/38 por las autoridades de otro Estado miembro, a la obligación de estar en posesión, en virtud del Derecho nacional, de un permiso de entrada para poder entrar en su territorio, como el permiso de familiar EEE (Espacio Económico Europeo).
>
> **Sentencia del Tribunal de Justicia de 18 de diciembre de 2014, asunto, C-202/13 *McCarthy***

Por lo que respecta a la obtención de la residencia permanente en un Estado de la Unión Europea por los familiares de un ciudadano de la Unión, el Tribunal de Justicia ha clarificado la interpretación del artículo 16 de la Directiva y, al referirse a los periodos que no pueden computarse al objeto de adquirir la mencionada residencia permanente, ha señalado que:

> [...] los periodos de estancia en prisión en el Estado miembro de acogida de un nacional de un país tercero, miembro de la familia de un ciudadano de la Unión que ha adquirido el derecho de residencia permanente en dicho Estado miembro durante tales períodos, no pueden computarse a efectos de la adquisición por ese nacional del derecho de residencia permanente en el sentido de la referida disposición.
>
> **Sentencia del Tribunal de Justicia, de 16de enero de 2014, asunto C-378/12, *Nnamdi Onuekwere***

Esto significa que esos periodos en prisión en el Estado miembro de acogida interrumpen la continuidad de la residencia al objeto de adquirir la residencia permanente por parte de los nacionales de terceros Estados que sean miembros de la familia del ciudadano de la Unión.

c) Limitaciones a la libre circulación de ciudadanos

La directiva dispone que los Estados miembros podrán limitar el ejercicio de este derecho a los ciudadanos de la Unión Europea y a los miembros de sus familias por razones de orden público, seguridad pública o salud pública. Además, señala que estas razones no podrán alegarse con fines económicos (artículos 27).

Para poner en práctica estas limitaciones, establece el procedimiento a seguir y las garantías procesales que ha de adoptar el Estado antes de tomar la decisión de expulsión de su territorio de un ciudadano de la Unión, por ejemplo, la notificación al interesado por escrito de la decisión de expulsión; la comunicación de la jurisdicción ante la que puede recurrir; y el plazo concedido para abandonar el territorio del Estado miembro (artículos 30 y 31).

i) Orden público y seguridad pública

Los ciudadanos de la Unión o los miembros de su familia pueden ser expulsados por motivos de orden público o seguridad pública si se comportan de tal forma que amenacen seriamente un interés fundamental de la sociedad, siempre y cuando la conducta del interesado constituya una amenaza real, actual y suficientemente grave (artículo 27).

Para adoptar esta medida, el Estado miembro de acogida deberá apreciar y tomar en consideración la duración de la residencia del interesado en su territorio, su edad, estado de salud, situación familiar y económica, su integración social y cultural en el Estado miembro de acogida y la importancia de los vínculos con su país de origen (artículo 28).

En relación a la aplicación de estos motivos que limitan la libre circulación de ciudadanos, la jurisprudencia del Tribunal de Justicia ha manifestado que:

■ Su interpretación ha de hacerse de forma restrictiva

El Tribunal de Justicia ha señalado siempre que, si bien, esencialmente, los Estados miembros gozan de libertad para definir, con arreglo a sus necesidades nacionales, que pueden variar de un Estado miembro a otro y de una época a otra, las exigencias de orden público y de seguridad pública, no obstante, en el contexto de la Unión, en particular como justificación de una excepción al principio fundamental de la libre circulación de las personas, tales exigencias deben interpretarse en sentido estricto, de manera que su alcance no puede ser determinado unilateralmente por cada Estado miembro sin control de las instituciones de la Unión.

Sentencias del Tribunal de Justicia de 10 de julio de 2008, asunto C33/07, *Jipa*; y de Rec. Y de17 de noviembre de 2011, asunto C-434/10, *Petar Aladzhov*

■ La adopción de estas medidas ha de ser proporcional al objetivo perseguido (artículo 27.2)

> Si bien, en el asunto principal, la esposa del Sr. Carpenter infringió las leyes del Reino Unido sobre inmigración al no abandonar el territorio nacional tras la expiración de su permiso de residencia en calidad de visitante, su conducta, desde su llegada al Reino Unido en septiembre de 1994, no ha sido objeto de ningún otro reproche que pueda hacer temer que constituya un peligro para el orden público y la seguridad pública en el futuro. Además, consta que el matrimonio de los esposos Carpenter, celebrado en el Reino Unido en 1996, es un matrimonio auténtico y que la Sra. Carpenter tiene allí una vida familiar efectiva, ocupándose, en particular, de los hijos de su cónyuge nacidos en una primera unión. Ante esta situación, la decisión de expulsión de la Sra. Carpenter constituye una injerencia no proporcionada a la finalidad perseguida.
>
> **Sentencia del Tribunal de Justicia de 11 de julio de 2002, asunto C-60/00, *Mary Carpenter***

■ La adopción de estas medidas han de estar basadas exclusivamente en la conducta personal del interesado (artículo 27.2) cuando esta cree una amenaza real y suficientemente grave que afecte a un interés fundamental de la sociedad.

> De ello se deduce que únicamente puede adoptarse una medida de expulsión contra una nacional comunitaria como la Sra. Calfa si, además de haber infringido la Ley de estupefacientes, su comportamiento personal crea una amenaza real y suficientemente grave que afecte a un interés fundamental de la sociedad.
>
> **Sentencia del Tribunal de Justicia de 19 de enero de 1999, asunto C-348/96, *Calfa***

En este sentido, procede recordar que la existencia de una condena penal no basta por sí sola para determinar el riesgo real y actual para el orden público, tal y como se desprende de la jurisprudencia del Tribunal de Justicia:

> […] procede recordar que un Estado miembro está obligado a apreciar el concepto de «riesgo para el orden público», […] caso por caso, para comprobar si el comportamiento personal del nacional de un tercer país de que se trate constituye un riesgo real y actual para el orden público, siendo así que la mera circunstancia de que dicho nacional haya sido condenado penalmente no basta por sí sola para determinar tal riesgo.
>
> **Sentencia del Tribunal de Justicia de 11 de junio de 2015, asunto C-554/13, Zh. y O.**

Sin embargo, el Tribunal también ha considerado que los Estados miembros están facultados para sopesar y valorar si las infracciones incluidas en los ámbitos delictivos a los que se refiere el **artículo 83 del TFUE,** es decir:

> El terrorismo, la trata de seres humanos y la explotación sexual de mujeres y niños, el tráfico ilícito de drogas, el tráfico ilícito de armas, el blanqueo de capitales, la corrupción, la falsificación de medios de pago, la delincuencia informática y la delincuencia organizada

Pueden representar una amenaza real y suficientemente grave y, en ese caso, aplicarse con la finalidad de expulsar de su territorio a un ciudadano de la Unión por motivos imperiosos de seguridad pública, en particular, cuando su comisión presente características especialmente graves:

> El artículo 28, apartado 3, letra a), de la Directiva 2004/38/CE [...] debe interpretarse en el sentido de que los Estados miembros están facultados para considerar que infracciones penales como las mencionadas en el artículo 83 TFUE, apartado 1, párrafo segundo, constituyen un menoscabo especialmente grave de un interés fundamental de la sociedad, capaz de representar una amenaza directa para la tranquilidad y la seguridad física de la población, y que por consiguiente cabe incluir en el concepto de «motivos imperiosos de seguridad pública» que pueden justificar una medida de expulsión en virtud del referido artículo 28, apartado 3, de la Directiva 2004/38, siempre que la forma de comisión de tales infracciones presente características especialmente graves, extremo este que incumbe verificar al tribunal remitente basándose en un examen individualizado del asunto del que conoce.
>
> Sentencia del Tribunal de Justicia de 22 de mayo de 2012, asunto **C-348/09, P. I.**

ii) Salud pública

Por lo que se refiere a las razones de salud pública, las únicas enfermedades que pueden justificar la limitación de la libre circulación de los ciudadanos de la Unión y sus familiares son las que la Organización Mundial de la Salud considera que tienen potencial epidémico, así como otras enfermedades infecciosas o parasitarias contagiosas (artículo 29).

B. Aspectos relacionados con la cobertura sanitaria y los sistemas de seguridad social

1. Asistencia sanitaria en la Unión Europea

Uno de los aspectos más importantes que pueden condicionar el ejercicio de la libre circulación en el territorio de la Unión Europea viene constituido por la asistencia sanitaria de las personas desplazadas y sus familiares. Para evitar que esta circunstancia pueda suponer una traba a los intercambios de personas en la Unión Europea se han ido adoptando normas que permitan a los ciudadanos acceder a la asistencia sanitaria en un país diferente al de origen en el que el perceptor se encuentre, ya sea por vacaciones, trabajo, estudios o, simplemente, por residir en el mismo por motivos personales o familiares.

a) Estancias temporales

Cuando se trate de estancias temporales en otro país de la Unión Europea, todo ciudadano de la Unión y sus familiares tienen derecho a recibir idéntica asistencia sanitaria que los ciudadanos del país de destino (principio de no discriminación). Para ello, habrá de probarse la existencia del seguro médico en el país de origen a través de la Tarjeta Sanitaria Europea que da acceso a la atención sanitaria pública en los 28 Estados miembros, así como en Islandia, Liechtenstein, Noruega y Suiza, en las mismas condiciones que las personas aseguradas en el país de acogida.

De este modo, si la asistencia sanitaria es gratuita para los ciudadanos en el país de acogida también lo será para el resto de ciudadanos de la Unión Europea que se desplacen al mismo. Si, por el contrario, la asistencia sanitaria tuviese un coste para los ciudadanos en el país de acogida, este mismo se aplicará a los ciudadanos de otros Estados miembros.

Una vez recibida la asistencia sanitaria, si esta no fuese gratuita en el país de destino, se abonará por parte del beneficiario y, posteriormente, se podrá solicitar el reembolso de los gastos en el Estado miembro de afiliación, tal y como dispone el **artículo 7 de la Directiva 2011/24**:

> 1. Sin perjuicio del Reglamento (CE) n o 883/2004 y a reserva de las disposiciones de los artículos 8 y 9, el Estado miembro de afiliación garantizará el reembolso de los gastos contraídos por un asegurado que haya recibido asistencia sanitaria transfronteriza, siempre que dicha asistencia sanitaria figure entre las prestaciones a que el asegurado tiene derecho en el Estado miembro de afiliación.

El importe del reembolso se determinará de conformidad con las normas y baremos que se apliquen en el país donde se han recibido los servicios médicos. Así, cuando el reembolso sea mayor en el país de origen del beneficiario que el percibido del país en el que recibió la asistencia, el asegurado podrá obtener la parte complementaria correspondiente de su país de origen.

b) Residencia permanente en otro país de la Unión Europea

Cuando se resida permanentemente en otro país de la Unión Europea por motivos de trabajo o jubilación, los ciudadanos han de tener acceso a la asistencia sanitaria en las mismas condiciones que los ciudadanos del Estado de acogida. Hay que tener en cuenta que los sistemas sanitarios no están unificados y que pueden variar dependiendo del país de residencia. Así, en algunos casos se paga la asistencia directamente al médico o la clínica mientras que en otros no.

c) La Directiva 2011/24/UE del Parlamento Europeo y del Consejo de 9 de marzo de 2011, relativa a la aplicación de los derechos de los pacientes en la asistencia sanitaria transfronteriza

De conformidad con su **artículo 1,** esta Directiva pretende

> Establecer unas reglas para facilitar el acceso a una asistencia sanitaria transfronteriza segura y de elevada calidad en la Unión, así como garantizar la movilidad de los pacientes de conformidad con los principios establecidos por el Tribunal de Justicia y promover la cooperación en materia de asistencia sanitaria entre los Estados miembros

En definitiva, promueve la cooperación en la asistencia sanitaria entre los estados miembros pero no armoniza los sistemas sanitarios nacionales que seguirán siendo competentes para organizar y prestar la asistencia sanitaria en sus territorios.

Además:

> La presente Directiva tiene, asimismo, por objeto aclarar su relación con el marco existente para la coordinación de los sistemas de seguridad social, Reglamento (CE) n.º 883/2004, con miras a la aplicación de los derechos de los pacientes.

2. La coordinación de los sistemas de seguridad social en la Unión Europea

Los sistemas de Seguridad Social vigentes en el seno de la Unión Europea difieren sustancialmente de un país a otro (periodos de cotización, prestaciones por jubilación, cálculo y duración de las mismas, requisitos para su concesión…). Por ese motivo, resulta esencial su coordinación teniendo en cuenta las legislaciones nacionales aplicables en cada Estado y la posibilidad de que los ciudadanos de la Unión puedan ser receptores de estos derechos en más de un Estado miembro.

Las disposiciones adoptadas en el seno de la Unión Europea no tienen como finalidad reemplazar las normas que regulan los diferentes regímenes nacionales de seguridad social sino proteger los derechos de los ciudadanos de la Unión, y a los miembros de sus familias, que se encuentren asegurados en cualesquiera de los 28 Estados miembros, además de Islandia, Liechtenstein, Noruega o Suiza, cuando se desplacen a otro país. Igualmente, se aplicarán a los nacionales de terceros Estados y a sus familiares siempre que se encuentren residiendo legalmente en la Unión Europea y se desplacen a otro Estado miembro, así como a los apátridas o refugiados que cumplan esas mismas condiciones.

De conformidad con estas normas, a cada persona se le aplicará la legislación nacional del país en el que se encuentre cotizando en cada momento en las mismas condiciones que se aplican a los nacionales de dicho Estado miembro. Una vez finalizada su vida laboral, habrán de tomarse en consideración los períodos trabajados en todos estos Estados y podrá percibir la prestación en el país donde tenga su residencia habitual aunque sea diferente del país pagador.

Pues, tal y como ha tenido ocasión de declarar el Tribunal de Justicia, el derecho de la Unión:

> […] pretende facilitar la libre circulación de los trabajadores, garantizando a los trabajadores migrantes y a sus derechohabientes «la acumulación de todos los períodos tomados en consideración por las distintas legislaciones nacionales para adquirir y conservar el derecho a las prestaciones sociales, así como para el cálculo de estas».

Y, consecuentemente,

> […] los trabajadores migrantes no deben sufrir una reducción de la cuantía de las prestaciones de seguridad social por el hecho de haber ejercitado su derecho a la libre circulación.
>
> Sentencia del Tribunal de Justicia de 9 de agosto de 1994, asunto C-406/93, *Reichling*

a) Los Reglamentos 883/2004 del Parlamento Europeo y del Consejo, sobre la coordinación de los sistemas de seguridad social y 987/2009 por el que se adoptan las normas de aplicación del Reglamento 883/2004.

Estos dos reglamentos regulan la coordinación modernizada de los regímenes de seguridad social. Disponen normas comuncs para proteger el derecho garantizado por las prestaciones de la seguridad social en el territorio del Espacio Económico Europeo y Suiza. Además, reconoce la autoridad y potestad de los Estados Miembros para determinar quiénes son en sus respectivos sistemas nacionales las personas beneficiarias de sus sistemas de seguridad social, así como las prestaciones que cubren y los requisitos que han de cumplirse para el acceso a las mismas. Consecuentemente, el Reglamento no sustituye a los sistemas de seguridad social nacionales que se aplican en cada Estado miembro.

III. LIBRE CIRCULACIÓN DE TRABAJADORES

La libre circulacion de trabajadores es uno de los derechos fundamentales reconocido en el TFUE que ha sido desarrollado en el Derecho derivado y en la jurisprudencia del TJUE.

La realización de este objetivo supone la abolición, entre los trabajadores de los Estados miembros, de toda discriminación por razón de la nacionalidad con respecto al empleo, retribución y demás condiciones de trabajo, así como al derecho de estos trabajadores a desplazarse libremente dentro de la Unión para ejercer una actividad asalariada, sin perjuicio de las limitaciones justificadas por razones de orden público, seguridad y salud públicas.

A. Alcance de este derecho

El TFUE ennumera los elementos que configuran el derecho de los nacionales de un Estado miembro para desarrollar una actividad laboral por cuenta ajena en otro Estado miembro. A saber: la entrada en otro pais para buscar empleo; el derecho a residir en el país en el que se desarrolla la actividad por cuenta ajena; la permanencia en el mismo una vez finalizada la relacion laboral y, la no discriminacion en relacion al tratamiento recibido por los trabajadores nacionales del Estado de acogida (acceso al empleo y procedimientos de contratacion, condiciones de trabajo —remuneración o categoría—, y reconocimiento de experiencia profesional y antigüedad).

La libre circulación de trabajadores se aplica asimismo, de manera general, a los países del Espacio Económico Europeo —Islandia, Liechtenstein y Noruega—, y también a Suiza como miembro de la AELC con base a los tratados bilaterales suscritos con la Unión Europea.

Así, el **artículo 45 del TFUE** establece:

> 1. Quedará asegurada la libre circulación de los trabajadores dentro de la Unión.
>
> 2. La libre circulación supondrá la abolición de toda discriminación por razón de la nacionalidad entre los trabajadores de los Estados miembros, con respecto al empleo, la retribución y las demás condiciones de trabajo.
>
> 3. Sin perjuicio de las limitaciones justificadas por razones de orden público, seguridad y salud públicas, la libre circulación de los trabajadores implicará el derecho:
>
> a) De responder a ofertas efectivas de trabajo.
>
> b) De desplazarse libremente para este fin en el territorio de los Estados miembros.
>
> c) De residir en uno de los Estados miembros con objeto de ejercer en él un empleo, de conformidad con las disposiciones legales, reglamentarias y administrativas aplicables al empleo de los trabajadores nacionales.
>
> d) De permanecer en el territorio de un Estado miembro después de haber ejercido en él un empleo, en las condiciones previstas en los reglamentos establecidos por la Comisión.
>
> 4. Las disposiciones del presente artículo no serán aplicables a los empleos en la administración pública.

Para que este derecho pueda aplicarse en toda su extensión es preciso que algunas cuestiones relevantes hayan sido previamente resueltas, tales como los aspectos relacionados con la cobertura sanitaria y de seguridad social, mencionadas en el epígrafe anterior, que permiten proteger los derechos de los ciudadanos que se desplazan a otros Estados miembros, o el reconocimiento mutuo de títulos o cualificaciones profesionales por parte de los Estados miembros.

B. Concepto de trabajador

En el TFUE no existe una definición del concepto de trabajador. El Tribunal de Justicia, sin embargo, ha considerado que:

> El concepto de trabajador se refiere a toda persona que desarrolla, en beneficio y bajo la dependencia de otro, de forma remunerada, una actividad que no ha determinado ella misma, cualquiera que sea la naturaleza jurídica de la relación de empleo.
>
> Sentencia del Tribunal de Justicia de 3 de julio de 1986, asunto 66/85, *Lawrie-Blum*

A mayor abundamiento, considera que:

> [...] el concepto de trabajador en el sentido del artículo 48 del Tratado tiene un alcance comunitario y que, dado que define el ámbito de aplicación de una de las libertades fundamentales de la Comunidad, este concepto debe interpretarse en sentido amplio.
>
> Sentencia del Tribunal de Justicia de 31 de mayo de 1989, asunto 344/87, *Bettray*

C. Acceso al empleo

El **Reglamento 492/2011**, del Parlamento Europeo y del Consejo, de 5 de abril de 2011 relativo a la libre circulación de los trabajadores dentro de la Unión, establece que todo nacional de un Estado miembro, sea cual fuere su lugar de residencia, tendrá derecho a acceder a una actividad por cuenta ajena y a ejercerla en el territorio de otro Estado miembro de conformidad con las disposiciones legales, reglamentarias y administrativas que regulan el empleo de los trabajadores nacionales de dicho Estado. A su vez, las empresas pueden publicar ofertas de empleo y acordar contratos con ciudadanos de todos los Estados miembros (artículos 1 al 6).

De igual modo, dispone que los nacionales de un Estado miembro se beneficiarán en el territorio de otro Estado miembro de las mismas prioridades de los nacionales de dicho Estado en el acceso a los empleos disponibles. Con ello, se garantiza el buen funcionamiento del sistema mediante la abolición de toda discriminación por razón de la nacionalidad entre los trabajadores de los distintos Estados miembros. En este sentido, el Reglamento, en su artículo 3, prohíbe las disposiciones nacionales que:

- Limiten o subordinen a condiciones no previstas para los nacionales la oferta y la demanda de trabajo, el acceso al empleo y su ejercicio por los extranjeros, o
- Tengan por finalidad o efecto exclusivo o principal eliminar a los nacionales de otros Estados miembros de la oferta de empleo.

En particular, se refiere el Reglamento a disposiciones o prácticas que en un Estado miembro:

a) Hagan obligatorio el recurso a procedimientos especiales de contratación de mano de obra para los extranjeros.

b) Limiten o subordinen a condiciones distintas de las que son aplicables a los empresarios que ejercen en el territorio de dicho Estado la oferta de empleo por medio de la prensa o de cualquier otro modo.

c) Subordinen el acceso al empleo a condiciones de inscripción en las oficinas de empleo u obstaculicen la contratación nominativa de trabajadores, cuando se trate de personas que no residan en el territorio de dicho Estado.

D. Ejercicio del empleo en igualdad de trato

1. Principio general

No será lícita la discriminación de los trabajadores por razón de nacionalidad en materia laboral, respecto a la retribución, el despido, y la reintegración profesional, así como tampoco la discriminación en relación a las ventajas sociales y fiscales de las que se beneficien los trabajadores nacionales o en relación al acceso a los centros de formación y reorientación profesional.

Así, el Reglamento en su **artículo 7** dispone:

> 1. En el territorio de otros Estados miembros y por razón de la nacionalidad, el trabajador nacional de un Estado miembro no podrá ser tratado de forma diferente a los trabajadores nacionales, en cuanto se refiere a las condiciones de empleo y de trabajo, especialmente en materia de retribución, de despido y de reintegración profesional o de nuevo empleo, si hubiera quedado en situación de desempleo.
>
> 2. Se beneficiará de las mismas ventajas sociales y fiscales que los trabajadores nacionales.

En este sentido, resulta importante recordar el concepto de discriminación elaborado por el Tribunal de Justicia en su jurisprudencia:

> Discriminación, en sentido legal, consiste en tratar de idéntica manera situaciones diferentes, o tratar de diferente forma situaciones que son idénticas.
>
> Sentencia del Tribunal de Justicia de 4 de febrero de 1982, asunto 817/89, *Buyl c. Comisión*.

Se aplicará, igualmente, el principio de no discriminación en relación a la admisión en los cursos de enseñanza general, de aprendizaje y de formación profesional de los hijos de un nacional que se encuentre trabajando en otro Estado miembro (artículo 10). Finalmente, en materia de derechos sociales —acceso a la vivienda— también se aplicará el principio de no discriminación (artículo 9).

Tampoco será admisible cualquier tipo de limitación encubierta del derecho a la libre circulación de trabajadores que pueda constituir una discriminación indirecta, tal y como sucedía en el asunto que a continuación se expone.

> **Principio de no discriminación y reconocimiento de la experiencia profesional adquirida en otro Estado miembro: el asunto *Ingetraut Scholz c. Opera Universitaria di Cagliari***

En el mencionado asunto, se planteaba la posible existencia de una discriminación indirecta. El mismo se suscitó a raíz de un litigio entre la Sra. Scholz, de origen alemán y nacionalizada italiana por razón de matrimonio, y la Administración italiana, en el marco de un concurso-oposición público para cubrir determinados puestos de agente de restauración en la Universidad de Cagliari. En las bases del mencionado concurso se estipulaba la atribución de un determinado número de puntos adicionales, tanto por los títulos poseídos como por la experiencia que pudiese justificarse por servicios prestados en la función pública.

El problema se planteó cuando el tribunal calificador del concurso se negó a considerar la experiencia de la Sra. Scholz en la Administración de Correos de la República Federal de Alemania como agente postal durante los años 1965 a 1972, entendiendo que solo debía valorarse la experiencia desarrollada en la función pública italiana; decisión que privó a la Sra. Scholz de obtener un puesto como agente de restauración en la Universidad de Cagliari.

A raíz del recurso interpuesto ante el Tribunale Amministrativo Regionale per la Sardegna, solicitando la anulación de la decisión en virtud de la cual se estableció la lista definitiva de candidatos aprobados por entender que el hecho de la no aceptación de la experiencia obtenida en la función pública de otro Estado miembro infringía los principios de Derecho comunitario, la cuestión prejudicial posterior permitió al Tribunal de Justicia declarar que en el marco de la libre circulación de trabajadores la Sra. Scholz había ejercido un derecho legítimo y garantizado por el artículo 48 del Tratado al haber trabajado en su Estado de origen (Alemania) y pretender ahora ejercer una actividad en otro Estado miembro (Italia); y que esta circunstancia no podía ser utilizada, en ningún caso, por parte de un Estado miembro como un elemento negativo o penalizador frente a otros trabajadores comunitarios que no hubiesen ejercido tal derecho.

Consecuentemente, la normativa que regulaba el concurso-oposición organizado por la Universidad de Cagliari constituía una discriminación indirecta no justificada contraria al artículo 48 del Tratado, ya que, de otro modo, otorgar un tratamiento desigual a situaciones idénticas podría suponer un elemento disuasorio para el desarrollo del derecho a la libre circulación de personas que el Tratado reconoce a todo ciudadano de la Unión Europea. Y el Tribunal consideró que, dado que en el concurso oposición no se distinguía ningún tipo de experiencia específica dentro del ámbito de la función pública, no podía establecerse una distinción según que esta tuviese o no conexión con las funciones de agente de restauración. Además, al no estar comprendidos los puestos objeto de concurso dentro del ámbito de aplicación del apartado 4 del artículo 48 del Tratado (actualmente artículo 45.4 del TFUE), no podía efectuarse una distinción, respecto a nacionales comunitarios, en función de que tales actividades hubiesen sido ejercidas en la Administración pública de ese Estado miembro o en la de otro Estado miembro.

De esta manera, el Tribunal concluía:

> De una jurisprudencia reiterada [...] resulta que el artículo 48 del Tratado prohíbe no solo las discriminaciones manifiestas basadas en la nacionalidad, sino también cualquier forma de discriminación encubierta que, aplicando otros criterios de diferenciación, conduzca de hecho al mismo resultado.
>
> Por último, es importante hacer constar que la negativa a tomar en consideración el periodo trabajado por la parte demandante en el procedimiento principal en la Administración pública de otro Estado miembro, para la atribución de puntos adicionales previstos a los efectos de su clasificación final, constituye una discriminación indirecta no justificada.
>
> Sentencia del Tribunal de Justicia de 23 de febrero de 1994, asunto C-419/92, *Ingetraut Scholz c. Opera Universitaria di Cagliari*

2. Trabajadores y ventajas sociales no discriminatorias

Por otra parte, el término «ventajas sociales no discriminatorias» al que se refiere el Reglamento ha sido interpretado de forma extensiva por el Tribunal de Justicia, aplicando el mismo no solo al trabajador sino, también, a los miembros de su familia. Hay que tener en cuenta que el tratamiento igualitario entre el trabajador y su familia y los nacionales del Estado de acogida —especialmente en materia de ventajas sociales— resultará determinante para favorecer la libre circulación de trabajadores.

De este modo, el Tribunal de Justicia ha reconocido la aplicación de estas ventajas a la familia del trabajador —viuda e hijos del trabajador migrante de otro Estado miembro—, incluso después de su fallecimiento al considerar que:

> [...] sería contrario al espíritu y al fin de la norma comunitaria relativa a la libre circulación de trabajadores, privar a los supervivientes de tal beneficio como consecuencia del fallecimiento del trabajador, ya que este beneficio se concede a los supervivientes de un nacional;
>
> [...] incluso si este beneficio ha sido solicitado con posterioridad al fallecimiento del trabajador, en beneficio de su familia residente en el mismo Estado miembro.
>
> **Sentencia del Tribunal de Justicia 30 de septiembre de 1975, asunto 32/75, *Cristini c. SNCF***

En el caso de las ayudas económicas para que los hijos de ciudadanos de la Unión puedan cursar estudios superiores, el Tribunal ha estimado que el concepto de hijo de trabajador transfronterizo, al objeto de que pueda beneficiarse de las ventajas sociales a las que se refiere el artículo 7, apartado 2, del Reglamento n.º **492/2011, como la financiación de los estudios acordada por un Estado miembro**, incluye a los hijos de los trabajadores que ejerzan o hayan ejercido su actividad en dicho Estado estimando, a tales efectos:

> [...] no solo el hijo que tenga un vínculo de filiación con este trabajador, sino también el hijo del cónyuge o de la pareja registrada de dicho trabajador, cuando este provee a la manutención del hijo.
>
> **Sentencia del Tribunal de Justicia de 15 de diciembre de 2016, asuntos acumulados C401/15 a C403/15, *Noémie Depesme y otros*.**

Y que el Derecho de la Unión y, en particular el Reglamento (UE) n.º **492/2011 se opone**:

> [...] a una legislación de un Estado miembro [...] que supedita la concesión de una ayuda económica para estudios superiores a los estudiantes no residentes al cumplimiento del requisito de que al menos uno de sus progenitores haya trabajado en ese Estado miembro durante un periodo mínimo e ininterrumpido de cinco años en el momento de solicitar la ayuda económica, pero que no contempla tal requisito en relación con los estudiantes que residen en el territorio de dicho Estado miembro, con el fin de estimular el aumento de la proporción de residentes con un título de enseñanza superior.
>
> **Sentencia del Tribunal de Justicia de 14 de diciembre de 2016, asunto C-238/15, *Maria do Céu Bragança Linares Verruga*,**

Ahora bien, el Tribunal también ha fijado ciertos límites al reconocimiento de esas ventajas sociales y, así, solamente podrán mantenerse en la medida en que el ciudadano de un Estado miembro permanece como trabajador en otro Estado miembro.

> [...] el titular de una pensión que, como el Sr. Leclere, tiene un hijo con posterioridad a la extinción de su relación laboral no puede basarse en el artículo 7 del Reglamento n.º 1612/68 para aspirar a disfrutar de unos subsidios, relacionados con el nacimiento de un hijo, que la legislación del Estado miembro competente para el pago de su pensión establece en favor de los trabajadores y a los que él no tendría derecho en virtud del Reglamento n.º 1408/71
>
> Sentencia del Tribunal de Justicia de 31 de mayo de 2001, asunto C-43/99, *Leclere*

3. Excepción al principio general de no discriminación en materia de acceso al empleo

La única excepción que establece el Reglamento al principio de no discriminación en materia de acceso al empleo es la lingüística. Esto significa que las empresas podrán exigir el requisito del dominio del idioma del país receptor en función del empleo a cubrir, lo que puede constituir una barrera para el acceso a ese puesto de trabajo por parte de los ciudadanos de otros Estados miembros.

E. Limitaciones al ejercicio de este derecho

El derecho a la libre circulación de trabajadores presenta, sin embargo, dos restricciones importantes:

- Las limitaciones justificadas por razones de orden público, seguridad y salud públicas (**artículo 45.3 del TFUE**).
- Las limitaciones a los empleos en la administracion publica (**artículo 45.4 del TFUE**)

1. Orden público, seguridad pública y salud públicas

Al igual que sucedía en relación a la libre circulación de ciudadanos de la Unión, ya explicada en el presente capítulo, las excepciones a la libre circulación de trabajadores que pretendan cimentarse en la aplicación de estos motivos han de ser aplicadas de forma restrictiva, siguiendo la interpretación que sobre las mismas ha llevado a cabo el Tribunal de Justicia.

En este sentido, el Tribunal ha considerado que la excepción de orden público podrá invocarse:

> [...] en caso de que exista una amenaza real y suficientemente grave que afecte a un interés fundamental de la sociedad.
>
> **Sentencia del Tribunal de Justicia de 27 de octubre de 1977, asunto 30/77, *Bouchereau*.**

Y ha de interpretarse de modo restrictivo:

> [...] el concepto de orden público [...] cuando se emplea como justificación de una excepción al principio fundamental de libre circulación de trabajadores, debe interpretarse de modo restrictivo, de manera que los Estados no puedan determinar unilateralmente su alcance sin sujeción al control de las Instituciones de la Comunidad.
>
> **Sentencia del Tribunal de Justicia de 4 de diciembre de 1974, asunto 41/74, *Van Duyn***

Igualmente, tal y como en su día disponía la Directiva 64/221/CEE del Consejo, de 25 de febrero de 1964, estas medidas de orden público o de seguridad pública que tengan por efecto restringir la estancia de un nacional de otro Estado miembro deberán fundamentarse exclusivamente en el comportamiento personal del individuo al que se apliquen.

Por lo que respecta a la excepción por motivos de salud pública, las únicas enfermedades que pueden justificar la limitación de la libre circulación de trabajadores en la Unión Europea serán las enfermedades con potencial epidémico, tal y como se definen por la Organización Mundial de la Salud, así como otras enfermedades infecciosas o parasitarias contagiosas, por ejemplo, el cólera, la peste y la fiebre amarilla.

2. Empleos en la administración pública

El **artículo 45.4 del TFUE,** incluye una excepción al derecho a la libre circulación de los trabajadores cuando se trate de empleos en la administración pública. Dice así:

> Las disposiciones del presente artículo no serán aplicables a los empleos en la administración pública.

De acuerdo con esta disposición, los países de la Unión puedan reservar determinados puestos de trabajo del sector público a sus propios nacionales. Ahora bien, para determinar el alcance de esta declaración hay que acudir a la jurisprudencia del TJUE que ha manifestado que la misma ha de interpretarse de manera restrictiva con el fin de no vaciar de contenido el derecho a la libre circulación de trabajadores. De este modo, solamente podrán quedar reservados para los nacionales de un Estado miembro aquellos puestos en la administración pública que impliquen la participación directa o indirecta en el ejercicio de la autoridad pública y de tareas destinadas a salvaguardar el interés general del Estado. Además, estos criterios no pueden aplicarse de forma general sino que tendrán que ser evaluados caso por caso, considerando las funciones y responsabilidades atribuidas a cada puesto de trabajo.

Así, el Tribunal de Justicia ha declarado:

> [...] se desprende que los empleos a efectos del apartado 4 del artículo 48 del Tratado CEE son aquellos que guardan relación con las actividades específicas de la administración pública como depositaria del ejercicio del poder público y de la responsabilidad de la salvaguardia de los intereses generales del Estado, a los que deben equipararse los intereses propios de los entes públicos, como, por ejemplo, las administraciones municipales.
>
> Sentencia del Tribunal de Justicia de 17 de diciembre de 1980, asunto 149/79, *Comisión c. Bélgica*

Pero no es menos cierto que el Tribunal de Justicia también ha manifestado que en la aplicación de esta excepción al principio general a la libre circulación de trabajadores los Estados miembros no pueden olvidar que:

> [...] el alcance de esta excepción debe limitarse a lo estrictamente necesario para salvaguardar los intereses generales del Estado miembro de que se trate, que no se ven amenazados si las prerrogativas de poder público se ejercen únicamente de forma esporádica o excepcional por nacionales de otros Estados miembros.
>
> Sentencia del Tribunal de Justicia de 10 de septiembre de 2014, asunto C-270/13, *Iraklis Haralambidis*

F. Derecho a permanecer en el Estado miembro una vez finalizada la actividad laboral por cuenta ajena

No sería factible que los ciudadanos de la Unión pudiesen ejercer su derecho a la libre circulación de trabajadores si tras finalizar su actividad laboral por cuenta ajena en otro Estado miembro no pudiesen permanecer en el mismo. El **artículo 45 (3) (d) del TFUE** establecen el derecho de los trabajadores y sus familiares a permanecer en el territorio de un Estado miembro después de haber ejercido en él un empleo.

A su vez, la **Directiva 2004/38**, en su **artículo 16,** establece las condiciones para el ejercicio de este derecho

> 1. Los ciudadanos de la Unión que hayan residido legalmente durante un periodo continuado de cinco años en el Estado miembro de acogida tendrán un derecho de residencia permanente en este. Dicho derecho no estará sujeto a las condiciones previstas en el Capítulo III.
>
> 2. El apartado 1 será, asimismo, aplicable a los miembros de la familia que no tengan la nacionalidad de un Estado miembro y que hayan residido legalmente durante un periodo continuado de cinco años consecutivos con el ciudadano de la Unión en el Estado miembro de acogida.
>
> 3. La continuidad de la residencia no se verá afectada por ausencias temporales no superiores a un total de seis meses al año, ni por ausencias de mayor duración para el cumplimiento de obligaciones militares, ni por ausencias no superiores a doce meses consecutivos por motivos importantes como el embarazo y el parto, una enfermedad grave, la realización de estudios o una formación profesional, o el traslado por razones de trabajo a otro Estado miembro o a un tercer país.

Igualmente, y con carácter excepcional, tendrán derecho de residencia permanente en el Estado miembro de acogida, antes de que finalice un periodo continuo de residencia de cinco años, los trabajadores por cuenta ajena:

a) Retirados por haber alcanzado la edad para adquirir el derecho a una pensión de jubilación o con motivo de una jubilación anticipada, siempre que hayan ejercido su actividad en ese Estado miembro durante al menos los últimos doce meses y haya residido en el mismo de forma continuada durante más de tres años. En caso de que la legislación del Estado miembro de acogida no conceda el derecho a pensión de jubilación a determinadas categorías de trabajadores autónomos, el requisito de edad se considerará cumplido cuando el interesado haya alcanzado los 60 años de edad.

b) Que cesen en su actividad a causa de una incapacidad laboral permanente, siempre que hayan residido de forma continuada en el Estado miembro de acogida durante más de dos años. Si esta incapacidad es consecuencia de un accidente de trabajo o de una enfermedad profesional que dé derecho al interesado a una prestación total o parcialmente a cargo de una institución del Estado miembro de acogida, no se exigirá ninguna condición de duración de residencia.

c) Que después de tres años consecutivos de actividad y residencia en el Estado miembro de acogida, ejerzan una actividad por cuenta propia o ajena en otro Estado miembro, pero conserven su residencia en el Estado miembro de acogida, al que regresan, por norma general, diariamente o al menos una vez por semana.

IV. EL DEPORTE COMO ACTIVIDAD ECONÓMICA Y LA LIBRE CIRCULACIÓN DE DEPORTISTAS

A. La libre circulación de deportistas profesionales en la Unión Europea

En el ámbito de la libre circulación de deportistas profesionales y la consideración del deporte como actividad económica, hay que referirse a dos decisiones del Tribunal de Justicia que marcaron el camino a seguir en esta materia.

En primer lugar, al asunto *Walrave*, relativo al ciclismo, que se planteó en el marco de una acción judicial entablada por dos ciudadanos neerlandeses contra la Unión Ciclista Internacional y las Federaciones ciclistas neerlandesa y española. Estos deportistas, que participaban habitualmente como entrenadores en carreras ciclistas, consideraban discriminatoria ciertas disposiciones del reglamento de la Unión Ciclista Internacional relativo a los campeonatos del mundo de ciclismo tras moto, según la cual el entrenador debía ser de la misma nacionalidad que el corredor.

De este modo, el Tribunal de Justicia tuvo ocasión de pronunciarse sobre la regulación de la práctica del deporte por el derecho comunitario y sobre la compatibilidad de los artículos 7, 48 y 59 del Tratado con las mencionadas disposiciones del reglamento de la Unión Ciclista Internacional.

Por lo que respecta al carácter económico de la práctica del deporte y su posible regulación por el Derecho comunitario, el Tribunal declaró que:

> Habida cuenta de los objetivos de la Comunidad, la práctica del deporte sólo está regulada por el Derecho comunitario en la medida en que constituye una actividad económica en el sentido del artículo 2 del Tratado.

A su vez, en relación a la compatibilidad de las normas del Tratado con el reglamento de la Unión Ciclista Internacional y sus disposiciones supuestamente discriminatorias por razón de nacionalidad señalaba:

> La prohibición de discriminación por razón de la nacionalidad, que establecen los artículos 7, 48 y 59 del Tratado, no afecta a la composición de equipos deportivos, en particular en forma de equipos nacionales, al ser la constitución de éstos una cuestión de índole exclusivamente deportiva que, como tal, es ajena a la actividad económica.
>
> Sentencia del Tribunal de Justicia de 12 de diciembre de 1974, asunto 36/74, *Walrave*

En segundo lugar, al asunto *Donà,* relativo al fútbol y donde se planteaba de nuevo ante el Tribunal de Justicia la interpretación de los artículos 7, 48 y 59 del Tratado con el fin de dilucidar si los mismos conferían a los nacionales de los Estados miembros el derecho a efectuar una prestación en cualquier lugar de la Comunidad y, en particular, si los jugadores de fútbol también tenían este derecho en los casos en que sus prestaciones tuviesen carácter profesional. De ser así, se preguntaba si las normas de una federación deportiva de fútbol en un Estado miembro que fuesen contrarias a esos preceptos podrían dejan de aplicarse.

En ese caso, el Tribunal de Justicia declaraba que:

> Es incompatible con los artículos 7 y según el caso, 48 a 51 o 59 a 66 del Tratado una normativa o práctica nacional, aunque haya sido adoptada por una organización deportiva, que reserva a los nacionales del Estado miembro el derecho de participar, como jugadores profesionales o semiprofesionales, en partidos de fútbol, salvo que se trate de una normativa o práctica que excluya a los jugadores extranjeros de la participación en determinados encuentros por motivos no económicos relativos al carácter y al marco específicos de dichos encuentros y que, por lo tanto, se refieran únicamente al deporte como tal.
>
> Sentencia del Tribunal de Justicia de 14 de julio de 1976, asunto 13/76, *Donà*

De esta forma, el Tribunal de Justicia determinaba por primera vez la incompatibilidad con las normas del Tratado de aquellas disposiciones nacionales que limitasen la participación de deportistas, ciudadanos de un Estado miembro, en competiciones profesionales o cuasi profesionales llevadas a cabo en otro Estado miembro.

> **El futbol profesional como actividad económica y la libre circulación de futbolistas en la Unión Europea: el caso *Bosman***

Pero, sin duda alguna, el asunto que marco un punto de inflexión en esta materia, tanto por sus repercusiones deportivas cuanto de carácter económico, fue el asunto Bosman. Jean-Marc Bosman, nacional belga, era jugador profesional de fútbol en el Royal Club Liegeois SA (Bégica) de 1.ª División. En el año 1990 llegó a un acuerdo con el club francés USL Dunquerque y ambos clubs acordaron la cesión del jugador. Sin embargo, el club francés no aceptó la cláusula de indemnización a favor del club belga y este no dio su conformidad para transferir el certificado que permitiese jugar a Bosman en el club francés.

El jugador presentó entonces una demanda contra el Club Liegeois, contra la Federación Belga de fútbol y contra la UEFA, alegando que las normas de traspaso de la Federación belga, así como las de UEFA y FIFA, habían impedido su traspaso al club francés USL Dunquerque. En el marco de este procedimiento, la Cour d'appel de Liège planteó una cuestión prejudicial ante el Tribunal de Justicia con el fin de interpretar los artículos 48, 85 y 86 del Tratado en relación a las normas nacionales que regulan los traspasos de los jugadores de fútbol profesional. Y, el Tribunal de Justicia se manifestó en relación a la compatibilidad de las normas adoptadas por las asociaciones deportivas con los mencionados preceptos.

En primer lugar, frente a las alegaciones de las partes que consideraban que un deporte como el fútbol no tenía carácter económico, el Tribunal hacía referencia a su anterior doctrina:

> [...] procede recordar que, habida cuenta de los objetivos de la Comunidad, la práctica del deporte sólo está regulada por el Derecho comunitario en la medida en que constituye una actividad económica en el sentido del artículo 2 del Tratado (véase la sentencia de 12 de diciembre de 1974, Walrave, 36/74, Rec. p. 1405, apartado 4). Tal es el caso de la actividad de jugadores de fútbol profesionales o semiprofesionales, puesto que éstos ejercen una actividad por cuenta ajena o efectúan prestaciones de servicios retribuidas (véase la sentencia de 14 de julio de 1976, Dona, 13/76, Rec. p. 1333, apartado 12).

A partir de ahí, considerando el fútbol como actividad económica, cabía esperar un pronunciamiento acerca de la condición de los futbolistas como trabajadores que pudiesen beneficiarse de la libre circulación en el territorio de la Unión Europea. En este sentido, el Tribunal no defraudó en sus conclusiones al señalar que:

El artículo 48 del Tratado CEE se opone a la aplicación de normas adoptadas por asociaciones deportivas según las cuales, en los partidos de las competiciones por ellas organizadas, los clubes de fútbol solo pueden alinear un número limitado de jugadores profesionales nacionales de otros Estados miembros.

Sentencia del Tribunal de Justicia de 15 de diciembre de 1995, asunto C-415/93, *Bosman.*

Reafirmaba el Tribunal, de esta forma, que la libre circulación de trabajadores en la Unión Europea era igualmente aplicable a los futbolistas (y por extensión a los deportistas) profesionales.

Capítulo 6

DERECHO DE ESTABLECIMIENTO Y LIBRE PRESTACIÓN DE SERVICIOS

I. DISTINCIÓN ENTRE AMBOS DERECHOS

II. DERECHO DE ESTABLECIMIENTO

    A. Concepto
    B. Aplicable a las personas físicas (trabajadores por cuenta propia) y jurídicas
    C. Desarrollo por el derecho derivado y la jurisprudencia

III. LIBRE PRESTACIÓN DE SERVICIOS

    A. Concepto y servicios que incluye
    B. Desarrollo de la libre prestación de servicios en la jurisprudencia
    C. Referencia a la libre prestación de servicios pasiva
    D. La Directiva 2006/123 del Parlamento Europeo y del Consejo relativa a los servicios en el mercado interior

IV. RESTRICCIONES AL EJERCICIO DEL DERECHO DE ESTABLECIMIENTO Y LA LIBRE PRESTACIÓN DE SERVICIOS

    A. Derecho de establecimiento y actividades relacionadas con el ejercicio del poder público
    B. Razones de orden público, seguridad y salud públicas
    C. Condiciones para la aplicación de las limitaciones a la libre prestación de servicios

V. ARMONIZACIÓN DE LAS CUALIFICACIONES PROFESIONALES

    A. Reconocimiento mutuo de diplomas, certificados y otros títulos
    B. Dificultades que plantean algunas profesiones
    C. Ausencia de regulación de los requisitos de acceso a una profesión

I. DISTINCIÓN ENTRE AMBOS DERECHOS

El derecho de establecimiento tiene por objeto favorecer la libre circulación de los profesionales independientes y de las sociedades, permitiendo que estos puedan establecerse en un Estado miembro diferente de aquel en el que residen o tienen su sede principal, mientras que el derecho a la libre prestación de servicios supone, básicamente, que los profesionales o las sociedades pueden prestar sus servicios en el territorio de un Estado miembro diferente de aquel en el que se encuentran establecidos (bien sea desplazándose al mismo temporalmente o sin desplazarse). Conviene precisar en este punto que es doctrina del Tribunal de Justicia ampliamente aceptada la distinción entre ambos derechos y el carácter excluyente de estos. Así, dos criterios han venido utilizándose tradicionalmente por parte del Tribunal para distinguir ambos derechos:

a) De una parte, el criterio temporal, al reconocer el carácter de permanencia del derecho de establecimiento frente al carácter discontinuo que reviste la libre prestación de servicios.

b) De otra, el criterio geográfico, al concluir que cuando un profesional pretende establecerse en otro Estado miembro está optando por concentrar su actividad en este Estado y, por tanto, decide fijar en él su centro principal de actividad, mientras que el profesional que opta por la libre prestación de servicios sigue manteniendo su centro de actividad principal en el Estado del que procede, desarrollando una actividad accesoria en el país al que se desplaza a prestar el servicio.

Además, el Tribunal de Justicia tuvo ocasión de delimitar ambos derechos en el asunto *Gebhard*, indicando que las disposiciones referentes a los servicios son subsidiarias respecto a las del derecho de establecimiento, pues difícilmente podrá un profesional o una sociedad ejercer la prestación de servicios en el país donde previamente se encuentren establecidos. Por el contrario, no existe impedimento legal para que un profesional o sociedad que preste sus servicios de forma discontinua en otro Estado miembro opten en un momento determinado por establecerse en aquel.

> **Elementos distintivos entre derecho de establecimiento y libre prestación de servicios: el asunto *Gebhard***

El asunto tuvo su origen a raíz de un procedimiento disciplinario incoado por el *Consiglio dell'Ordine degli Avvocati e Procuratori di Milano* y el Sr. Gebhard, un abobado de nacionalidad alemana que pretendía ejercer su profesión en Italia. El Sr. Reinhard Gebhard había obtenido un diploma de licenciado en derecho expedido por la Universidad alemana de Tübingen y había sido habilitado con posterioridad para ejercer la profesión de abogado (*«Rechtsanwalt»*) en Alemania, previa inscripción en el Colegio de Abogados de Sttugart, desde el año 1977.

A partir de 1978, el Sr. Gebhard se trasladó a Italia donde fijó su residencia. Desde ese mismo año, había venido trabajando como colaborador para un Gabinete de abogados asociados en Milán. Posteriormente, a partir de 1980, esta relación laboral se transformó, al pasar el Sr. Gebhard a ser asociado del referido Gabinete de abogados, realizando una actividad eminentemente extrajudicial y excluyendo la representación ante los órganos jurisdiccionales italianos. En el año 1989 decidió abrir su propio Gabinete en Milán, bajo el nombre de *«Studio legale Gebhard»*, donde, ahora sí, enfocaba su actividad hacia la defensa ante los órganos jurisdiccionales italianos. Para ello, el Sr. Gebhard comenzó a utilizar su nombre con el título de *«avvocato»* tal y como se reconoce en Italia al profesional habilitado para ejercer la profesión de abogado. Este hecho, sin embargo, fue denunciado ante el *Consiglio dell'Ordine de Milán* por algunos de sus colegas de profesión, alegando que el ejercicio de una profesión estable en Italia, la de abogado, utilizando para ello el título de *«avvocato»* era contrario a las normas establecidas en la legislación italiana que regula el acceso a la profesión de abogado. Ante este hecho, al Sr. Gebhard se le prohibió la utilización del título de *«avvocato»* y se le instruyó un procedimiento disciplinario complementario respecto al ejercicio de su actividad profesional que finalizó con la prohibición para ejercer su actividad profesional como abogado durante un periodo de seis meses.

En el *ínterin* transcurrido entre el momento de iniciarse este procedimiento disciplinario complementario y su resolución, el Sr. Gebhard había presentado ante el *Consiglio dell'Ordine de Milán* su solicitud de inscripción en la lista de abogados, esgrimiendo como argumento la Directiva 89/48/CEE del Consejo, de 21 de diciembre de 1988, relativa a un sistema general de reconocimiento de los títulos de enseñanza superior que sancionan formaciones profesionales de una duración mínima de tres años, ya que poseía un título expedido en Alemania y la experiencia profesional desarrollada durante más de cinco años en el ejercicio de la profesión de abogado en Italia.

Pues bien, el Sr. Gebhard presentó un recurso ante el órgano competente italiano (el *Consiglio Nazionale Forense*) que, a su vez, planteo ante el TJCE dos cuestiones prejudiciales respecto a la compatibilidad de la italiana con la Directiva 77/249/CEE, dirigida a facilitar el ejercicio efectivo de la libre prestación de servicios por los abogados.

En su sentencia, el Tribunal de Justicia conviene en señalar, como primer aspecto esencial, la distinción entre ambos derechos, así como la subsidiariedad del derecho de libre prestación de servicios frente al derecho de establecimiento. Para ello asevera que el carácter temporal que toda prestación de servicios conlleva habrá de apreciarse no solamente en función de la duración de la misma sino, igualmente, tomando en consideración su frecuencia, su periodicidad y su continuidad.

De este modo, establecerse en un Estado miembro diferente al de origen para ejercer en él la abogacía implica la integración y participación en su sistema económico. Esto supone la posibilidad de crear en el Estado de acogida un segundo domicilio al amparo del artículo 52 del Tratado que prevé tal posibilidad mediante la apertura de agencias, sucursales o filiales, por los nacionales de un Estado miembro establecidos en el territorio de otro Estado miembro. Todo ello sin renunciar al domicilio profesional que se detente en el Estado miembro de origen.

A su vez, por lo que respecta a la libre prestación de servicios, aún cuando la misma reviste un carácter temporal y la Directiva 77/249 no hace mención en ningún momento a esta materia, el Tribunal señalaba que este hecho no podía ser interpretado en el sentido de excluir la posibilidad de que el abogado que se traslade a otro Estado miembro para prestar un servicio pueda tener allí una estructura más o menos permanente que le facilitase esta tarea.

Pues bien, el Tribunal de Justicia estimaba que el hecho de exigir a un nacional de otro Estado miembro su inscripción en un Colegio profesional no podía ser considerado en sí como un elemento constitutivo del establecimiento sino, por el contrario, como una condición aplicable al acceso a la actividad de abogado. Por este motivo, el Tribunal vuelve a recordar:

a) Que el acceso a determinadas actividades como la abogacía puede subordinarse a determinadas disposiciones legislativas, reglamentarias o administrativas (léase, reglas de organización, de cualificación, de deontología, de control o responsabilidad) siempre que estas encuentren su justificación en el interés general.

b) Que este tipo de disposiciones nacionales que dificultan en mayor o menor medida el ejercicio de una libertad fundamental reconocida en el Tratado tienen que cumplir cuatro condiciones. A saber: que se apliquen de forma no discriminatoria, que vengan justificadas por razones imperiosas de interés general, que sean adecuadas para garantizar el cumplimiento del objetivo que persiguen y que se limiten a lo estrictamente necesario.

c) La obligación de los Estados miembros de tomar en consideración la equivalencia de los diplomas y, llegado el caso, proceder a un examen comparativo de los conocimientos y cualificaciones que detenta un nacional de otro Estado miembro al objeto de permitirle su establecimiento en dicho Estado.

En definitiva, por lo que a la libre prestación de servicios se refiere, el Tribunal considera que:

> [...] el carácter temporal de las actividades de que se trata debe determinarse no sólo en función de la duración de la prestación, sino también en función de su frecuencia, periodicidad o continuidad. El carácter temporal de la prestación no excluye la posibilidad de que el prestador de servicios, en el sentido del Tratado, se provea, en el Estado miembro de acogida, de cierta infraestructura (incluida una oficina, despacho o estudio) en la medida en que dicha infraestructura sea necesaria para realizar la referida prestación.

Y, respecto al derecho de establecimiento, el Tribunal se ratificaba en su ya consolidada doctrina al afirmar que el ejercicio de una actividad de manera estable y continua en un Estado miembro diferente cae bajo las disposiciones relativas al derecho de establecimiento.

> Un nacional de un Estado miembro que, de manera estable y continuada, ejerce una actividad profesional en otro Estado miembro en el que, a partir de un centro de actividad profesional, se dirige, entre otros, a los nacionales de ese Estado, está comprendido dentro del ámbito de aplicación de las disposiciones del capítulo relativo al derecho de establecimiento y no del relativo a los servicios.
>
> **Sentencia del Tribunal de Justicia de 30 de noviembre de 1995, asunto C-55/94, *Gebhard***

De este modo, el derecho a poseer una infraestructura estable en otro Estado miembro, en aras al desarrollo en el mismo de la libre prestación de servicios, tendrá una limitación: que no se pretenda con esta medida vulnerar la aplicación de la normativa comunitaria que de otro modo sería aplicable en materia de derecho de establecimiento, sin duda más restrictiva, y que en el ámbito del desempeño de la profesión jurídica de la abogacía venía constituida por la Directiva 89/48 que planteaba como principal problema práctico el amplio margen de discreción que la misma deja a cada Gobierno para establecer la prueba de aptitud para el acceso al ejercicio de la profesión de abogado en otro Estado miembro.

II. DERECHO DE ESTABLECIMIENTO

A. Concepto

El derecho de establecimiento permite a los nacionales de un Estado miembro emprender y ejercer actividades como trabajadores por cuenta propia, y establecer y administrar empresas para ejercer actividades permanentes y de carácter estable y continuado en el territorio de otro Estado miembro, en las mismas condiciones previstas por la legislación del Estado de acogida para sus nacionales y empresas, es decir, sobre la base de la nacionalidad y del principio de no discriminación.

El derecho de establecimiento, en el sentido del Tratado, es un concepto amplio y así lo ha manifestado el Tribunal de Justicia indicando, además, que este derecho:

> [...] implica la posibilidad de que un nacional comunitario participe, de forma estable y continua, en la vida económica de un Estado miembro distinto de su Estado de origen, y de que se beneficie de ello, favoreciendo así la interpenetración económica y social en el interior de la Comunidad en el ámbito de las actividades por cuenta propia.
>
> **Sentencia del Tribunal de Justicia de 30 de noviembre de 1995, asunto C-55/94, *Gebhard***

B. Aplicable a las personas físicas (trabajadores por cuenta propia) y jurídicas

El **artículo 49 del TFUE** prohíbe las restricciones a la libertad de establecimiento y dispone:

> En el marco de las disposiciones siguientes, quedarán prohibidas las restricciones a la libertad de establecimiento de los nacionales de un Estado miembro en el territorio de otro Estado miembro. Dicha prohibición se extenderá igualmente a las restricciones relativas a la apertura de agencias, sucursales o filiales por los nacionales de un Estado miembro establecidos en el territorio de otro Estado miembro.
>
> La libertad de establecimiento comprenderá el acceso a las actividades no asalariadas y su ejercicio, así como la constitución y gestión de empresas y, especialmente, de sociedades, tal como se definen en el párrafo segundo del artículo 54, en las condiciones fijadas por la legislación del país de establecimiento para sus propios nacionales, sin perjuicio de las disposiciones del capítulo relativo a los capitales.

Así pues, el derecho de establecimiento se aplica tanto a las personas físicas que desarrollen su actividad por cuenta propia -trabajadores autónomos o profesionales liberales- cuanto a las personas jurídicas —empresas y compañías—. En este sentido, el **artículo 54 del TFUE** dispone:

> Las sociedades constituidas de conformidad con la legislación de un Estado miembro y cuya sede social, administración central o centro de actividad principal se encuentre dentro de la Unión quedarán equiparadas, a efectos de aplicación de las disposiciones del presente capítulo, a las personas físicas nacionales de los Estados miembros.

A su vez, el concepto de «sociedades» viene definido de un modo amplio en el párrafo segundo del **artículo 54 del TFUE**:

> Por sociedades se entiende las sociedades de Derecho civil o mercantil, incluso las sociedades cooperativas, y las demás personas jurídicas de Derecho público o privado, con excepción de las que no persigan un fin lucrativo.

C. Desarrollo por el derecho derivado y la jurisprudencia

Para desarrollar en toda su amplitud este derecho, el Tratado disponía que se llevaría a cabo la adopción de directivas para el reconocimiento mutuo de diplomas, certificados y otros títulos y para la coordinación de las disposiciones nacionales relativas al acceso y ejercicio de las actividades no asalariadas. Junto a este sistema de reconocimiento de títulos y diplomas establecido por la legislación derivada que han ido adoptando las instituciones de la Unión Europea a lo largo del tiempo, la jurisprudeencia del Tribunal de Justicia ha resultado decisiva a la hora de interpretar y modular la libre circulación de profesionales y sociedades.

La Sentencia *Reyners* fue pionera en esta materia y en ella el Tribunal tuvo ocasión de manifestar el efecto directo del artículo 52 del Tratado, al indicar que este otorgaba derechos a los particulares que podían hacer valer ante los tribunales nacionales sin necesidad de esperar la promulgación de normas de desarrollo del derecho de establecimiento reconocido en el Tratado. Así pues, aún cuando las directivas previstas en el capítulo relativo al derecho de establecimiento no se hubiesen adoptado, el Tribunal consideraba que:

> [...] el artículo 52 es una disposición clara y completa, que puede producir un efecto directo [...] y el «programa general» y las Directivas previstas en el artículo 54 solo tienen importancia para el periodo de transición, puesto que la libertad de establecimiento se alcanza plenamente al concluir dicho periodo.
>
> Sentencia del Tribunal de Justicia de 21 de junio de 1974, asunto 2/74, *Reyners*

III. LIBRE PRESTACIÓN DE SERVICIOS

A. Concepto y servicios que incluye

Por el contrario cuando el desarrollo de una actividad económica no precise del establecimiento en otro Estado miembro, o su duración sea limitada en el tiempo, los nacionales —particulares y empresas— de un Estado miembro podrán prestar sus servicios en otro Estado miembro con carácter temporal mediante la libre prestación de servicios.

El **artículo 56 del TFUE** prohíbe las restricciones a la libre prestación de servicios:

> En el marco de las disposiciones siguientes, quedarán prohibidas las restricciones a la libre prestación de servicios dentro de la Unión para los nacionales de los Estados miembros establecidos en un Estado miembro que no sea el del destinatario de la prestación.
> El Parlamento Europeo y el Consejo, con arreglo al procedimiento legislativo ordinario, podrán extender el beneficio de las disposiciones del presente capítulo a los prestadores de servicios que sean nacionales de un tercer Estado y se hallen establecidos dentro de la Unión.

Y, en relación al concepto de «servicios», el **artículo 57 del TFUE** dispone:

> [...] se considerarán como servicios las prestaciones realizadas normalmente a cambio de una remuneración, en la medida en que no se rijan por las disposiciones relativas a la libre circulación de mercancías, capitales y personas.

Para precisar los servicios que pueden prestar en un Estado miembro los nacionales establecidos en otro Estado miembro hay que acudir, de nuevo, al **artículo 57 del TFUE** que dispone que estos servicios comprenderán:

a) Actividades de carácter industrial.

b) Actividades de carácter mercantil.

c) Actividades artesanales.

d) Actividades propias de las profesiones liberales.

Y, al igual que sucede con la libertad de establecimiento, el prestador del servicio podrá ejercer temporalmente su actividad en el Estado miembro de acogida:

> [...] en las mismas condiciones que imponga ese Estado a sus propios nacionales.

B. Desarrollo de la libre prestación de servicios en la jurisprudencia

En materia de libre prestación de servicios, la jurisprudencia del TJUE ha resultado decisiva interpretando los preceptos del Tratado. Su primera decisión en esta materia tuvo lugar con motivo del asunto *Van Binsbergen* donde reconocía el erfecto directo del artículo 59 del Tratado y declaraba que la libre prestación de servicios puede ser ejercida por los particulares en virtud del derecho contenido en el propio Tratado que confiere derechos que pueden ser alegados ante los tribunales nacionales:

> [...] el párrafo primero del artículo 59 y el párrafo tercero del artículo 60 tienen efecto directo y, por tanto, pueden ser alegados ante los órganos jurisdiccionales nacionales, en todo caso en la medida en que establecen la supresión de todas las discriminaciones al prestador de servicios por razón de su nacionalidad o de la circunstancia de que resida en un Estado miembro distinto de aquel donde debe realizarse la prestación.
>
> Sentencia del Tribunal de Justicia de 3 de diciembre de 1974, asunto 33/74, *Van Binsbergen*

Además, para que una actividad sea considerada como tal ha de llevar aparejada la realización de una actividad de naturaleza económica, a cambio de una remuneración, y que se lleve a efecto en un Estado miembro diferente al del establecimiento, es decir, que tenga carácter transfronterizo. Así, en el asunto *Schindler*, donde se dilucidaba si las loterías —en particular, la importación en un Estado miembro de material publicitario y billetes de lotería para que los nacionales de ese Estado miembro participasen en esa lotería organizada en otro Estado miembro— estaban comprendidas en el ámbito de las actividades relativas a la libre circulación de mercancías o debían considerarse una actividad de servicios, el Tribunal señaló que:

> Dichas prestaciones se efectúan normalmente contra remuneración [...]
>
> Las prestaciones de que se trata tienen carácter transfronterizo cuando, como en el asunto principal, se ofrecen en territorio de un Estado miembro distinto de aquel en el que está establecido el organizador de la lotería

Y, por consiguiente:

> [...] la importación en un Estado miembro de material publicitario y billetes de lotería hará que los habitantes de dicho Estado miembro participen en una lotería organizada en otro Estado miembro constituye un «servicio» con arreglo al artículo 60 del Tratado y, por tanto, está comprendida en el ámbito de aplicación del artículo 59 del Tratado.
>
> **Sentencia del Tribunal de Justicia, de 24 de marzo de 1994, asunto C-275/92, *Schindler***

Por lo que respecta al concepto de «receptor o destinatario del servicio», el Tribunal ha elaborado una definición amplia que abarca, entre otros, a:

> Los turistas, los beneficiarios de cuidados médicos y los que efectúan viajes de estudio o viajes de negocios deben ser considerados como destinatarios de servicios.
>
> **Sentencias del Tribunal de Justicia de 31 de enero de 1984, asuntos 286/82 y 26/83, *Luisi-Carbone***

C. Referencia a la libre prestación de servicios pasiva

El ejercicio del derecho a la libre prestación de servicios no siempre implicará el desplazamiento del prestador del servicio a otro Estado miembro sino que, en determinadas ocasiones, será el receptor del servicio el que se desplace a otro Estado miembro para recibir el servicio deseado. Se trata de la prestación de servicios desde el punto de vista pasivo y su expresión más clara la encontramos en los turistas que se desplazan con motivo de sus vacaciones y reciben en el Estado miembro de acogida los servicios de los prestadores allí establecidos en igualdad de condiciones que sus propios nacionales.

Así, el Tribunal de Justicia ha manifestado que:

> [...] el derecho a la libre prestación de servicios puede ser invocado por una empresa con respecto al Estado en el que esté establecida, siempre que los servicios se presten a destinatarios establecidos en otro Estado miembro.
>
> **Sentencia del Tribunal de Justicia de 17 de mayo de 1994, asunto C-18/93, *Corsica Ferries***

Por consiguiente, el Tribunal ha calificado a los turistas como verdaderos destinatarios de servicios. En este sentido, las siguientes sentencias resultan muy ilustrativas para entender la libre prestación de servicios pasiva. En primer lugar, el asunto *Cowan* en el que un turista británico, que se encontraba de vacaciones en París, fue atacado y al que se denegó el derecho a obtener compensación por un delito de lesiones alegando que no era nacional francés y tampoco residia en Francia. El Tribunal de Justicia concluyó que el principio de no discriminación enunciado en el Tratado ha de aplicarse a los destinatarios de servicios que se desplacen a otros Estados miembros, señalando al respecto que:

> [...] el principio de no discriminación [...] debe interpretarse en el sentido de que se opone a que un Estado miembro, por lo que respecta a las personas a las que el Derecho comunitario garantiza la libertad de desplazarse a este Estado, en especial como destinatarios de servicios, subordine la concesión de una indemnización del Estado, destinada a reparar el perjuicio causado en este Estado a la víctima de una agresión que haya producido un daño corporal, al requisito de ser titular de un permiso de residencia o de ser nacional de un país que haya celebrado un acuerdo de reciprocidad con este Estado miembro.
>
> **Sentencia del Tribunal de Justicia de 2 de febrero de 1989, asunto 186/87, *Cowan***

En segundo lugar, el asunto *Comisión c. España*, donde se dilucidaba un presunto incumplimiento por parte española de las obligaciones que impone el Tratado al establecer un sistema de entrada a sus museos nacionales conforme al cual los ciudadanos españoles, los extranjeros residentes en España y los jóvenes menores de 21 años de otros Estados miembros disfrutaban de entrada gratuita, mientras que los nacionales de los demás Estados miembros mayores de 21 años debían abonar una entrada. Se planteaba aquí una posible discriminación respecto a los ciudadanos de otros Estados miembros que acudían a España de vacaciones y recibían la prestación de un servicio desde el punto de vista pasivo, en este caso, el de los museos que visitaban. Teniendo en cuenta que las visitas a los museos constituyen un elemento determinante para los turistas como destinatarios de servicios a la hora de elegir el destino de sus vacaciones, las condiciones discriminatorias de acceso a los museos que imponía la normativa española podían influir directamente en la libre prestación de servicios y en la decisión de los turistas de visitar el país.

El Tribunal de Justicia tras analizar el asunto concluyó:

> [...] que el sistema español de acceso a los museos de titularidad estatal supone una discriminación en perjuicio únicamente de los turistas extranjeros mayores de 21 años, prohibida, respecto a los nacionales comunitarios, por los artículos 7 y 59 del Tratado CEE y que, por esta razón, el Reino de España ha incumplido las obligaciones que le incumben en virtud de los citados artículos.
>
> Sentencia del Tribunal de Justicia de 15 de marzo de 1994, asunto C-45/93, *Comisión c. España*

D. La Directiva 2006/123 del Parlamento Europeo y del Consejo relativa a los servicios en el mercado interior

Esta Directiva establece un marco jurídico general que beneficia a una amplia gama de servicios reforzando, así, el derecho a la libre prestación de servicios reconocido en el Tratado, y contribuyendo a la plena realización del mercado interior mediante la creación de un mercado de servicios único y abierto con el consiguiente beneficio para los consumidores y las pymes. El objetivo final es simplificar el marco jurídico aplicable a la libre prestación de servicios con el fin de incrementar el comercio de servicios.

IV. RESTRICCIONES AL EJERCICIO DEL DERECHO DE ESTABLECIMIENTO Y LA LIBRE PRESTACIÓN DE SERVICIOS

A. Derecho de establecimiento y actividades relacionadas con el ejercicio del poder público

El derecho de establecimiento y la libre prestación de servicios no son derechos absolutos, sino que quedan sujetos a ciertos límites. El Tratado excluye de su aplicación aquellas actividades relacionadas con el ejercicio del poder público en el sentido previsto en el TFUE, en su **artículo 51** en relación al derecho de establecimiento y en **el artículo 62** por lo que respecta a la libre prestación de servicios:

Las disposiciones del presente capítulo no se aplicarán, en lo que respecta al Estado miembro interesado, a las actividades que, en dicho Estado, estén relacionadas, aunque solo sea de manera ocasional, con el ejercicio del poder público.

No obstante, conviene recordar la interpretación restrictiva que el Tribunal de Justicia ha hecho de este precepto al señalar que únicamente será de aplicación en:

[...] los empleos que impliquen una participación directa o indirecta en el ejercicio del poder público y de las funciones que tengan por objeto la salvaguarda de los intereses generales del Estado o de otros colectivos públicos.

Sentencias del Tribunal de Justicia de 17 de diciembre de 1980, asunto 149/79, *Comisión c. Bélgica*; y de 3 de junio de 1986, asunto 307/84, *Comisión c. Francia*.

Además:

Es también jurisprudencia reiterada que el artículo 45 CE, párrafo primero, constituye una excepción a la regla fundamental de la libertad de establecimiento y que, como tal, esta excepción debe interpretarse de tal modo que quede limitado el alcance de dicho artículo a lo estrictamente necesario para salvaguardar los intereses cuya protección les está permitida a los Estados miembros por esta disposición.

Sentencia del Tribunal de Justicia de 15 de marzo de 1988, asunto 147/86, *Comisión c. Grecia*.

A mayor abundamiento, para que esta excepción pudiese afectar el desarrollo completo de una determinada profesión sería necesario que todas las actividades que incluye la misma cumpliesen ese requisito, o que la parte afectada fuese inseparable de las otras, tal y como tuvo ocasión de declarar el TJUE en el asunto *Reyners:*

> [...] que no se puede admitir una ampliación de la excepción permitida por el artículo 55 a toda una profesión más que en los casos en que las actividades así caracterizadas se encuentren vinculadas a ella de tal forma que la liberalización del derecho de establecimiento obligase al Estado miembro de que se trate a admitir que los no nacionales ejerzan, aunque solo sea ocasionalmente, funciones correspondientes al poder público [...]
>
> [...] que, por el contrario, no se puede admitir esta ampliación cuando, en el marco de una profesión independiente, las actividades que estén eventualmente relacionadas con el ejercicio del poder público constituyan un elemento separable del conjunto de la actividad profesional de que se trate.
>
> Sentencia del Tribunal de Justicia de 21 de junio de 1974, asunto 2/74, *Reyners*

Muy interesante resulta en este ámbito la jurisprudencia del Tribunal de Justicia en relación a las normativas nacionales que limitaban el acceso al ejercicio de la profesión de Notario a sus nacionales, por considerar que las actividades notariales estaban relacionadas con el ejercicio del poder público y, por lo tanto, constituían una restricción al ejercicio del derecho de establecimiento previsto en el artículo 49 justificado con base al artículo 51 del TFUE.

En estos casos, el Tribunal, tras analizar las funciones que tiene atribuidas la profesión de notario en los respectivos ordenamientos jurídicos nacionales implicados, llegó a la conclusión de que las actividades notariales no están relacionadas con el ejercicio del poder público en el sentido del **artículo 51 del TFUE** y declaró que la exigencia del requisito de nacionalidad exigido por las normativas nacionales para acceder a la profesión notarial constituía una discriminación por razón de nacionalidad prohibida por el **artículo 49 del TFUE**.

> En estas circunstancias, debe concluirse que las actividades notariales, tal como se encuentran actualmente definidas por el ordenamiento jurídico belga, no están relacionadas con el ejercicio del poder público en el sentido del artículo 45 CE, párrafo primero.
>
> Sentencia del Tribunal de Justicia de 24 de mayo de 2011, asunto C-47/08, *Comisión Europea c. Bélgica*

En el mismo sentido, en relación a las normativas nacionales francesa, luxemburguesa, alemana, griega y checa, las siguientes Sentencias del Tribunal de Justicia de 24 de mayo de 2011: asunto C-50/08, *Comisión Europea c. Francia*; asunto C-51/08, *Comisión Europea c. Luxemburgo*; asunto C-53/08, Comisión Europea c. Austria; asunto C-54/08, *Comisión Europea c. Alemania*; asunto C-61/08, *Comisión Europea c. República Helénica*; y la más reciente, de fecha 15 de marzo de 2018, asunto C-575/16, *Comisión Europea c. República Checa.*

B. Razones de orden público, seguridad y salud públicas

Además, los estados miembros también podrán aplicar sus disposiciones legales, reglamentarias y administrativas que prevean un régimen especial para los extranjeros y que estén justificadas por razones de orden público, seguridad y salud públicas, tal y como dispone el el TFUE, en su **artículo 52.1** en relación al derecho de establecimiento y el artículo 62 por lo que respecta a la libre prestación de servicios.

C. Condiciones para la aplicación de las limitaciones a la libre prestación de servicios

Las limitaciones impuestas por los Estados al ejercicio de este derecho serán legítimas siempre que cumplan los requisitos que el Tribunal de Justicia ha definido para justificar una medida nacional que pueda obstaculizar o hacer menos atractivo el ejercicio de una libertad fundamental garantizada en el Tratado. Estas medidas, han de reunir cuatro requisitos, tal y como el Tribunal consideró en su Sentencia de 25 de julio de 1991, asunto C-288/89, *Stichting*:

- Que no supongan una discriminación en perjuicio del prestador de servicios por razón de su nacionalidad.
- Que estén justificadas por razones imperativas de interés general.
- Que sean adecuadas para garantizar la realización del objetivo que persiguen.
- Que no vayan más allá de lo necesario para alcanzar dicho objetivo.

En este sentido, la justificación de las excepciones a la aplicación del principio de libre prestación de servicios basadas en el interés general implica que un Estado miembro:

> [...] no puede subordinar la ejecución de la prestación de servicios en su territorio a la observancia de todas las condiciones requeridas para un establecimiento.
>
> **Sentencia del Tribunal de Justicia de 26 de febrero de 1991, asunto C-180/89, *Comisión c. Italia.***

Ya que, de no ser así, se dejarían sin contenido las disposiciones establecidas en el Tratado en garantía de este principio.

> ## ➢ Limitación de la libre prestación de servicios justificada por razones imperativas de interés general: el caso *Alpine Investments*

Un ejemplo claro sobre la adopción de medidas nacionales por parte de un Estado que limitan la libre prestación de servicios pero que, por razones imperativas de interés general, se consideran justificadas lo encontramos en el asunto *Alpine Investments,* donde el Tribunal de Justicia declaraba que:

> La normativa de un Estado miembro que prohíbe a los prestadores de servicios establecidos en su territorio efectuar llamadas telefónicas no solicitadas a clientes potenciales establecidos en otros Estados miembros para ofrecerles sus servicios constituye una restricción a la libre prestación de servicios a efectos del artículo 59 del Tratado.

Es decir, cuando un Estado limite la libre prestación de servicios de sus nacionales en el territorio de otro Estado miembro donde se encuentren sus potenciales clientes, en este caso a través de llamadas telefónicas, se considerará una limitación a la libre prestación de servicios no justificada y, por lo tanto, contraria al Tratado.

Sin embargo, en el mencionado asunto, donde la limitación estaba relacionada con la prestación de servicios vinculados a la inversión en los mercados de futuros sobre mercancías, el Tribunal consideró que la limitación impuesta por el Estado estaba justificada y entraba dentro de los límites que podía establecer a la libre prestación de servicios por la naturaleza de las operaciones que el prestador se proponía llevar a cabo telefónicamente.

Teniendo en cuenta que el mercado de futuros sobre mercancías es muy especulativo y apenas comprensible para los inversores poco experimentados, se trataba de limitar una actividad que no iba a permitir a los destinatarios contar con la información adecuada sobre los riesgos que esas inversiones implicaban. Por todo ello, el Tribunal consideró que se trataba de una limitación justificada a la libre prestación de servicios y concluía que:

> [...] el mantenimiento de la buena reputación del sector financiero nacional puede constituir una razón imperativa de interés general que puede justificar determinadas restricciones a la libre prestación de servicios financieros.

Y, por lo tanto que:

El artículo 59 del Tratado no se opone a una normativa nacional que, con el fin de proteger la confianza de los inversores en los mercados financieros nacionales, prohíbe la práctica consistente en efectuar llamadas telefónicas no solicitadas a clientes potenciales que residen en otros Estados miembros para ofrecerles servicios relacionados con la inversión en los mercados de futuros sobre mercancías.

Sentencia del Tribunal de Justicia de 10 de mayo de 1995, asunto C-384,93, *Alpine Investments.*

V. ARMONIZACIÓN DE LAS CUALIFICACIONES PROFESIONALES

A. Reconocimiento mutuo de diplomas, certificados y otros títulos

1. Expedidos en un Estado miembro

Uno de los principales obstáculos para que los nacionales de un Estado miembro pudiesen establecerse o prestar sus servicios en otro Estado miembro es la disparidad de regímenes normativos existente en materia de títulos y cualificaciones profesionales. El Tratado, con el fin de eliminar estas barreras dispone en su **artículo 53.1**:

> A fin de facilitar el acceso a las actividades no asalariadas y su ejercicio, el Parlamento Europeo y el Consejo, con arreglo al procedimiento legislativo ordinario, adoptarán directivas para el reconocimiento mutuo de diplomas, certificados y otros títulos, así como para la coordinación de las disposiciones legales, reglamentarias y administrativas de los Estados miembros relativas al acceso a las actividades por cuenta propia y a su ejercicio.

Inicialmente, el sistema de reconocimiento mutuo se llevó a cabo de forma individualizada, es decir, por sectores, con el fin de que los Estados miembros alcanzasen acuerdos sobre determinadas profesiones como arquitectos, dentistas o médicos. No obstante, a partir de 1985 se estableció un nuevo sistema al considerar que la armonización individual por profesiones no alcanzaba los resultados deseados, iniciandose un periodo de reconocimiento de cualificaciones de carácter más general con la adopción de la **Directiva 89/48** del Consejo, de 21 de diciembre de 1988, relativa a un sistema general de reconocimiento de los títulos de enseñanza superior que sancionan formaciones profesionales de una duración mínima de tres años. Tal y como señala en sus considerandos, esta norma permitía a los ciudadanos europeos que se encuentren:

[…] en posesión de títulos de enseñanza superior acreditativos de formaciones profesionales expedidos en un Estado miembro que no sea aquel en que quieren ejercer su profesión […] el reconocimiento de dichos títulos con el fin de desarrollar […] el ejercicio de todas las actividades profesionales en los Estados miembros de acogida que exijan estar en posesión de una formación postsecundaria, siempre y cuando estén en posesión de títulos que los capaciten para ejercer dichas actividades, que sancionen un ciclo de estudios de al menos tres años y que hayan sido expedidos en otro Estado miembro.

De este modo, la directiva se aplicaba a las profesiones reguladas que los nacionales de un Estado miembro se propongan ejercer, por cuenta propia o ajena, en otro Estado miembro (artículo 2 de la directiva 89/48).

A su vez, la **Directiva 92/51** del Consejo, de 18 de junio de 1992, relativa a un segundo sistema general de reconocimiento de formaciones profesionales, que completa la Directiva 89/48/CEE se adoptó con la finalidad de regular las profesiones que no habían sido objeto de una directiva específica de reconocimiento. En ella, se asimilan a las profesiones reguladas las ejercidas por miembros de asociaciones privadas que gozan de un reconocimiento específico en un Estado miembro, por ejemplo, los organismos de peritos (*chartered bodies*) en el Reino Unido y su equivalente en Irlanda.

En relación al concepto de actividad profesional regulada, tal y como definen las mencionadas directivas, el Tribunal de Justicia ha señalado:

> Según el artículo 1, letra d), de la Directiva 89/48 y el artículo 1, letra f), de la Directiva 92/51 una profesión regulada es una actividad profesional que, por lo que respecta a sus condiciones de acceso o de ejercicio, está directa o indirectamente regulada por disposiciones de carácter jurídico, a saber, disposiciones legales, reglamentarias o administrativas […]
>
> Sentencia del Tribunal de Justicia de 8 de julio de 1999, asunto C-234/97, *Teresa Fernández de Bobadilla*

Así pues, el sistema arbitrado por el Derecho comunitario en relación a los títulos expedidos dentro del territorio de la Comunidad es claro y no ofrece duda: se trata de un principio de reconocimiento recíproco basado en la confianza mutua de los Estados miembros. La *ratio legis* de este principio descansa sobre la garantía común de un *standard* mínimo que garantice un sistema de formación equivalente en toda la Unión Europea, satisfecho el cual los Estados miembros garantizarán entre ellos el reconocimiento mutuo de sus títulos y diplomas.

En fin, la **Directiva 2005/36** del Parlamento Europeo y del Consejo, de 7 de septiembre de 2005, relativa al reconocimiento de cualificaciones profesionales, se encargó de modernizar y consolidar el régimen del reconocimiento de cualificaciones que es automático para las profesiones de determinados sectores. La directiva establece el sistema de reconocimiento por parte de los Estados miembros de las cualificaciones profesionales adquiridas en otros Estados miembros y viene a sustituir las Directivas 89/48/CEE y 92/51/CEE del Consejo, así como la Directiva 1999/42/CE del Parlamento Europeo y del Consejo, por la que se establece un mecanismo de reconocimiento de títulos respecto de las actividades profesionales a que se refieren las directivas de liberalización y de medidas transitorias. En su artículo 1 dispone:

> La presente Directiva establece las normas según las cuales un Estado miembro que subordina el acceso a una profesión regulada o su ejercicio, en su territorio, a la posesión de determinadas cualificaciones profesionales (en lo sucesivo denominado «Estado miembro de acogida») reconocerá para el acceso a dicha profesión y su ejercicio las cualificaciones profesionales adquiridas en otro u otros Estados miembros (en lo sucesivo denominado «Estado miembro de origen») y que permitan al titular de las mencionadas cualificaciones ejercer en él la misma profesión.

A su vez, esta directiva fue revisada y modificada por la **Directiva 2013/55/UE** del Parlamento Europeo y del Consejo, de 20 de noviembre de 2013, por la que se modifica la Directiva 2005/36/CE relativa al reconocimiento de cualificaciones profesionales y el Reglamento (UE) n.º **1024/2012 relativo a la cooperación administrativa a través del Sistema de Información del Mercado Interior («Reglamento IMI»).**

2. Expedidos fuera de la Unión Europea

Diferentes connotaciones reviste la cuestión relativa a los títulos que hayan sido expedidos fuera de la Unión Europea. Al no existir una coordinación en materia de formación y legislaciones *vis-à-vis* terceros estados, parece claro que no puede hacerse extensivo a estos supuestos el beneficio del mutuo reconocimiento que opera en el ámbito de la Unión Europea. Es este un elemento que deviene claro del contenido de las mencionadas directivas.

Consecuentemente, los Estados miembros no están obligados a reconocer un título expedido fuera de la Unión por haber obtenido este su convalidación en otro Estado miembro. Antes bien, el posible reconocimiento de títulos en estos casos quedará en manos de cada Estado miembro de conformidad con su normativa interna, tal y como el Tribunal de Justicia declaró en los asuntos *Salomone Haim y Albertini.*

> [...] el reconocimiento por parte de un Estado miembro de títulos expedidos por Estados terceros, aun cuando su equivalencia haya sido reconocida en uno o varios Estados miembros, no vincula a los demás Estados miembros.
>
> **Sentencia del Tribunal de Justicia de 9 de febrero de 1994, asunto C-319/92, *Salomone Haim.***

No obstante, los títulos que posean los ciudadanos de la Unión que hayan sido obtenidos en terceros países pueden quedar amparados por el sistema establecido en las directivas a condición de que:

- La mayor parte de la formación se haya adquirido en la Comunidad, o
- El titular cuente con una experiencia profesional certificada de tres años en el Estado miembro que haya reconocido el título.

El mecanismo de reconocimiento que establece la Directiva 92/51 es el siguiente:

- El principio básico es el reconocimiento del derecho por parte del Estado miembro de acogida.
- La excepción es el reconocimiento por parte del Estado miembro de acogida tras una compensación consistente en:
  - O bien un periodo de prácticas de adaptación, o una prueba de aptitud, cuando existan diferencias importantes entre la formación adquirida y la exigida, o cuando en el Estado miembro de acogida existan en los campos de actividad diferencias que se caracterizan por una formación específica que se refiera a disciplinas considerablemente diferentes de las cubiertas por el título del solicitante. El Estado miembro de acogida debe permitir al solicitante la elección entre el periodo de prácticas de adaptación o la prueba de aptitud.
  - O bien una experiencia profesional previa, cuando la formación aportada sea de duración inferior a la exigida en el Estado miembro de acogida.

> **El (no) reconocimiento del título obtenido por un nacional de un Estado miembro fuera de la Unión Europea: el asunto *Albertini***

Este asunto es consecuencia de un procedimiento prejudicial instado por el Consejo de Estado francés mediante el cual se perseguía el pronunciamiento por parte del TJCE acerca de la cuestión de si un Estado miembro podía rechazar el reconocimiento del título de odontólogo expedido por un Estado no comunitario, a favor de un nacional comunitario, cuando dicho título hubiese sido convalidado en otro Estado miembro.

El Sr. Albertini, nacional francés, había obtenido el título de Doctor en cirugía dentaria en Beirut (Líbano), en 1968. Posteriormente dicho título había sido convalidado, en fecha 20 de julio de 1979, por el Ministro belga de Educación nacional con el diploma legal belga de «licencié en science dentaire», lo cual le habilitaba para ejercer como odontólogo en Bélgica. Igualmente, en los años 1980 y 1986, el Sr. Albertini había sido autorizado por el Reino Unido e Irlanda para ejercer su profesión de odontólogo en dichos Estados.

Aduciendo estos hechos, el Sr. Albertini solicitó al Ministerio francés de Asuntos Sociales y Trabajo la autorización para ejercer en Francia su profesión. A tal efecto invocaba la Directiva 78/686/CEE del Consejo, sobre el reconocimiento recíproco de los diplomas, certificados y otros títulos de odontólogo, que contiene además medidas destinadas a facilitar el ejercicio efectivo del derecho de establecimiento y de libre prestación de servicios. Pero, dicha solicitud fue denegada por lo que presentó un recurso de anulación contra la mencionada decisión ante el Tribunal administrativo de París siendo, igualmente, rechazada su pretensión. La posterior apelación ante el Consejo de Estado es la que da lugar a la interposición del recurso prejudicial ante el Tribunal de Justicia.

En este asunto, resultaban aplicables las dos directivas existentes en materia de reconocimiento de diplomas referidos a la profesión de odontólogo: la ya citada directiva 78/686, así como la Directiva 78/687/CEE, del Consejo, sobre coordinación de las disposiciones legales, reglamentarias y administrativas relativas a las actividades de los odontólogos. En la directiva 78/687 se establecían los criterios o normas mínimas de formación que deberían cumplir los diplomas, certificados y otros títulos al objeto de obtener el reconocimiento recíproco en otro Estado miembro, mientras que en la directiva 78/686 se garantizaba el derecho al reconocimiento mutuo entre los Estados miembros, siempre que los títulos y diplomas expedidos en un Estado miembro cumplan con los requisitos mínimos señalados en la 78/687.

A su vez, el artículo 1, párrafo cuarto de la directiva 78/687 reserva la posibilidad -no vinculante para el resto de Estados miembros que no hagan uso de ella- de que estos puedan permitir en su territorio, de conformidad con su normativa interna, el acceso a las actividades de odontólogo a los titulares de diplomas o títulos expedidos en un Estado no comunitario (y así lo habían hecho los Gobiernos belga, inglés e irlandés reconociendo en sus respectivos territorios el título del Sr. Albertini y habilitando al mismo para ejercer su profesión en dichos Estados miembros.

Por todo ello, el Tribunal concluía que la Directiva 78/687 no contempla una obligación en el sentido de compeler a un Estado miembro a reconocer un título expedido fuera de la Comunidad por el simple hecho de haber obtenido este su convalidación en otro Estado miembro. Antes bien, el posible reconocimiento de títulos en estos casos quedará al arbitrio del criterio de cada Estado miembro, de conformidad con su normativa interna. Ello obedece a la necesidad de garantizar un *standard* comunitario mínimo, que de otra forma podría verse vulnerado. No se produce, por ello, una extensión de la confianza legítima, tal y como sucede entre los Estados miembros, en relación a terceros Estados.

No cabe, por tanto, plantear como norma general una obligación de reconocimiento en tal sentido por las circunstancias que de ello podrían derivarse. Piénsese en aquéllos supuestos de convenios bilaterales entre Estados miembros de una parte y terceros estados de otra, referidos al reconocimiento mutuo de títulos y diplomas, en los cuales el umbral mínimo exigido en materia de formación por los terceros estados fuese inferior al previsto en el ámbito comunitario. Una interpretación de las referidas directivas en la dirección apuntada por el recurrente implicaría que una vez reconocido el título por parte del Estado comunitario signatario del convenio bilateral aquél se convertiría automáticamente en un título apto para poder circular libremente por todo el territorio comunitario, vulnerando así el nivel mínimo establecido y exigido para los títulos expedidos en la Comunidad, sin que, por otra parte, los Estados miembros compelidos a reconocer un título ya convalidado por otro Estado miembro, pudiesen verificar y controlar que ese nivel mínimo de formación era observado por el Estado no comunitario que expidió el título.

En definitiva:

> [...] el reconocimiento, por parte de un Estado miembro, de un título expedido por un Estado tercero no es vinculante para los demás Estados miembros.

Ya que el artículo 7 de la Directiva 78/686:

> [...] no obliga a los Estados miembros a reconocer los diplomas, certificados y otros títulos que no sancionen la formación de dentista adquirida en uno de los Estados miembros de la Comunidad.
>
> Sentencia del Tribunal de Justicia de 9 de febrero de 1994, asunto C-154/93, *Albertini*

B. Dificultades que plantean algunas profesiones

Por otra parte, existen determinadas profesiones en las que la disparidad existente entre las disposiciones nacionales no ha permitido su armonización y la aplicación del reconocimiento mutuo. Así, por ejemplo, la **Directiva 77/249/CEE** del Consejo, del 22 de marzo de 1977, establecía medidas destinadas a facilitar el ejercicio efectivo de la abogacía en concepto de prestación de servicios pero no para garantizar el ejercicio efectivo del derecho de establecimiento. Posteriormente, teniendo en cuenta las dificultades para el reconocimiento de la profesión de abogado y la prueba de aptitud para acceder a la misma, se adoptó la **Directiva 98/5/CE** del Parlamento Europeo y del Consejo, de 16 de febrero de 1998, destinada a facilitar el ejercicio permanente de la profesión de abogado en un Estado miembro distinto de aquel en el que se haya obtenido el título. Esta Directiva garantizaba que un abogado pudiese establecerse en otro Estado miembro con su título de origen actuando de forma concertada con un abogado del país de acogida y, tras haber superado un periodo de tres años en este régimen, ejercer su actividad en el estado de acogida previa superación de una prueba de aptitud y sin que sea necesario que supere un examen de cualificación.

En el ámbito de la libre prestación de servicios prestados por los abogados al amparo de las mencionadas directivas, resultan muy significativas las siguientes decisiones del Tribunal de Justicia. La primera, en el asunto *Jean-Philippe Lahorgue*, donde el Sr. Lahorgue, de nacionalidad francesa, ejercía como abogado inscrito en el Colegio de Abogados de Luxemburgo. Con el fin de desarrollar la prestación transfronteriza de servicios en territorio francés, solicitó al Colegio de Abogados de Lyon la entrega de un dispositivo de conexión a la red privada virtual de los abogados franceses que le fue denegado por el Colegio de abogados de Lyon por no encontrarse inscrito en el mismo.

Pues bien, como tuvo ocasión de declarar el Tribunal de Justicia, esa medida constituía una restricción no justificada de la libre prestación de servicios contraria a lo dispuesto en los **artículos 56 y 57 del TFUE:**

> [...] debido a que tal negativa es una medida discriminatoria que puede obstaculizar el ejercicio de la profesión como libre prestador de servicios en aquellos casos en los que la Ley no impone la obligación de actuar de acuerdo con otro abogado.

Ya que, el propio artículo 4.1 de la directiva dispone que la representación de clientes ante los tribunales en otro Estado miembro se ejercerá en las condiciones previstas para los abogados establecidos en ese Estado, excluyéndose cualquier condición de residencia o de inscripción en una organización profesional de tal Estado.

Por consiguiente:

> La negativa a entregar un dispositivo de conexión [...] (red privada virtual de los abogados), opuesta por las autoridades competentes a un abogado debidamente inscrito en un colegio de abogados de otro Estado miembro, por el mero hecho de no estar inscrito en un colegio de abogados del primer Estado miembro en el que desea ejercer su profesión como libre prestador de servicios en aquellos casos en los que la Ley no impone la obligación de actuar de acuerdo con otro abogado, constituye una restricción de la libre prestación de servicios en el sentido del artículo 4 de la Directiva 77/249/CEE [...] interpretado a la luz de los artículos 56 TFUE y 57 TFUE, párrafo tercero.
>
> Sentencia del Tribunal de Justicia de 18 de mayo de 2017, asunto C-99/16, *Jean-Philippe Lahorgue*

La segunda, en los asuntos **Torresi,** planteados a raíz de la obtención del título universitario de Derecho en España por dos nacionales italiano que se inscribieron como abogados ejercientes en Ilustre Colegio de abogados de Santa Cruz de Tenerife. Posteriormente, al intentar inscribirse en el Colegio de abogados de Macerata (Italia), el *Consiglio Nazionale Forense* planteó una cuestión prejudicial ante el Tribunal de Justicia pues consideraba que la situación provocada parecía ajena a los objetivos de la Directiva 98/5 y podía constituir un fraude de ley.

Sin embargo, el Tribunal de Justicia consideró que el mencionado precepto:

> [...] debe interpretarse en el sentido de que no puede constituir una práctica abusiva el hecho de que un nacional de un Estado miembro se traslade a otro Estado miembro para adquirir en este la cualificación profesional de abogado, como resultado de la superación de exámenes universitarios, y regrese al Estado miembro del que es nacional para ejercer en él la profesión de abogado con el título profesional obtenido en el Estado miembro en el que adquirió esa cualificación profesional.
>
> Sentencia del Tribunal de Justicia de 17 de julio de 2014, asuntos acumulados C-58/13 y C-59/13, *Torresi.*

C. Ausencia de regulación de los requisitos de acceso a una profesión

En aquellos supuestos en los que la ausencia de regulación no permita reconocer las cualificaciones profesionales obtenidas en otro Estado miembro para el acceso a una profesión, el Tribunal de Justicia ha declarado que:

> A falta de armonización de las condiciones de acceso a una profesión, los Estados miembros pueden definir los conocimientos y cualificación necesarios para el ejercicio de dicha profesión y exigir la presentación de un diploma que certifique la posesión de estos conocimientos y cualificación.
>
> Sentencia del Tribunal de Justicia de 15 de octubre de 1987, asunto C-222/86, *Unectef/Heylens*

Sin embargo, con el fin de que estas disposiciones no constituyan un obstáculo al ejercicio de las libertades garantizadas en el Tratado, el Tribunal también ha señalado que los Estados miembros han de tomar en consideración los diplomas, certificados y otros títulos que el interesado haya adquirido con objeto de ejercer esta misma profesión en otro Estado miembro, y llevar a cabo un proceso comparativo para determinar si existe una equivalencia entre los conocimientos que acreditan los diplomas extranjeros y los exigidos de conformidad con los diplomas y las disposiciones nacionales. Así se puso de manifiesto, entre otras, en las siguientes decisiones del Tribunal de Justicia referidas al ejercicio de la profesión de abogado. En el asunto *Vlassopoulou* el Tribunal consideraba que:

> [...] las autoridades nacionales de un Estado miembro, ante las cuales se solicita autorización para ejercer la profesión de Abogado por un nacional de otro Estado miembro, que ya está habilitado para ejercer esta misma profesión en su país de origen y que ejerce las funciones de «Rechtsbeistand» (asesor jurídico), están obligadas a examinar en qué medida los conocimientos y aptitudes acreditados por el título adquirido por el interesado en su país de origen equivalen a los exigidos por la normativa del Estado de acogida; en el caso de que la equivalencia entre estos títulos sólo sea parcial, las correspondientes autoridades nacionales están facultadas para exigir al interesado que demuestre haber adquirido los conocimientos y aptitudes que le faltan.
>
> Sentencia del Tribunal de Justicia de 7 de mayo de 1991, asunto C-340/89, *Vlassopoulou.*

A su vez, en el asunto *Brouillard* se planteaba el acceso a la función de letrado de un órgano jurisdiccional de un Estado miembro cuyos requisitos de acceso no se encontraban armonizados en el ámbito de la Unión Europea. En ese caso, el Estado miembro afectado seguía siendo competente para establecer los requisitos de acceso si bien, como ya se ha indicado, garantizando el respeto a las libertades fundamentales previstas en el Tratado. De este modo, el Tribunal recordaba que:

> [...] las autoridades de un Estado miembro ante quienes un nacional de la Unión haya solicitado autorización para ejercer una profesión cuyo acceso esté supeditado, con arreglo a la normativa nacional, a la posesión de un título o de una cualificación profesional, o también a ciertos períodos de experiencia práctica, están obligadas a tomar en consideración todos los diplomas, certificados y otros títulos del interesado, así como su experiencia pertinente, efectuando una comparación entre, por una parte, las competencias que esos títulos y esa experiencia acreditan y, por otra parte, los conocimientos y cualificaciones exigidos por la legislación nacional.

Y, en consecuencia:

> [...] el artículo 45 TFUE debe interpretarse en el sentido de que impide que [...] al examinar la solicitud de inscripción en una oposición para la selección de letrados de un órgano jurisdiccional de un Estado miembro presentada por un nacional de ese Estado, el tribunal calificador de la oposición supedite la inscripción a la posesión de los títulos exigidos por la legislación de dicho Estado miembro o al reconocimiento de la equivalencia académica de un título de máster expedido por una universidad de otro Estado miembro, sin tomar en consideración todos los diplomas, certificados y otros títulos del interesado, así como su experiencia profesional pertinente, efectuando una comparación entre las cualificaciones profesionales que esos títulos y esa experiencia acreditan y las exigidas por dicha legislación.
>
> Sentencia del Tribunal de Justicia de 6 de octubre de 2015, asunto C-298/14, *Brouillard*

Capítulo 7

LA UNIÓN ECONÓMICA Y MONETARIA, LA MONEDA ÚNICA Y LA LIBRE CIRCULACIÓN DE CAPITALES

I. LA UNIÓN ECONÓMICA Y MONETARIA

    A. ¿Por qué es necesaria la UEM?
    B. ¿Qué implica la Unión Económica y Monetaria?
    C. Etapas de la Unión Económica y Monetaria
    D. Instituciones responsables de la aplicación de la Unión Económica y Monetaria

II. LA MONEDA ÚNICA: EL EURO

    A. Finalidad de la moneda única
    B. Introducción del euro y países que lo han adoptado
    C. Importancia del euro en el contexto internacional

III. LIBRE CIRCULACIÓN DE CAPITALES

    A. Objetivos de la libre circulación de capitales
    B. Fundamento jurídico y desarrollo de la libre circulación de capitales y pagos
    C. Restricciones justificadas a la libre circulación de capitales
    D. Supresión de la cláusula de salvaguardia
    E. Infracción de la libre circulación de capitales por los Estados miembros
    F. Los pagos en la Unión Europea

I. LA UNIÓN ECONÓMICA Y MONETARIA

A. ¿Por qué es necesaria la UEM?

El establecimiento de una Unión Económica y Monetaria constituye una aspiración desde el mismo momento de la firma del Tratado de Roma constitutivo de la Comunidad Económica Europea. Sus antecedentes se encuentran en las decisiones que se fueron adoptando sucesivamente en los diversos Consejo Europeos, desde La Haya en 1969 y Paris en 1972, donde los jefes de Estado y de Gobierno manifestaron su voluntad de constituir una UEM irreversible y la definieron como un nuevo objetivo de la integración europea; hasta Maastricht en 1992, donde el Tratado de la Unión Europea introducía los cambios precisos para alcanzar la UEM. Previamente, en el Acta Única Europea (1986) ya se había introducido el concepto de UEM como un nuevo objetivo a alcanzar en distintas etapas.

Las consecuencias del establecimiento del mercado único —libre circulación de mercancías, personas, servicios y capitales— y la integración económica que se había ido produciendo progresivamente planteaba la necesaria UEM entre los Estados miembros con el fin de proporcionar mayor estabilidad a las economías de los Estados miembros y contribuir al crecimiento económico y a la creación de empleo en la Unión Europea. Además, resultaba evidente que los beneficios del mercado único se veían limitados por los costes económicos que representaban las conversiones entre divisas y las fluctuaciones por los tipos de cambio.

Así pues, la UEM, que implica una estrecha coordinación y acercamiento de las políticas económicas de los Estados miembros mediante programas de convergencia, venía auspiciada por un doble motivo: de una parte, por la incidencia positiva que esa unión tendría en el desarrollo global del mercado interior —con beneficios tanto para los consumidores cuanto para el conjunto de la economía— y, de otra, por la necesidad de fortalecer la posición de la Unión Europea en el contexto mundial.

Actualmente, la Política Económica y Monetaria viene regulada en el título VIII del TFUE. En particular, el **artículo 119 del TFUE** establece la adopción de una política económica en el mercado interior y la adopción de una moneda única para alcanzar los fines previstos en el Tratado:

> 1. Para alcanzar los fines enunciados en el artículo 3 del Tratado de la Unión Europea, la acción de los Estados miembros y de la Unión incluirá, en las condiciones previstas en los Tratados, la adopción de una política

económica que se basará en la estrecha coordinación de las políticas económicas de los Estados miembros, en el mercado interior y en la definición de objetivos comunes, y que se llevará a cabo de conformidad con el respeto al principio de una economía de mercado abierta y de libre competencia.

2. Paralelamente, en las condiciones y según los procedimientos previstos en los Tratados, dicha acción supondrá una moneda única, el euro, la definición y la aplicación de una política monetaria y de tipos de cambio única cuyo objetivo primordial sea mantener la estabilidad de precios y, sin perjuicio de dicho objetivo, el apoyo a la política económica general de la Unión, de conformidad con los principios de una economía de mercado abierta y de libre competencia.

3. Dichas acciones de los Estados miembros y de la Unión implican el respeto de los siguientes principios rectores: precios estables, finanzas públicas y condiciones monetarias sólidas y balanza de pagos estable.

B. ¿Qué implica la Unión Económica y Monetaria?

La Unión Económica y Monetaria abarca diversos aspectos, todos ellos relacionados con el crecimiento y la estabilidad del euro.

La Unión económica implica:

■ La coordinación de las políticas económicas de los Estados miembros.
■ La coordinación de las políticas fiscales, imponiendo límites máximos a la deuda y el déficit públicos.

Por su parte, la Unión monetaria se basa en el establecimiento de:

■ Una política monetaria independiente gestionada por el Banco Central Europeo; y
■ Una moneda única y la zona del euro.

Mención especial merece el Pacto de estabilidad y crecimiento que supone el compromiso de todos los países de la Unión de mantener el control de sus finanzas públicas con el objetivo de garantizar el equilibrio presupuestario que beneficie el desarrollo económico. De este modo, cuando el déficit público de un Estado supere el 3 % sobre su producto interior bruto (PIB) estará incumpliendo el Pacto de estabilidad y crecimiento. Además, este Pacto obliga a los Estados a mantener su deuda pública —es decir, su déficit público acumulado— por debajo del 60 % de su PIB y el incumplimiento de estas normas lleva aparejada la intervención de la Comisión que podrá iniciar un procedimiento de déficit excesivo. Asimismo, si el país afectado no regularizase su situación podría ser sancionado por el incumplimiento del derecho de la Unión.

C. Etapas de la Unión Económica y Monetaria

La introducción de la UEM se ha llevado a cabo en tres etapas:

a) En la primera etapa, del 1 de julio de 1990 al 31 de diciembre de 1993, debía alcanzarse la libre circulación de capitales entre Estados miembros;

b) En la segunda etapa, del 1 de enero de 1994 al 31 de diciembre de 1998, se tenía que producir la convergencia de las políticas económicas de los Estados miembros y el refuerzo de la cooperación entre los bancos centrales nacionales. A tal efecto, se creó el Instituto Monetario Europeo (IME) para coordinar la colaboración entre los bancos centrales nacionales y preparar la introducción de la moneda única;

c) Finalmente, en la tercera etapa, desde el 1 de enero de 1999, se produciría la introducción gradual del euro como moneda única de los Estados miembros y la aplicación de una política monetaria común supervisada por el Banco Central Europeo.

De este modo, se puede afirmar que la tercera etapa aún no ha concluido, por cuanto en la actualidad únicamente 19 Estados miembros han adoptado el euro como moneda única formando parte de la zona euro. Moneda única que, de acuerdo con el artículo 119 del TFUE, todos los Estados miembros deberían adoptar cuando cumplan los criterios de convergencia exigidos.

No obstante, hay que recordar que el Reino Unido y Dinamarca notificaron su intención de no participar en la tercera fase de la UEM y de no adoptar el euro, acogiéndose a una exención en relación con su participación en la UEM, tal y como disponen sendos Protocolos del TFUE, el n.º 15 sobre determinadas disposiciones relativas al Reino Unido de Gran Bretaña e Irlanda del Norte; y el n.º 16 sobre determinadas disposiciones relativas a Dinamarca.

En fin, hay que señalar que la UEM se encuentra aún inconclusa y los Estados miembros se han comprometido a reforzarla y mejorarla con el fin de alcanzar una auténtica UEM basada en tres pilares: la unión bancaria, la unión económica y la unión fiscal que debería estar concluida a más tardar en el año 2025.

D. Instituciones responsables de la aplicación de la Unión Económica y Monetaria

La responsabilidad de la UEM es compartida entre las instituciones de la Unión Europea y los Gobiernos de los Estados miembros.
En primer lugar:

- El Consejo Europeo es el encargado de diseñar las principales orientaciones de la política económica.
- A su vez, el Consejo de la Unión Europea (Consejo Ecofin, integrado por los ministros de Economía y Hacienda de los Estados miembros) coordina y legisla sobre la política económica de la Unión Europea y decide si un Estado miembro puede adoptar el euro.
- Por su parte, el Eurogrupo (ministros de Economía y Hacienda de los países integrados en la zona euro) tiene como misión coordinar las políticas de interés común para los Estados miembros de la zona del euro.

Junto a ellos:

- Los Estados miembros tienen competencia para elaborar sus respectivos presupuestos, si bien respetando los límites que se establezcan en el Pacto de estabilidad y crecimiento para el déficit y la deuda, y diseñar sus propias políticas en materia de empleo, pensiones y mercado de capitales.

Además:

- La Comisión Europea realiza el seguimiento del cumplimiento y los resultados.
- El Banco Central Europeo establece y gestiona la política monetaria en la zona euro con el objetivo primordial de la estabilidad de precios.
- El Parlamento Europeo colegisla junto al Consejo y somete la gobernanza económica a escrutinio democrático, en particular, a través del nuevo Diálogo Económico.

EL EUROGRUPO

El Eurogrupo es un órgano informal en el que los ministros de los Estados miembros de la zona del euro tratan cuestiones relacionadas con sus responsabilidades comunes respecto del euro.

Tiene como misión coordinar las políticas económicas de los estados de la zona euro y se reúne una vez al mes, previamente a la celebración del Consejo de Asuntos Económicos y Financieros. Igualmente, se encarga de preparar la cumbre del euro.

www.consilium.europa.eu/es/council-eu/eurogroup

II. LA MONEDA ÚNICA: EL EURO

A. Finalidad de la moneda única

La progresiva integración de las economías de los países de la Unión Europea y la globalización de la economía mundial ponía de manifiesto que las monedas necesitaban operar, para su estabilidad, en zonas de mayor dimensión que las que les proporcionaban sus propios Estados. Además, resultaba evidente que la existencia de diversas monedas llevaba implícita las fluctuaciones y devaluaciones monetarias con el coste económico que ello representa en un mercado común. Finalmente, conviene recordar que la coexistencia de diferentes monedas en el sistema Europeo también constituía un obstáculo para la consecución del mercado único.

Por otra parte, la adopción de una moneda única representa un ahorro de costes importantes en las transacciones que se lleven a cabo en el mercado interior; garantiza un tipo de cambio fijo evitando, así, las variaciones que afecten a los intercambios comerciales e inversiones; supone un mayor reconocimiento y estabilidad de la moneda única europea en el plano internacional, factor esencial para las importaciones con terceros países y, finalmente, representa un instrumento de estímulo para el crecimiento y el empleo en la Unión Europea. En definitiva, una moneda única presenta ventajas innegables pues reduce los costes de las operaciones comerciales financieras, facilita los viajes, refuerza el papel de Europa a nivel internacional, etc. Estos eran los argumentos esgrimidos en el seno de la Unión Europea para justificar la necesidad de converger hacía una moneda única.

B. Introducción del euro y países que lo han adoptado

El Consejo Europeo de Bruselas de 3 de mayo de 1998 decidió que once Estados miembros reunían las condiciones para la adopción de la moneda única y, el 1 de enero de 1999, Alemania, Austria, Bélgica, España, Finlandia, Francia, Irlanda, Italia, Luxemburgo, los Países Bajos y Portugal, a los que se unió Grecia en 2001, adoptaron el euro para sus transacciones comerciales y financieras. El 1 de enero de 2002, se introdujeron físicamente y entraron en circulación las monedas y billetes en euro en los países de la zona euro. Los billetes son idénticos en todos los países, mientras que las monedas tienen una cara común en la que se indica su valor y otra con un emblema nacional.

Actualmente, el euro ya forma parte de la vida cotidiana de diecinueve Estados miembros de la Unión Europea. A estos se les conoce como zona euro o eurozona. También forman parte de la zona euro, donde la moneda única es de curso legal, los departamentos de ultramar y los territorios e islas que forman parte de esos diecinueve Estados miembros, o que tienen un estatuto de asociación con ellos.

Dado que la tercera fase de la Unión Económica y Monetaria aún no ha finalizado, es de esperar que otros Estados miembros vayan adoptando la moneda única a medida que vayan cumpliendo los criterios de convergencia exigidos al respecto. Sin embargo, hay dos países que en su día decidieron no adoptar la moneda única, se trata de Dinamarca y el Reino Unido, en virtud de la exención a la que se acogieron en relación con su participación en la UEM.

LA ZONA EURO

Actualmente, diecinueve Estados miembros de la Unión Europea participan en la moneda única. Son los siguientes: Alemania, Austria, Bélgica, Chipre, Eslovaquia, Eslovenia, España, Estonia, Finlandia, Francia, Grecia, Irlanda, Italia, Letonia, Lituania, Luxemburgo, Malta, Países Bajos y Portugal.

https://www.ecb.europa.eu/euro/intro/html/map.es.html

C. Importancia del euro en el contexto internacional

Aparte de las ventajas que la moneda única representa para los países que la han adoptado y para el mercado único, el euro se utiliza cada vez más, junto al dólar, como moneda de referencia para las divisas de otros Estados y como moneda de reserva para emergencias monetarias; como moneda de referencia en las transacciones internacionales y en los pagos en el comercio internacional; y en las emisiones de deuda pública y privada.

Asimismo, la fortaleza de la moneda única y la importancia económica de la zona euro, unida a la estabilidad del sistema monetario europeo, ha llevado a algunas organizaciones económicas internacionales a considerar la zona euro como una única entidad, fortaleciendo así su peso e importancia en foros internacionales como el Fondo Monetario Internacional o el G7.

Por todo ello, el euro es cada vez más utilizado en terceros Estados, por ejemplo, en Andorra, Mónaco, San Marino y Ciudad del Vaticano se utiliza como moneda oficial en virtud de un acuerdo formal con la Unión Europea. En fin, otros Estados también admiten y utilizan el euro aun cuando no existe un acuerdo formal para ello, es el caso de Montenegro y Kosovo.

III. LIBRE CIRCULACIÓN DE CAPITALES

A. Objetivos de la libre circulación de capitales

La última de las libertades consagradas en el Tratado es la libre circulación de capitales. De hecho, inicialmente, el Tratado no contemplaba la liberalización plena de los capitales y pagos y solamente se exigía a los Estados miembros la eliminación de las restricciones necesarias para el correcto funcionamiento del mercado común.

Sin embargo, la adopción de la UEM y la coordinación de las políticas económicas y monetarias de los Estados miembros, contribuyeron a la ampliación del ámbito de esta libertad incluyendo, además, a los terceros países. De este modo, en la primera fase de la UEM se introdujo la plena libertad para la circulación de capitales consagrada posteriormente en el Tratado de Maastricht. A partir de ese momento quedan prohibidas todas las restricciones a los movimientos de capitales y pagos, tanto entre Estados miembros cuanto entre Estados miembros y terceros países. Así lo dispone el **artículo 26 del TFUE:**

> 2. El mercado interior implicará un espacio sin fronteras interiores, en el que la libre circulación de […] capitales estará garantizada de acuerdo con las disposiciones de los Tratados.

El objetivo fundamental de esta libertad es contribuir a la creación del mercado interior y complementar las otras libertades —libre circulación de mercancías, personas y servicios—. Por otra parte, la libre circulación de capitales debía contribuir al éxito de la introducción de la moneda única en la Unión Europea, a garantizar su fortaleza e importancia en el contexto internacional y, en conjunto, al correcto funcionamiento y desarrollo de la UEM.

B. Fundamento jurídico y desarrollo de la libre circulación de capitales y pagos

El fundamento jurídico de la libre circulación de capitales se encuentra en los artículos 63 a 66 del TFUE, que se complementan con los artículos 75 y 215 del TFUE en lo que respecta a las sanciones.

El Tratado de Maastricht introdujo la libre circulación de capitales como una libertad inherente al Tratado. El **artículo 63 del TFUE** establece:

> 1. En el marco de las disposiciones del presente capítulo, quedan prohibidas todas las restricciones a los movimientos de capitales entre Estados miembros y entre Estados miembros y terceros países.

2. En el marco de las disposiciones del presente capítulo, quedan prohibidas cualesquiera restricciones sobre los pagos entre Estados miembros y entre Estados miembros y terceros países.

De este modo, en el contexto de la libre circulación de capitales, el TFUE prohíbe todas las restricciones a los movimientos de capitales —procedentes de inversiones colectivas o particulares—, así como toda restricción de los pagos, ya sea de mercancías o de servicios-.

Esto significa que quedan prohibidos todos los obstáculos a la libre circulación de capitales, no solo los de carácter discriminatorio, y que esta prohibición va más allá de la mera eliminación de la desigualdad de trato por razón de nacionalidad, tal y como el Tribunal de Justicia tuvo ocasión de manifestar:

> En efecto, el artículo 73 B del Tratado prohíbe de manera general las restricciones a los movimientos de capitales entre Estados miembros. Dicha prohibición va más allá de la eliminación de toda desigualdad de trato de los operadores en los mercados financieros basada en su nacionalidad.
>
> Sentencia del Tribunal de Justicia de 4 de junio de 2002, asunto C-367/98, *Comisión c. Portugal*.

C. Restricciones justificadas a la libre circulación de capitales

1. En relación a los movimientos de capitales con terceros países

El **artículo 64 del TFUE** prevé la posibilidad de limitar la libre circulación de capitales con terceros países:

> 1. Lo dispuesto en el artículo 63 se entenderá sin perjuicio de la aplicación a terceros países de las restricciones que existan el 31 de diciembre de 1993 de conformidad con el Derecho nacional o con el Derecho de la Unión en materia de movimientos de capitales, con destino a terceros países o procedentes de ellos, que supongan inversiones directas, incluidas las inmobiliarias, el establecimiento, la prestación de servicios financieros o la admisión de valores en los mercados de capitales. Respecto de las restricciones existentes en virtud de la legislación nacional en Bulgaria, Estonia y Hungría, la fecha aplicable será el 31 de diciembre de 1999.

Del mismo modo, el **artículo 66 del TFUE** establece la posibilidad de imponer medidas de emergencia con respecto a terceros países, si bien limitadas a un periodo de seis meses:

Cuando en circunstancias excepcionales los movimientos de capitales con destino a terceros países o procedentes de ellos causen, o amenacen causar, dificultades graves para el funcionamiento de la unión económica y monetaria, el Consejo, a propuesta de la Comisión y previa consulta al Banco Central Europeo, podrá adoptar respecto a terceros países, por un plazo que no sea superior a seis meses, las medidas de salvaguardia estrictamente necesarias.

2. Con carácter general, incluidos los movimientos en el ámbito de la Unión Europea

Por lo que se refiere a las limitaciones a la libre circulación de capitales con carácter general, es decir, incluyendo los movimientos en el ámbito de la Unión Europea, el Tratado autoriza a los Estados miembros a adoptar medidas que puedan suponer una limitación al derecho a la libre circulación de capitales y pagos siempre que estas se encuentren justificadas. Así lo dispone el **artículo 65 del TFUE:**

1. Lo dispuesto en el artículo 63 se aplicará sin perjuicio del derecho de los Estados miembros a:
   a) Aplicar las disposiciones pertinentes de su Derecho fiscal que distingan entre contribuyentes cuya situación difiera con respecto a su lugar de residencia o con respecto a los lugares donde esté invertido su capital.
   b) Adoptar las medidas necesarias para impedir las infracciones a su Derecho y normativas nacionales, en particular en materia fiscal y de supervisión prudencial de entidades financieras, establecer procedimientos de declaración de movimientos de capitales a efectos de información administrativa o estadística o tomar medidas justificadas por razones de orden público o de seguridad pública […].

Empero, estas medidas y procedimientos que permite el Tratado no deben constituir ni un medio de discriminación arbitraria, ni una restricción encubierta de la libre circulación de capitales y pagos; en definitiva, no pueden aplicarse cuando el objetivo perseguido sea eliminar o restringir la libre circulación de capitales y pagos, tal y como el **artículo 65.3 del TFUE** señala:

Las medidas y procedimientos a que se hace referencia en los apartados 1 y 2 no deberán constituir ni un medio de discriminación arbitraria ni una restricción encubierta de la libre circulación de capitales y pagos tal y como la define el artículo 63.

Finalmente, junto a estas restricciones, el **artículo 75 del TFUE** establece la posibilidad de imponer sanciones financieras contra personas, grupos o entidades no estatales para prevenir y combatir el terrorismo:

> Cuando sea necesario para lograr los objetivos enunciados en el artículo 67, en lo que se refiere a la prevención y lucha contra el terrorismo y las actividades con él relacionadas, el Parlamento Europeo y el Consejo definirán mediante reglamentos, con arreglo al procedimiento legislativo ordinario, un marco de medidas administrativas sobre movimiento de capitales y pagos, tales como la inmovilización de fondos, activos financieros o beneficios económicos cuya propiedad, posesión o tenencia ostenten personas físicas o jurídicas, grupos o entidades no estatales.

a) Procedimientos de declaración de movimientos capitales

Esto significa que las operaciones transfronterizas —ya sean pagos en efectivo, pagos electrónicos o movimiento de títulos por encima de ciertos límites— quedan sujetas a notificación a efectos estadísticos, con la finalidad de que los Estados miembros puedan controlar las posibles dificultades en sus balanzas de pagos y a efectos de la UEM pero, en ningún caso, estas cuestiones de carácter administrativo pueden suponer un límite a la libre circulación de capitales.

Por ello, el Tribunal de Justicia tuvo ocasión de explicar que existe una diferencia sustancial entre la previa autorización administrativa y la declaración previa. Así, la exigencia de la previa autorización administrativa para exportar moneda en metálico, cuando ésta supere una determinada cantidad, es un requisito desproporcionado en la medida en que tiene por efecto suspender las exportaciones de divisas y someter el ejercicio de la libre circulación de capitales a la discrecionalidad de la Administración:

> [...] la autorización suspende las exportaciones de divisas y las supedita en cada caso a la aprobación de la Administración, que debe pedirse mediante una solicitud ad hoc.
>
> Dicha exigencia equivaldría a someter el ejercicio de la libre circulación de capitales a la discrecionalidad de la Administración y, por este motivo, podría hacer que esta libertad fuera ilusoria [...]
>
> Podría producir el efecto de obstaculizar los movimientos de capitales efectuados de conformidad con las disposiciones del Derecho comunitario, lo que sería contrario al párrafo segundo del artículo 4 de la Directiva.
>
> **Sentencia del Tribunal de Justicia de 31 de enero de 1984, asuntos acumulados 286/82 y 26/83, *Luisi y Carbone***

Por el contrario, una declaración previa puede constituir una medida indispensable que los Estados miembros están autorizados a adoptar ya que, a diferencia de la autorización previa, no suspende la operación de que se trata y, al mismo tiempo, permite a las autoridades nacionales realizar un control efectivo para impedir las infracciones a sus leyes y reglamentos.

> [...] una declaración previa puede constituir una medida indispensable que los Estados miembros están autorizados a adoptar, ya que, a diferencia de la autorización previa, dicha declaración no suspende la operación de que se trata, permitiendo, no obstante, que las autoridades nacionales realicen un control efectivo para impedir las infracciones a sus Leyes y Reglamentos.
>
> **Sentencia del Tribunal de Justicia de 23 de febrero de 1995, asuntos acumulados C-358/93 y C-416/93, *Aldo Bordessa y otros***

i) ¿Qué sucede cuando se incumple la obligación de declaración previa por parte del sujeto obligado?

Como se ha señalado, el **artículo 65 del TUE** permite a los Estados imponer procedimientos de declaración de los movimientos de capitales. A su vez, el **Reglamento 1889/2005** del Parlamento Europeo y del Consejo relativo a los controles de la entrada o salida de dinero efectivo de la Comunidad, dispone en su **artículo 3.1** que

> Toda persona física que entre en la Comunidad o salga de ella y sea portadora de una suma de dinero efectivo igual o superior a 10 000 EUR deberá declarar dicha suma a las autoridades competentes del Estado miembro a través del cual entre o salga de la Comunidad de conformidad con el presente Reglamento [...]

Y en su **artículo 9.1** que:

> Los Estados miembros fijarán las sanciones que deberán aplicarse en caso de incumplimiento de la obligación de declarar establecida en el artículo. Dichas sanciones deberán ser eficaces, proporcionadas y disuasorias.

Pues bien, en relación a los controles nacionales de los movimientos de dinero efectivo dentro de la Unión y las sanciones en casos de ausencia de declaración de los mismos, el Tribunal de Justicia ha manifestado recientemente que las normativas nacionales que determinen los elementos constitutivos de una infracción y sus correspondientes sanciones habrán de sujetarse al principio de proporcionalidad, y las medidas que propongan:

> [...] no deben exceder de lo que resulta necesario para lograr los objetivos legítimos de dicha normativa [...].

El asunto se había suscitado con motivo del incumplimiento dc la obligación de declarar de un ciudadano chino al que se le incautó la cantidad de 92 900 euros en dinero efectivo en el aeropuerto de Madrid-Barajas, y al que el Ministerio de Economía y Competitividad impuso una multa administrativa de 91.900 euros de conformidad con la legislación española (artículo 57 de la Ley 10/2010, de 28 de abril, de prevención del blanqueo de capitales y de la financiación del terrorismo) que prevé la posibilidad de imponer sanciones por infracciones graves consistentes en una sanción que podía ascender hasta el doble del importe no declarado.

De este modo, teniendo en cuenta que las sanciones previstas en el artículo 9 del mencionado Reglamento tienen como finalidad castigar el incumplimiento de la obligación de declarar, el Tribunal de Justicia ha señalado que las multas que impongan los Estados han de ser proporcionadas a las cantidades no declaradas y que, en ese sentido, los artículos 63 y 65 del TFUE

> [...] se oponen a una normativa de un Estado miembro [...] que establece que el incumplimiento de la obligación de declarar sumas elevadas de dinero efectivo que entren en el territorio de ese Estado o salgan de él se sancionará con una multa que podrá ascender hasta el doble del importe no declarado.
>
> Sentencia del Tribunal de Justicia de 31 de mayo de 2018, asunto C-C-190/17, *Lu Zheng*

b) Medidas justificadas por razones de orden público o de seguridad pública

Por lo que respecta a las medidas justificadas por razones de orden público o de seguridad pública, tanto Chipre, en el año 2013 cuanto Grecia en el 2015, con motivo de la crisis que se produjo en la zona euro introdujeron controles en el movimiento de capitales con el fin de evitar una salida masiva e incontrolada de los mismos de sus fronteras, invocando para ello el **artículo 65 del TFUE** y alegando que estas restricciones estaban justificadas por motivos de orden público o seguridad pública.

D. Supresión de la cláusula de salvaguardia

En caso de dificultades o de amenaza grave de dificultades en su balanza de pagos que puedan poner en peligro el funcionamiento del mercado interior, o en caso de crisis súbita en su balanza de pagos, los Estados pueden adoptar medidas de salvaguardia. Sin embargo, desde el 1 de enero de 1999, fecha en que comenzó la tercera fase de la UEM, esta posibilidad prevista en los **artículos 143 y 144 del TFUE** ya no es aplicable a los Estados miembros que han adoptado la moneda única sino, únicamente, en los Estados miembros que aún no forman parte de la zona euro.

E. Infracción de la libre circulación de capitales por los Estados miembros

La imposición por los Estados miembros de restricciones a la libre circulación de capitales no permitidas por el Tratado implicará el incumplimiento de las obligaciones derivadas del mismo y, en esos casos, será de aplicación el procedimiento de infracción previsto en los **artículos 258 a 260 del TFUE**, ya sea a instancias de la Comisión o de otro Estado miembro, es decir, el recurso por incumplimiento ante el Tribunal de Justicia estudiado en el capítulo 3 de la presente obra.

F. Los pagos en la Unión Europea

El **artículo 63 del TFUE** se refiere tanto a la libre circulación de capitales cuanto de pagos. Bajo esta premisa, las instituciones de la Unión han legislado con la finalidad de avanzar en la armonización de los pagos nacionales y transfronterizos en la zona euro. Y para ello, se han adoptado diversas directivas y reglamentos en materia de pagos y transferencias en el seno de la Unión Europea. Así, por ejemplo, la Directiva 2015/2366 del Parlamento Europeo y del Consejo de 25 de noviembre de 2015 sobre servicios de pago en el mercado interior y por la que se modifican las Directivas 2002/65/CE, 2009/110/CE y 2013/36/UE y el Reglamento 1093/2010 y se deroga la Directiva 2007/64/CE, que establece el marco jurídico aplicable a los servicios de pago en la Unión Europea. Esta Directiva complementa el marco jurídico aplicable en este sector con el Reglamento 2015/751 del Parlamento Europeo y del Consejo, donde se establecen las normas relativas al cobro de tasas de intercambio por las operaciones basadas en tarjetas y persigue acelerar la consecución de un mercado integrado efectivo en el ámbito de los pagos con tarjeta.

Capítulo 8

LA POLÍTICA DE COMPETENCIA

I. OBJETIVOS

    A. Ventajas que aporta la libre competencia: protección del mercado, de las pequeñas empresas y de los consumidores

II. ACTUACIONES QUE PUEDEN FALSEAR LA LIBRE COMPETENCIA

III. REGULACIÓN DE LAS EMPRESAS Y LIBRE COMPETENCIA

    A. Acuerdos entre empresas
    B. Abuso de posición dominante
    C. Concentraciones entre empresas
    D. Empresas públicas

IV. AYUDAS DE ESTADO

    A. Concepto de ayuda de Estado
    B. Principio general prohibitivo
    C. Excepciones
    D. El control de las ayudas de Estado
    E. Revisión de las decisiones de la Comisión Europea por el Tribunal de Justicia
    F. El principio de proporcionalidad y confianza legítima
    G. Responsabilidad de los beneficiarios de ayudas de Estado

I. OBJETIVOS

A. Ventajas que aporta la libre competencia: protección del mercado, de las pequeñas empresas y de los consumidores

El establecimiento del mercado interior implica la supresión de las barreras que puedan obstaculizar la libre circulación de los factores de producción: mercancias, personas, servicios y capitales. En este marco se incardina la política de la libre competencia como uno de los principios básicos para gantizar la consecución y el buen funcionamiento del mercado interior pues, de una parte, las prácticas restrictivas de la competencia pueden afectar negativamente a su correcto desarrollo y, de otra, la existencia de una competencia justa facilita la concurrencia de los competidores en el mercado en igualdad de condiciones e impulsa a las empreasas a ofrecer mejores precios y servicios beneficiando, de este modo, a los consumidores. Desde la entrada en vigor del Tratado de Lisboa, la protección de la competencia frente al falseamiento está comprendida en el concepto de mercado interior (Protocolo n.º 27 del TFUE sobre mercado interior y competencia).

La política de libre competencia trata de garantizar una competencia justa entre empresas que les permita innovar, mejorar la calidad de sus productos, ampliar sus ofertas, y ganar cuota de mercado para hacer frente en los mercados a sus competidores. A su vez, los consumidores se beneficiarán de una oferta más amplia, de mejores productos y de precios más bajos y competivtivos.

Para garantizar la libre competencia en el mercado interior y los beneficios que de ella se derivan, el Tratado establece una serie de normas que los operadores en el mercado interior han de respetar. En este sentido, cabe recordar que esta política beneficia, de modo particular, a las pequeñas y medianas empresas, ya que las actuaciones que tienden a falsear la competencia suelen venir de la mano de las grandes empresas, ya sea por su tamaño o por la situación de preponderancia que suelen detentar en el mercado, lo que les permite, en muchas ocasiones, imponer sus condiciones a clientes y proveedores.

Por otra parte, hay que tener en cuenta que las normas de competencia han de aplicarse de manera flexible y, para ello, será preciso analizar, de una parte, las actuaciones empresariales y el grado de falseamiento que generan y, de otra, los posibles beneficios que esas actuaciones pueden reportar, ya sea:

a) A las empresas —en particular, cuando intervengan pequeñas y medianas empresas que cooperan para competir mejor en un mercado cada vez más globalizado.

b) A los sectores de producción en crisis.

c) A las iniciativas de investigación e innovación.

d) A los proyectos de desarrollo regional.

Sin olvidar, por supuesto, el posible beneficio para los consumidores. Es decir, a veces un falseamiento limitado de la competencia puede tener consecuencias beneficiosas, por lo que el Tratado también contempla determinadas excepciones a la aplicación de la norma general prohibitiva.

Finalmente, conviene destacar que la política de competencia de la Unión Europea es compatible con las normas nacionales vigentes en los Estados miembros en esta materia. Baste recordar, de una parte, la primacía, la aplicabilidad directa y el efecto directo del Derecho de la Unión Europea y, de otra, el hecho de que gran parte de las normas de derecho derivado en materia de libre competencia hayan sido incorporadas en los ordenamiento jurídicos nacionales a través reglamentos y directivas adoptados en el seno de la Unión Europea. Por consiguiente, la aplicación de unas u otras dependerá del ámbito en el que se produzca el falseamiento de la competencia, ya sea nacional o intracomunitario. Asimismo, las autoridades nacionales encargadas de su aplicación (en el caso español, la Comisión Nacional de los Mercados y la Competencia y los Órganos competentes de las Comunidades autónomas) han de cooperar en todo momento con las instituciones de la Unión Europea (Comisión Europea y Tribunal de Justicia) para su aplicación.

II. ACTUACIONES QUE PUEDEN FALSEAR LA LIBRE COMPETENCIA

El TFUE regula la política de competencia en el mercado interior en sus **artículos 101 a 109.** Entre las actuaciones que pueden falsear la competencia, y que son objeto de regulación por el Tratado, se encuentran las siguientes:

- Los acuerdos entre empresas que tienen por objeto restringir la competencia (cárteles y otros tipos de pactos en los que las partes establecen normas propias y evitan competir entre sí, por ejemplo, fijando precios o repartiéndose los mercados).

- Los abusos de posición dominante de las empresas que detentan una situación de predominio y tratan, así, de expulsar a sus competidores del mercado.

- Las fusiones y acuerdos de concentración entre empresas, que pueden reducir significativamente el número de competidores en el mercado.

- El mantenimiento de empresas a las que se concedan derechos especiales o exclusivos en la medida en que impida la liberalización de los servicios públicos, servicios de interés general y servicios de interés económico (por ejemplo, el transporte, la energía, los servicios postales y las telecomunicaciones).

- Las ayudas estatales a las empresas otorgadas por los Estados o mediante fondos estatales que puedan afectar negativamente a la libre competencia.

Por lo que respecta al control de esta materia, el **artículo 105 del TFUE** dispone:

> 1. Sin perjuicio de lo dispuesto en el artículo 104, la Comisión velará por la aplicación de los principios enunciados en los artículos 101 y 102. A instancia de un Estado miembro o de oficio, y en colaboración con las autoridades competentes de los Estados miembros, que le prestarán su asistencia, la Comisión investigará los casos de supuesta infracción de los principios antes mencionados. Si comprobare la existencia de una infracción, propondrá las medidas adecuadas para poner término a ella.

De este modo, las instituciones encargadas de controlar la correcta aplicación de esta política en la Unión Europea son:

a) La Comisión Europea que, juntamente con las autoridades nacionales, garantiza su correcta aplicación, disponiendo para ello de amplias facultades en materia de inspección y aplicación de la ley que le permite investigar a las empresas implicadas en actuaciones contrarias a la libre competencia e imponer multas cuando incurran en estas prácticas.

b) El Tribunal de Justicia, que ejerce el control jurisdiccional velando por la aplicación uniforme del Derecho de la Unión Europea en esta materia —el Tribunal General es el competente para las cuestiones de competencia y el Tribunal de Justicia de los recursos.

Hay que tener en cuenta que tanto los particulares —empresas— cuanto los Estados miembros suelen recurrir las decisiones de la Comisión en materia de competencia ante el Tribunal de Justicia.

III. REGULACIÓN DE LAS EMPRESAS Y LIBRE COMPETENCIA

A. Acuerdos entre empresas

1. Principio general prohibitivo

El **artículo 101 del TFUE** dispone que:

> 1. Serán incompatibles con el mercado interior y quedarán prohibidos todos los acuerdos entre empresas, las decisiones de asociaciones de empresas y las prácticas concertadas que puedan afectar al comercio entre los Estados miembros y que tengan por objeto o efecto impedir, restringir o falsear el juego de la competencia dentro del mercado interior [...].

Entre los acuerdos que se considera que pueden falsea la competencia el Tratado señala, en particular, aquellos que consistan en:

a) Fijar directa o indirectamente los precios de compra o de venta u otras condiciones de transacción.

b) Limitar o controlar la producción, el mercado, el desarrollo técnico o las inversiones.

c) Repartirse los mercados o las fuentes de abastecimiento.

d) Aplicar a terceros contratantes condiciones desiguales para prestaciones equivalentes, que ocasionen a estos una desventaja competitiva.

e) Subordinar la celebración de contratos a la aceptación, por los otros contratantes, de prestaciones suplementarias que, por su naturaleza o según los usos mercantiles, no guarden relación alguna con el objeto de dichos contratos.

Así, el tribunal de Justicia ha declarado que:

> [...] los acuerdos o prácticas concertadas que [...] persiguen en particular la fijación de los precios y el reparto de la clientela pueden ser calificados como «muy graves» basándose únicamente en su propia naturaleza, sin que sea necesario que tales comportamientos estén caracterizados por una repercusión o una dimensión geográfica determinados.
>
> Sentencia del Tribunal de Justicia de 8 diciembre 2011, asunto C-272/09 P, *KME Germany AG*

Pues bien, los acuerdos que cumplan algunas de las condiciones señaladas y que se declaren incompatibles con el mercado interior serán nulos de pleno derecho, tal y como dispone el **artículo 101.2 del TFUE**.

Por su parte, el **Reglamento 1/2003** del Consejo de 16 de diciembre de 2002, relativo a la aplicación de las normas sobre competencia, regula la ejecución de las normas sobre competencia previstas en los artículos 101 y 102 del TFUE. Esta disposición establece las competencias de la Comisión en la materia, así como de las autoridades nacionales de competencia y los órganos jurisdiccionales nacionales.

2. Exenciones

Sin embargo, el propio **artículo 101 del TFUE** dispone, en su apartado tercero, una serie de derogaciones al principio general prohibitivo anteriormente mencionado. Así:

> No obstante, las disposiciones del apartado 1 podrán ser declaradas inaplicables a:
> —Cualquier acuerdo o categoría de acuerdos entre empresas.
> —Cualquier decisión o categoría de decisiones de asociaciones de empresas.
> —Cualquier práctica concertada o categoría de prácticas concertadas, que contribuyan a mejorar la producción o la distribución de los productos o a fomentar el progreso técnico o económico y reserven, al mismo tiempo, a los usuarios una participación equitativa en el beneficio resultante, y sin que:
> a) Impongan a las empresas interesadas restricciones que no sean indispensables para alcanzar tales objetivos.
> b) Ofrezcan a dichas empresas la posibilidad de eliminar la competencia respecto de una parte sustancial de los productos de que se trate.

En este sentido, hay que referirse a las exenciones por categorías y a los acuerdos de menor importancia que permiten excluir determinados acuerdos entre empresas del principio general prohibitivo antes señalado.

a) Exenciones por categorías

Determinados acuerdos que cumplan las condiciones de exención previstas en el apartado tercero quedarán exentos de la prohibición prevista en el apartado primero del artículo 101 del TFUE cuando así se regule vía reglamento. Sirva de ejemplo el **Reglamento 316/2014** de la Comisión de 21 de marzo de 2014 relativo a la aplicación del artículo 101, apartado 3, del

Tratado de Funcionamiento de la Unión Europea a determinadas categorías de acuerdos de transferencia de tecnología.

Pues bien, considerando las ventajas que aportan este tipo de acuerdos —mejorar la eficiencia económica y favorecer la competencia, ya que pueden reducir la duplicidad de la investigación y desarrollo; reforzar y fomentar la investigación, desarrollo e innovación; y facilitar su difusión—, el reglamento establece el beneficio de la exención por categorías y permite que los acuerdos de este tipo que cumplan las condiciones señaladas en el mencionado texto queden exentos de la prohibición establecida con carácter general en el **artículo 101 del TFUE**.

b) Acuerdos de menor importancia

Por otra parte, cuando la repercusión económica en el mercado de los acuerdos celebrados entre empresas apenas sea perceptible, y siempre que cumplan las condiciones del apartado tercero del artículo 101 del TFUE, estos acuerdos se considerarán aceptables, especialmente cuando en los mismos intervengan pequeñas y medianas empresas ya que contribuyen a mejorar la cooperación entre las mismas para poder competir con las grandes empresas. Estos acuerdos se encuentran regulados en la denominada Comunicación *de minimis*, Comunicación de la Comisión relativa a los acuerdos de menor importancia que no restringen la competencia de forma sensible en el sentido del **artículo 101, apartado 1, del TFUE**.

De conformidad con el texto de esta Comunicación, la Comisión considera que no restringen la competencia de forma sensible en el sentido del artículo 101, apartado 1, del Tratado los acuerdos entre empresas:

> Cuando la cuota de mercado conjunta de las partes en el acuerdo no exceda del 10 % en ninguno de los mercados de referencia afectados por el acuerdo, en el caso de acuerdos entre empresas que sean competidores reales o potenciales en cualquiera de dichos mercados (acuerdos entre competidores), o cuando la cuota de mercado de cada una de las partes en el acuerdo no exceda del 15 % en ninguno de los mercados de referencia afectados por el acuerdo, en el caso de acuerdos entre empresas que no sean competidores reales o potenciales en ninguno de dichos mercados (acuerdos entre no competidores).

B. Abuso de posición dominante

1. ¿Qué se entiende por posición dominante?

Tal y como ha tenido ocasión de declarar el Tribunal de Justicia:

> La posición dominante [...] hace referencia a una situación de poder económico en que se encuentra una empresa y que le permite impedir que haya una competencia efectiva en el mercado de que se trate, confiriéndole la posibilidad de comportarse con un grado apreciable de independencia frente a sus competidores, sus clientes y, finalmente, los consumidores.
>
> Sentencia del Tribunal de Primera Instancia de 12 de diciembre de 2000, asunto T-128/98, *Aéroports de Paris c. Comisión*

Además, la posición dominante no puede definirse de forma aislada, sino que ha de analizarse en relación con el conjunto o con una parte sustancial del mercado interior, que se denominará mercado de referencia, y en relación a un determinado producto.

2. Prácticas abusivas

Para regular estas situaciones, el **artículo 102 del TFUE** dispone:

> Será incompatible con el mercado interior y quedará prohibida, en la medida en que pueda afectar al comercio entre los Estados miembros, la explotación abusiva, por parte de una o más empresas, de una posición dominante en el mercado interior o en una parte sustancial del mismo.

El mencionado artículo establece un listado no exhaustivo de actuaciones que pueden ser constitutivas de abuso de posición dominante y que ha venido siendo delimitado por el Tribunal de Justicia en su jurisprudencia. Son las siguientes:

a) Imponer directa o indirectamente precios de compra, de venta u otras condiciones de transacción no equitativas.

b) Limitar la producción, el mercado, o el desarrollo técnico en perjuicio de los consumidores.

c) Aplicar a terceros contratantes condiciones desiguales para prestaciones equivalentes que ocasionen a estos una desventaja competitiva.

d) Subordinar la celebración de contratos a la aceptación, por los otros contratantes, de prestaciones suplementarias que, por su naturaleza o según los usos mercantiles, no guarden relación alguna con el objeto de dichos contratos.

Al igual que sucedía con los acuerdos entre empresas, el Reglamento 1/2003 del Consejo regula la ejecución de las normas sobre competencia previstas también en el artículo 102 del TFUE.

Entre las actuaciones que pueden caracterizar un abuso de posición dominante en el mercado se pueden señalar las siguientes:

a) Imponer directa o indirectamente precios de compra, de venta u otras condiciones de transacción no equitativas

En el asunto *United Brands c. Comisión*, el Tribunal de Justicia calificó como abuso de posición dominante:

> [...] el hecho de exigir un precio excesivo, sin relación razonable con el valor económico de la prestación realizada.

Igualmente, señalaba que respecto a la determinación del valor, este puede llevarse a cabo comparando el precio de venta del producto con su precio de coste, lo que permitiría determinar el margen de beneficio y

> [...] examinar si se ha impuesto un precio no equitativo, en términos absolutos o en comparación con los productos competidores.
>
> Sentencia del Tribunal de Justicia de 14 de febrero de 1978, asunto 27/76, *United Brands c. Comisión.*

b) Aplicar a terceros contratantes condiciones desiguales para prestaciones equivalentes que ocasionen a estos una desventaja competitiva

En el mismo asunto *United Brands c. Comisión*, el Tribunal constató que la compañía había aplicado a terceros contratantes condiciones desiguales por prestaciones equivalentes, hecho que representaba una desventaja en términos de competencia. Consecuentemente:

> [...] constituía una explotación abusiva de una posición dominante la política de precios desiguales, que permitía a United Brands aplicar a quienes mantenían relaciones comerciales con ella condiciones desiguales para prestaciones equivalentes, imponiéndoles una desventaja competitiva.

Y si bien:

> [...] el artículo 86 no se opone a que una empresa en posición dominante fije precios diferentes en los diversos Estados miembros, en especial, cuando las diferencias de precio responden a variaciones en las condiciones de comercialización y en la intensidad de la competencia.

Precisaba el Tribunal que:

> [...] solo se reconoce a la empresa dominante, en una medida razonable, el derecho a defender de esta forma sus intereses comerciales. En especial, no puede practicar diferencias artificiales de precios en los diversos Estados miembros, que puedan ocasionar una desventaja a sus clientes y falsear la competencia, en el contexto de una compartimentación artificial de los mercados nacionales.
>
> Sentencia del Tribunal de Justicia de 14 de febrero de 1978, asunto 27/76, *United Brands c. Comisión*,

Del mismo modo, en el asunto *Tetra-Pack*, el Tribunal señalaba que el tratamiento discriminatorio a los usuarios o co-contratantes puede constituir un abuso de posición dominante:

> [...] el hecho de que una empresa en posición dominante practique precios discriminatorios frente a usuarios establecidos en Estados miembros diferentes, está prohibido por la letra c) del artículo 86 del Tratado, que se refiere a las prácticas abusivas consistentes en aplicar a terceros contratantes condiciones desiguales para prestaciones equivalentes, que ocasionen a estos una desventaja competitiva.
>
> Sentencia del Tribunal de Justicia de 6 de octubre de 1994, asunto T-83/91, *Tetra Pak International SA c. Comisión*

c) Subordinar la celebración de contratos a la aceptación, por los otros contratantes, de prestaciones suplementarias que, por su naturaleza o según los usos mercantiles, no guarden relación alguna con el objeto de dichos contratos

De nuevo, en el asunto *Tetra-Pak,* se analizaron diversos contratos-tipo de venta y arrendamiento de máquinas y de suministro de envases de cartón concertados por Tetra Pak con sus clientes en los distintos Estados miembros. En estos contratos se establecían las ventas asociadas de envases de cartón y máquinas de envasado que debían ser adquiridas exclusivamente a Tetra-Pak por sus clientes. El Tribunal, sin embargo, consideró que Tetra Pak no era la única en poder producir envases de cartón destinados a ser utilizados en sus máquinas ya que:

> [...] existen productores independientes especializados en la fabricación de envases de cartón no asépticos destinados a ser utilizados en máquinas producidas por otras empresas y que no producen máquinas por sí mismos.
>
> **Sentencia del Tribunal de Justicia de 14 de noviembre de 1996, asunto C-333/94 P, _Tetra Pak International SA,_**

Y, por este motivo, concluyó que imponer esta condición en sus contratos podía constituir una práctica abusiva.

En otro asunto, **_Hoffmann-La Roche_**, el Tribunal delimitó aún más estas cuestiones relativas a los contratos vinculados declarando que para una empresa que ocupa una posición dominante en el mercado:

> [...] el hecho de vincular a los compradores —aunque sea a instancia de estos— mediante una obligación o promesa de abastecerse, en lo que respecta a la totalidad o a gran parte de sus necesidades, exclusivamente en dicha empresa, constituye una explotación abusiva de una posición dominante, en el sentido del artículo 86 del Tratado, tanto si la obligación de que se trata ha sido estipulada sin más, como si es la contrapartida de la concesión de descuentos.
> Que lo mismo puede decirse cuando dicha empresa, sin vincular a los compradores mediante una obligación formal, aplica, ya sea en virtud de acuerdos celebrados con esos compradores, ya sea unilateralmente, un sistema de descuentos por fidelidad, es decir, de bonificaciones sujetas a la condición de que el cliente se abastezca en lo que respecta a la totalidad o a una parte importante de sus necesidades —cualquiera que sea el importe, grande o pequeño, de sus compras— exclusivamente en la empresa que está en posición dominante.
>
> **Sentencia del Tribunal de Justicia de 13 de febrero de 1979, asunto 85/76, _Hoffmann-La Roche_**

d) Establecer precios anormalmente bajos o venta a pérdida

Cuando una empresa o grupo de empresas que detenten una posición de dominio lleve a cabo este tipo de actuaciones con la finalidad de expulsar a sus competidores del mercado estará abusando de su posición dominante.

Un ejemplo de este tipo de actuaciones lo encontramos en el asunto *Akzo Chemie*, donde se demostró que Akzo había amenazado a una competidora con eliminarla del mercado de aditivos de la harina si esta última extendía sus actividades al mercado de los peróxidos orgánicos para la industria de los plásticos. Mediante una política selectiva de precios anormalmente bajos, desarrollando una política de ventas a pérdida de carácter abusivo con la finalidad de causar un perjuicio a su competidora, Akzo cumplió su amenaza lo que fue considerado una práctica de carácter abusivo. Sentencia del Tribunal de Justicia, de 24 de junio de 1986, asunto 5/85, *Akzo Chemie BV.*

Este tipo de actuaciones, sin embargo, estarían justificadas si no tuviesen como finalidad eliminar competidores del mercado, sino captar nuevos clientes en el mismo.

e) Negarse a suministrar productos a los clientes

Otro tipo de actuación que se encuadra dentro del abuso de posición dominante por parte de las empresas es la negativa a proveer bienes o servicios si, con ello, se produce una reducción o eliminación de la competencia.

El Tribunal de Justicia ha tenido ocasión de referirse a la negativa a suministrar bienes o servicios por parte de las empresas a sus clientes, considerando que la interrupción de los suministros a un cliente existente podía constituir un abuso:

> [...] una empresa [...] que dispone de una posición dominante para la producción de materias primas y, por lo tanto, se encuentra capacitada para controlar el suministro a los fabricantes de productos derivados, no puede adoptar, por el simple hecho de haber decidido empezar ella misma a producir dichos derivados, decisión mediante la cual entraba en competencia con sus anteriores clientes, un comportamiento que pueda eliminar la competencia de estos [...]
>
> [...] que una empresa que ostenta una posición dominante en el mercado de materias primas y que, con el fin de reservarlas para su propia producción de derivados, deniega el suministro de estas a un cliente, productor también de dichos derivados, a riesgo de eliminar cualquier competencia por parte de dicho cliente, explota su posición dominante de forma abusiva en el sentido del artículo 86.
>
> Sentencia del Tribunal de Justicia de 6 de marzo de 1974, asunto 6/73, *Commercial Solvents c. Comisión*

Del mismo modo, en el asunto *United Brands,* donde esta sociedad, que ostentaba una posición dominante en la producción de plátanos que comercializaba bajo la marca «Chiquita», había dejado de suministrar a un distribuidor danés cuando este comenzó a promover los plátanos de un competidor, el Tribunal declaró que:

> [...] una empresa que se encuentra en una posición dominante para la distribución de un producto —y que se beneficia del prestigio de una marca conocida y apreciada por los consumidores— no puede dejar de abastecer a un antiguo cliente y que respeta los usos del comercio, cuando los pedidos de dicho cliente no tiene ningún carácter anormal.
>
> Sentencia del Tribunal de Justicia de 14 de febrero de 1978, asunto 27/76, *United Brands c. Comisión*

C. Concentraciones entre empresas

1. Definición de concentración

Las concentraciones entre empresas vienen reguladas en el **Reglamento 139/2004** del Consejo de 20 de enero de 2004 sobre el control de las concentraciones entre empresas (Reglamento comunitario de concentraciones)

El **artículo 3** del mencionado texto reza así:

> 1. Se entenderá que se produce una concentración cuando tenga lugar un cambio duradero del control como consecuencia de:
>
> a) La fusión de dos o más empresas o partes de empresas anteriormente independientes, o
>
> b) La adquisición, por una o varias personas que ya controlen al menos una empresa, o por una o varias empresas, mediante la toma de participaciones en el capital o la compra de elementos del activo, mediante contrato o por cualquier otro medio, del control directo o indirecto sobre la totalidad o partes de una o varias otras empresas.

En principio, las fusiones o concentraciones entre empresas son ventajosas por cuanto permiten crear empresas más fuertes y estables para competir en un mercado global. Como contrapartida, implica la desaparición de empresas y la limitación de la competencia, especialmente cuando el resultado de la concentración sea situar a la nueva compañía en una posición dominante o reforzar la misma en el mercado, por lo que han de ser objeto de regulación y supervisión.

2. Control de las concentraciones de dimensión comunitaria

De este modo, las concentraciones de dimensión comunitaria, tal y como vienen definidas en el Reglamento, deben notificarse a la Comisión antes de su ejecución en cuanto se haya concluido el acuerdo, anunciado la oferta pública de adquisición, o adquirido una participación de control.

El Reglamento dispone que aquellas concentraciones que sean susceptibles de obstaculizar de forma significativa la competencia efectiva en el mercado común o en una parte sustancial de este se declararán incompatibles con el mercado común. Por lo tanto, la Comisión Europea las examinará y, en su caso, autorizará, no siendo posible ejecutar la concentración antes de esa decisión.

D. Empresas públicas

Las normas de competencia se aplican también a las empresas públicas, los servicios públicos y los servicios de interés general, tal y como viene regulado en los artículos 37, 106 y 345 del TFUE, para las empresas públicas, y en los artículos 14, 59, 93,106, 107, 108 y 114 del TFUE para los servicios públicos, los servicios de interés general y los servicios de interés económico general, así como en el Protocolo (n.º 26) del TFUE sobre los servicios de interés general.

Ya en el **artículo 37 del TFUE** se hace referencia a los monopolios públicos y la necesidad de que los Estados adecuen los mismos a las normas de competencia.

> Los Estados miembros adecuarán los monopolios nacionales de carácter comercial de tal modo que quede asegurada la exclusión de toda discriminación entre los nacionales de los Estados miembros respecto de las condiciones de abastecimiento y de mercado.

El **artículo 106,** por su parte, dispone:

> 1. Los Estados miembros no adoptarán ni mantendrán, respecto de las empresas públicas y aquellas empresas a las que concedan derechos especiales o exclusivos, ninguna medida contraria a las normas de los Tratados, especialmente las previstas en los artículos 18 y 101 a 109, ambos inclusive.

Sin embargo, las normas de competencia pueden quedar sin efecto en caso de que pongan en peligro el cumplimiento de la misión específica que estas empresas tengan encomendadas.

> 2. Las empresas encargadas de la gestión de servicios de interés económico general o que tengan el carácter de monopolio fiscal quedarán sometidas a las normas de los Tratados, en especial a las normas sobre competencia, en la medida en que la aplicación de dichas normas no impida, de hecho o de derecho, el cumplimiento de la misión específica a ellas confiada. El desarrollo de los intercambios no deberá quedar afectado en forma tal que sea contraria al interés de la Unión.

IV. AYUDAS DE ESTADO

A. Concepto de ayuda de estado

Ante la ausencia de definición del concepto de «ayuda de Estado» en el Tratado, el Tribunal de Justicia ha tenido ocasión de manifestar de modo reiterado en su doctrina que el concepto de ayudas otorgadas por los Estados, o mediante fondos estatales, ha de ser entendido en un sentido lato. Así, cualquier intervención garantizada directa o indirectamente por un Estado —comprendiendo en tal concepto a cualesquiera de sus administraciones, central, autonómica, local…—, o a través de los recursos de un Estado, en cualquier forma —ya sean subvenciones a fondo perdido, préstamos en condiciones favorables, exoneraciones fiscales y tributarias…—, que constituya una ventaja gratuita y que persiga un objetivo económico y social, tendrá la consideración de ayuda de Estado. Tal y como declaraba el Tribunal de Justicia:

> *[...] any aid granted by a Member State or through State resources in any form whatsoever which distorts or threatens to distort competition by favouring certain undertakings or the production of certain goods is, in so far as it affects trade between Member States, incompatible with the common market.*
>
> Sentencia del tribunal de Justicia de 30 de enero de 1985, asunto 290/83, *Comisión c. Francia*

Además, cuando una ayuda haya sido concedida a una empresa por un organismo público o privado creado por el Estado para gestionar la ayuda se considerará, igualmente, que ha sido financiada con fondos estatales, pues la prohibición contemplada en el Tratado:

> [...] comprende la totalidad de las ayudas otorgadas por los Estados o mediante fondos estatales, sin que haya lugar a distinguir si la ayuda es otorgada directamente por el Estado o por organismos públicos o privados creados o designados por él para gestionar la ayuda.
>
> Sentencia del Tribunal de Justicia de 22 de marzo de 1977, asunto 78/76, **Steinike & Weinlig c. R.F. Alemania.**

De este modo, cabe concluir que el concepto de ayuda de estado es un concepto abierto, debiendo proceder en cada caso a su examen concreto para determinar si una intervención pública cae bajo los parámetros definidos en el Tratado y puede ser considerada como una ayuda de Estado.

B. Principio general prohibitivo

La injerencia económica de los Estados a favor de sus empresas contribuye a desvirtuar el principio de libre competencia, pues supone otorgar una ventaja a las empresas o producciones que reciben ayudas con cargo a fondos públicos respecto a aquellas que sobreviven dentro del mercado con base únicamente a sus recursos propios. Por este motivo, el TFUE declara incompatibles con el mercado común las ayudas otorgadas por los estados en la medida en que:

- Afecten a los intercambios comerciales entre Estados.
- Falseen o amenacen falsear la competencia.
- Favorezcan a determinadas empresas o producciones.

Con carácter general el **artículo 107.1 del TFUE** dispone:

> [...] serán incompatibles con el mercado interior, en la medida en que afecten a los intercambios comerciales entre Estados miembros, las ayudas otorgadas por los Estados o mediante fondos estatales, bajo cualquier forma, que falseen o amenacen falsear la competencia, favoreciendo a determinadas empresas o producciones.

C. Excepciones

Por otra parte, no puede ignorarse la situación de aquellas empresas que, por determinados motivos, encuentren dificultades económicas en su camino. De este modo, lejos de prohibir toda intervención estatal a favor de las empresas, el TFUE pretende garantizar que dicha intervención se produzca dentro de un marco y sujeta a unas reglas que garanticen la igualdad de oportunidades para todos los competidores en el mercado. Esto significa que, en determinadas situaciones, será conveniente facilitar la existencia de ayudas públicas a favor de determinadas empresas o producciones siempre que con ello se permita su mantenimiento en el mercado en condiciones de rentabilidad y viabilidad similares a las de sus competidores.

Y así, el principio general prohibitivo se encuentra matizado en el propio **artículo 107.2 del TFUE** que considera compatibles con el mercado interior las ayudas que se encuentren justificadas por el interés común y cumplan las siguientes condiciones:

a) Las ayudas de carácter social concedidas a los consumidores individuales, siempre que se otorguen sin discriminaciones basadas en el origen de los productos.

b) Las ayudas destinadas a reparar los perjuicios causados por desastres naturales o por otros acontecimientos de carácter excepcional.

c) Las ayudas concedidas con objeto de favorecer la economía de determinadas regiones de la República Federal de Alemania, afectadas por la división de Alemania, en la medida en que sean necesarias para compensar las desventajas económicas que resultan de tal división. Cinco años después de la entrada en vigor del Tratado de Lisboa, el Consejo podrá adoptar, a propuesta de la Comisión, una decisión por la que se derogue la presente letra.

Y termina el mencionado precepto señalando en su apartado tercero que, además, podrán considerarse compatibles con el mercado interior

a) Las ayudas destinadas a favorecer el desarrollo económico de regiones en las que el nivel de vida sea anormalmente bajo o en las que exista una grave situación de subempleo, así como el de las regiones contempladas en el artículo 349, habida cuenta de su situación estructural, económica y social.

b) Las ayudas para fomentar la realización de un proyecto importante de interés común europeo o destinadas a poner remedio a una grave perturbación en la economía de un Estado miembro.

c) Las ayudas destinadas a facilitar el desarrollo de determinadas actividades o de determinadas regiones económicas, siempre que no alteren las condiciones de los intercambios en forma contraria al interés común.

d) Las ayudas destinadas a promover la cultura y la conservación del patrimonio, cuando no alteren las condiciones de los intercambios y de la competencia en la Unión en contra del interés común.

e) Las demás categorías de ayudas que determine el Consejo por decisión, tomada a propuesta de la Comisión.

1. Ayudas de menor importancia

Tal y como se verá más adelante, los Estados tienen la obligación de notificar a la Comisión las ayudas que pretendan otorgar con el fin de que estas sean examinadas previamente. Sin embargo, el **artículo 109** dispone que el Consejo podrá determinar las categorías de ayudas que quedan exentas de esta obligación de notificación. A su vez, de conformidad con el **artículo 108, apartado 4, del TFUE**, la Comisión puede adoptar reglamentos relativos a dichas categorías de ayudas estatales que pueden quedar exentas del procedimiento de examen antes mencionado.

En este sentido, el Consejo decidió mediante el **Reglamento 994/98**, de 7 de mayo de 1998, sobre la aplicación de los artículos 87 (antes artículo 92) y 88 (antes artículo 93) del Tratado constitutivo de la Comunidad Europea a determinadas categorías de ayudas de Estado horizontales, que, de conformidad con el artículo 109 del Tratado, las ayudas *de minimis* podían constituir una de dichas categorías, al considerar que las ayudas que se conceden a una única empresa durante un cierto espacio de tiempo, y que no superan una cantidad fija determinada no cumplen todos los criterios que establece el artículo 107, apartado 1, del Tratado y, por lo tanto, no están sujetas al procedimiento de notificación.

Así pues, entre las excepciones a la aplicación del artículo 107 del TFUE hay que incluir a las denominadas ayudas *de minimis* que cumplan las condiciones señaladas en el **Reglamento 1407/2013** de la Comisión, de 18 de diciembre de 2013, relativo a la aplicación de los artículos 107 y 108 del TFUE a las ayudas *de minimis*. Cuando así sea, se considerará que las medidas de ayuda no reúnen todos los criterios del artículo 107, apartado 1, del Tratado, y, por consiguiente, están exentas de la obligación de notificación establecida en el artículo 108, apartado 3, ya que, por su escasa cuantía, no tienen entidad suficiente para afectar de forma significativa a la competencia entre los Estados miembros.

El umbral que establece el reglamento para que las ayudas puedan quedar exentas de notificación es el siguiente: que el importe total de las ayudas *de minimis* concedidas por un Estado miembro a una única empresa no exceda de 200 000 euros durante cualquier periodo de tres ejercicios fiscales.

2. Ayudas de finalidad regional y sectorial: directrices verticales y horizonales

Del mismo modo, el mencionado Reglamento 994/98 del Consejo faculta a la Comisión para declarar, de conformidad con el artículo 109 del Tratado, que, bajo determinadas condiciones, las siguientes categorías de ayudas pueden quedar exentas de la obligación de notificación:

- Las ayudas a las pequeñas y medianas empresas (pyme).
- Las ayudas de investigación y desarrollo.
- Las ayudas a la protección del medio ambiente.
- Las ayudas al empleo y la formación.
- Las ayudas que se ajusten al mapa aprobado por la Comisión para cada Estado miembro a efectos de la concesión de ayudas regionales.

En cumplimiento de esta delegación, la Comisión adoptó el **Reglamento 651/2014** del 17 de junio de 2014 por el que se declaran determinadas categorías de ayudas compatibles con el mercado interior en aplicación de los artículos 107 y 108 del Tratado. Reglamento que se aplica a las siguientes categorías de ayudas de Estado:

a) Ayudas de finalidad regional.

b) Ayudas a las pyme en forma de ayudas a la inversión, ayudas de funcionamiento y ayudas para el acceso de las pyme a la financiación.

c) Ayudas para la protección del medio ambiente.

d) Ayudas de investigación y desarrollo e innovación.

e) Ayudas a la formación.

f) Ayudas a la contratación y empleo de trabajadores desfavorecidos y trabajadores con discapacidad.

g) Ayudas destinadas a reparar los perjuicios causados por determinados desastres naturales.

h) Ayudas de carácter social para el transporte en favor de residentes en regiones alejadas.

i) Ayudas para infraestructuras de banda ancha.

j) Ayudas a la cultura y la conservación del patrimonio.

k) Ayudas a infraestructuras deportivas y recreativas multifuncionales.

l) Ayudas a infraestructuras locales.

Las ayudas encuadradas en estas categorías, ya sea bajo el sistema de régimen o ayuda individual, serán compatibles con el mercado interior a tenor del artículo 107, apartados 2 o 3, del TFUE, y quedarán exentas de la obligación de notificación establecida en el artículo 108, apartado 3, siempre que cumplan todas las condiciones establecidas en la mencionada norma. No obstante, cuando las ayudas superen determinados umbrales económicos establecidos en el reglamento, quedarán sujetas a la preceptiva notificación.

D. El control de las ayudas de Estado

De acuerdo con el artículo **108 del TFUE,** la Comisión Europea, con la colaboración de los Estados miembros, se encarga de controlar las medidas adoptadas por los países de la Unión Europea en materia de ayudas estatales, tanto si se encuentran en fase de proyecto como si ya han entrado en vigor, con el objeto de asegurarse de que no falseen la competencia.

Dispone el **artículo 108 del TFUE**:

> 1. La Comisión examinará permanentemente, junto con los Estados miembros, los regímenes de ayudas existentes en dichos Estados. Propondrá a estos las medidas apropiadas que exija el desarrollo progresivo o el funcionamiento del mercado interior.

Este control tiene por objeto valorar el equilibrio entre los efectos positivos y negativos de las ayudas. Y así, para determinar la compatibilidad de las ayudas, la Comisión Europea examinará individualmente cada una de ellas y los Estados tienen la obligación de notificar las mismas antes de su desembolso.

1. Notificación de las ayudas de Estado: distinción entre ayudas legales y ayudas ilegales

Las ayudas debidamente notificadas se considerarán ayudas legales mientras que en el supuesto de que no sean notificadas a la Comisión se convierten automáticamente en ayudas ilegales.

Una vez notificadas las ayudas, la Comisión, a la luz de la información facilitada por el Estado, iniciará una investigación preliminar para determinar si las ayudas propuestas resultan compatibles o incompatibles con el mercado interior. Para ello dispone de un plazo de dos meses. Tras el examen de las ayudas, la Comisión podrá llegar a una de las siguientes conclusiones adoptando una Decisión al efecto:

- Que no se considera ayuda de conformidad con la normas de la Unión Europea, o
- Que no plantea objeciones a la ayuda propuesta porque es compatible con las normas de la Unión Europea al considerar que sus efectos positivos compensan el posible falseamiento de la competencia, o
- Que le plantea serias dudas la compatibilidad de la ayuda notificada con las normas de la Unión Europea.

En los dos primeros supuestos, la medida notificada se podrá aplicar inmediatamente tras la adopción, publicación y notificación de la correspondiente Decisión por parte de la Comisión. Es decir, el Estado notificante procederá al desembolso de la ayuda a la empresa beneficiaria.

2. Compatibilidad de las ayudas con el mercado interior

Sin embargo, en el tercer supuesto, cuando la Comisión tuviese dudas razonables sobre la compatibilidad de la ayuda notificada, estará obligada a abrir un procedimiento de investigación exhaustiva, notificándolo al interesado y a los terceros interesados —Estados y particulares— que disponen de un mes para presentar sus observaciones. Asimismo, se solicitará al Estado que ha notificado la ayuda que comente las observaciones remitidas por las partes interesadas.

Al final de este procedimiento la Comisión puede adoptar:

- Una decisión positiva, en la que decida sobreseer el procedimiento porque la medida no constituye una ayuda o es compatible con el mercado interior. En esos casos, podrá ser desembolsada por el Estado, o
- Una decisión condicional, en la que declare la medida compatible con el mercado interior pero sujeta a ciertas condiciones para que el Estado pueda desembolsar la ayuda, o
- Una decisión negativa, declarando que la medida propuesta es incompatible con el mercado interior y que el Estado no puede desembolsar la ayuda.

3. Reembolso de las ayudas ilegales que resulten incompabiles con el mercado interior

Si la ayuda declarada incompatible con el mercado interior hubiese sido ya desembolsada por el Estado —en cuyo caso se trataría de una ayuda ilegal—

este vendrá obligado a recuperar su importe (y los correspondientes intereses) de los beneficiarios. En estos casos, el órgano competente para exigir el reembolso de la ayuda será la Comisión Europea, que actuará dirigiendo una decisión al Estado implicado y solicitando del mismo la recuperación de la ayuda. Si el Estado afectado no cumpliese con la decisión, la Comisión puede someter el asunto al Tribunal de Justicia por incumplimiento de sus obligaciones del Tratado.

E. Revisión de las decisiones de la Comisión Europea por el Tribunal de Justicia

Las decisiones adoptadas por la Comisión para controlar las medidas adoptadas por los Estados miembros en materia de ayudas de Estado son susceptibles de ulterior recurso. El Tribunal General es competente para conocer los recursos de anulación que deseen interponer los particulares, las empresas y, en algunos casos, los Gobiernos nacionales en el ámbito de las ayudas de Estado. Además, el Tribunal de Justicia será competente para conocer los recursos de casación interpuestos contra las decisiones del Tribunal General en esta materia.

Un buen ejemplo lo constituye la Decisión de la Comisión relativa a la ayuda estatal concedida por España a Ciudad de la Luz SA. Tras recibir varias denuncias de sociedades competidoras, y de haber enviado varias solicitudes de información al Reino de España, además de invitarle a presentar observaciones en el procedimiento, en el año 2008 la Comisión Europea decidió incoar el procedimiento establecido en el Tratado respecto de las medidas adoptadas por la Comunitat Valenciana a favor de la construcción y la explotación de la Ciudad de la Luz S.A.U.

Tras finalizar el mencionado procedimiento, la Comisión, mediante decisión de 8 de mayo de 2012 dirigida al Reino de España, declaraba que las medidas adoptadas por la Comunitat Valenciana en favor de la construcción y la explotación del complejo cinematográfico CDL, así como los incentivos otorgados a productores cinematográficos, constituían ayudas de Estado ilegales por haberse desembolsado antes de su notificación y control por parte de la Comisión y, además, incompatibles con el mercado interior al ser contrarias al artículo 108.3 del TFUE.

Pues bien, Reino de España, Ciudad de la Luz, S.A.U. y Sociedad Proyectos Temáticos de la Comunidad Valenciana, S.A.U. decidieron recurrir la mencionada decisión ante el Tribunal General que, tras analizar los argumentos de las partes, decidió desestimar los recursos (Sentencia del Tribunal General de 3 de julio de 2014, asuntos acumulados T319/12 y T321/12, *España c. Comisión)*.

F. El principio de proporcionalidad y confianza legítima

Ahora bien, en algunos supuestos podría plantearse la imposibilidad del reembolso de la ayuda, lo que afectaría tanto al Estado, como ente responsable de recuperar la ayuda, cuanto a la empresa beneficiaria que no podría hacer frente a esta devolución. En estos casos, se podría alegar el principio de proporcionalidad y confianza legítima, teniendo en cuenta que en determinadas circunstancias la recuperación de una ayuda puede generar perjuicios económicos de gran magnitud, por la desinversión que ello representa, que pueden desembocar en la desaparición de la propia empresa.

Sin embargo, este principio, tal y como tiene reconocido el Tribunal de Justicia en su jurisprudencia, solo puede funcionar:

a) En aquellos supuestos en que la confianza legítima generada en la parte demandada sea de suficiente entidad:

> [...] no ha podido generar en la parte demandante una confianza legítima de suficiente entidad como para impedir a la Comisión que, en la decisión en virtud de la cual declaraba la incompatibilidad de la ayuda con el mercado común, dirigiera un mandamiento a las autoridades alemanas para que éstas ordenaran su restitución.
>
> Sentencia del Tribunal de Justicia de 24 de febrero de 1987, asunto 310/85, *Deufil*

b) Cuando el reembolso de una ayuda sea absolutamente imposible, si bien el Tribunal ha matizado que:

> [...] en la medida en que el procedimiento previsto por el Derecho nacional es aplicable a la recuperación de una ayuda ilegal, las disposiciones pertinentes del Derecho nacional deben ser aplicadas de manera que no hagan prácticamente imposible la recuperación exigida por el Derecho comunitario.
>
> Sentencia del Tribunal de Justicia de 2 de febrero de 1989, asunto 94/87, *Comisión c. Alemania*

> **El principio de proporcionalidad y confianza legítima en materia de ayudas de Estado: el *asunto Reino de España c. Comisión Europea***

Esta sentencia fue el resultado del recurso presentado por España ante el Tribunal de Justicia contra una decisión de la Comisión por la que se declaraban incompatibles con el mercado común las ayudas otorgadas por el Gobierno e Aragón a la empresa española Piezas y Rodajes, S.A., ayudas que venían constituidas por subvenciones a fondo perdido, donación de terrenos, garantía sobre un préstamo y bonificación de intereses. Todas estas actuaciones cumplían todos los requisitos para ser catalogadas como ayudas de Estado.

El Gobierno español, cumpliendo lo preceptuado en el Tratado, había comunicado a la Comisión un régimen general de ayudas regionales. Este plan fue aprobado y de este modo, en el marco de este régimen de ayudas, la empresa PYRSA se acogió a un programa de inversiones para construir una fábrica de fundición para la producción de ruedas dentadas para las cadenas de la industria minera, programa que, a su vez, se beneficiaba de las subvenciones y ayudas antes reseñadas.

Ante esta situación, un competidor, la sociedad británica William Cook planteó una queja ante la Comisión alegando que las ayudas recibidas por la empresa española PYRSA eran incompatibles con el mercado común. La Comisión procedió a examinar las ayudas recibidas por PYRSA llegando a la conclusión de que no podía plantear ninguna objeción a tales ayudas por cumplir una de las excepciones básicas establecidas en el Tratado al principio general prohibitivo que establece para las ayudas de Estado: se trataba de ayudas destinadas a favorecer el desarrollo económico de regiones en las que el nivel de vida es anormalmente bajo o en las que existe una grave situación de subempleo. Además, otra condición que llevó a la Comisión a adoptar una decisión favorable respecto a estas ayudas era la constatación de que en el sector en el que la empresa PYRSA desarrollaba su actividad no existían problemas de sobrecapacidad.

Posteriormente, la sociedad británica William Cook presentó un recurso de anulación contra la precitada decisión que fue anulada por el TJCE mediante su Sentencia de 19 de mayo de 1993, asunto C-198/91, *Cook c. Comisión*. En esta sentencia, el Tribunal reconocía que la Comisión no había efectuado todas las verificaciones necesarias para asegurarse de la ausencia de exceso de capacidad en el sector afectado y ante las dudas de la compatibilidad de la ayuda con el mercado común, la Comisión tenía que iniciar el procedimiento previsto en el artículo 93.2 del Tratado.

Y así, tras la apertura y finalización del mismo, la Comisión concluyó que en el sector implicado sí existía exceso de capacidad y que, contrariamente a lo que había sostenido en su primera decisión, las ayudas otorgadas a la sociedad española PYRSA afectaban de forma negativa la libre competencia. En consecuencia, las declaraba incompatibles con el mercado común. Además, y dado que las mismas habían sido desembolsadas con anterioridad a la decisión final de la Comisión, estas eran consideradas ilegales con las consecuencias jurídicas y económicas que de esta declaración se derivan. En definitiva, la devolución de las mismas por parte de la sociedad PYRSA a las autoridades españolas con los correspondientes intereses desde el momento en que las ayudas fueron desembolsadas.

Esta segunda decisión de la comisión fue objeto de un recurso de anulación. Entre los motivos alegados por España para solicitar la anulación de la decisión de la Comisión, además de la violación del artículo 92.3 a) del Tratado por parte de la Comisión en el análisis de la ayuda en cuestión, se encontraba la violación del principio de confianza legítima que supone el hecho de exigir la devolución de unas ayudas que habían sido ejecutadas siguiendo una decisión de la Comisión en la que no planteaban objeciones al desembolso de las mismas.

Sin embargo, este principio, tal y como tiene reconocido el Tribunal de Justicia en su jurisprudencia, solo puede funcionar en aquellos supuestos en que la confianza legítima generada en la parte demandada sea de suficiente entidad o cuando el reembolso de una ayuda sea absolutamente imposible. De este modo, el Tribunal considera que el Estado español no podía invocar el principio de confianza legítima en este supuesto por cuanto era consciente de haber violado las reglas de procedimiento previstas en el artículo 93 del Tratado (desembolso de la ayuda antes de la decisión final sobre su compatibilidad), para finalizar diciendo que, en todo caso, una empresa solamente podrá alegar el principio de confianza legítima siempre y cuando se hayan observado todos los aspectos del procedimiento de control de las ayudas de Estado establecidos en los artículos 92 y 93 del Tratado:

> [...] las empresas beneficiarias de una ayuda solo pueden, en principio, depositar una confianza legítima en la validez de la ayuda cuando esta se haya concedido observando el procedimiento que prevé dicho artículo.
>
> Sentencia del Tribunal de Justicia de 14 de enero de 1997, asunto C-169/95, *Reino de España c. Comisión de las Comunidades Europeas.*

Por otra parte, tampoco puede considerarse confianza legítima el hecho de que en una primera decisión la Comisión no hubiese planteado objeciones a una ayuda, pues es un hecho evidente conocido por todos los Estados que el Tratado, en su artículo 173 (actual artículo 263 TFUE), establece la posibilidad de recurrir en anulación ante el Tribunal de Justicia las decisiones adoptadas por la Comisión. El mismo recurso que España entabló frente a la posterior decisión de la Comisión declarando las ayudas incompatibles con el mercado común. De todo ello se deduce que una ayuda podrá ser desembolsada y aceptada únicamente a partir del momento en que la decisión que no plantea objeciones a la misma no pueda ser objeto de recurso.

Por todo lo cual, el Tribunal desestimó el recurso interpuesto por España en anulación de la decisión adoptada por la Comisión en la que se declaraban las ayudas otorgadas a PYRSA incompatibles con el mercado común.

G. Responsabilidad de los beneficiarios de ayudas de Estado

Finalmente, otro tema de gran transcendencia es el referido a la responsabilidad en que puede incurrir el beneficiario de una ayuda cuando la misma no haya sido notificada por un Estado a la Comisión. Como es bien sabido, el mecanismo de control y examen de las ayudas previsto en el Tratado no impone ninguna obligación a sus beneficiarios. Así, en cada momento las relaciones son siempre Estado-Comisión (notificación, entrega de información, prohibición previa de ejecución, autorización para su desembolso…).

En este sentido, el Tribunal de Justicia ha considerado que el hecho de que el beneficiario no haya comprobado que la ayuda percibida no ha sido notificada a la Comisión no genera en él ninguna responsabilidad con arreglo al Derecho comunitario, dejando a salvo, no obstante, la posible responsabilidad en materia extracontractual que pueda derivarse con base en la aplicación de su Derecho nacional.

> [...] el Derecho comunitario no ofrece una base suficiente para generar la responsabilidad del beneficiario que no haya comprobado si la ayuda que ha recibido ha sido debidamente notificada a la Comisión.
>
> Ello no prejuzga, sin embargo, la posible aplicación del Derecho nacional en materia de responsabilidad extracontractual. Si, según este último, la aceptación por parte de un operador económico de un apoyo ilícito que pueda causar un perjuicio a otros operadores económicos puede generar, en determinadas circunstancias, su responsabilidad, el principio de no discriminación puede llevar al juez nacional a estimar que el beneficiario de una ayuda de Estado abonada infringiendo el apartado 3 del artículo 93 del Tratado ha incurrido en dicha responsabilidad.
>
> Sentencia del Tribunal de Justicia de 11 de julio de 1996, asunto C-39/94, *Syndicat français de l'Express international (SFEI) y otros c. La Poste y otros.*

Por consiguiente, conviene destacar la importancia que tiene para las empresas verificar que las administraciones públicas cumplen en todo momento con la normativa de la Unión Europea en materia de ayudas de Estado. Porque las empresas no solo han de cumplir con los requisitos exigidos para hacerse acreedoras de una ayuda, sino que han de cerciorarse de que la administración de donde proceden los fondos está actuando conforme a la normativa vigente en esta materia y, finalmente, no deben aceptar el desembolso de una ayuda hasta que la Comisión se haya pronunciado sobre su compatibilidad con el Tratado y su decisión sea firme sin posibilidad de ulterior recurso ante el Tribunal de Justicia. Pues, tal y como declaraba el Tribunal de Justicia, refiriéndose a la aceptación de una ayuda de estado por una empresa y el cumplimiento del procedimiento establecido al efecto:

> [...] en circunstancias normales, todo agente económico diligente debe poder comprobar si ha sido observado dicho procedimiento.
>
> Sentencia del Tribunal de Justicia de 14 de enero de 1997, asunto C-169/95, *Reino de España c. Comisión de las Comunidades Europeas.*

Capítulo 9

EL ESPACIO DE LIBERTAD, SEGURIDAD Y JUSTICIA

I. ASPECTOS GENERALES

II. OBJETIVOS

III. NOVEDADES INTRODUCIDAS POR EL TRATADO DE LISBOA PARA ALCANZAR LOS OBJETIVOS DEL ELSJ

    A. Procedimiento de toma de decisiones más eficaz y democrático
    B. Atribución de mayores competencias a los Parlamentos nacionales
    C. Atribución de mayores competencias al Tribunal de Justicia de la Unión Europea
    D. Mayor protagonismo de la Comisión Europea
    E. Intervención de los Estados miembros en la evaluación de la aplicación de las políticas en el ámbito del espacio de libertad, seguridad y justicia

IV. ÁMBITO DEL ESPACIO DE LIBERTAD, SEGURIDAD Y JUSTICIA

    A. El control fronterizo, asilo e inmigración
    B. La cooperación judicial en materia civil
    C. La cooperación judicial en materia penal
    D. La cooperación policial

V. PAISES NO PARTICIPANTES EN EL ESPACIO DE LIBERTAD, SEGURIDAD Y JUSTICIA

I. ASPECTOS GENERALES

La creación del espacio de libertad, seguridad y justicia se basa en los programas de Tampere (1999-2004), La Haya (2004-2009) y Estocolmo (2010-2014), y viene regulado en el título V del TFUE (artículos 67 a 89).

El Tratado de Lisboa otorgó prioridad a la realización de un espacio de libertad, seguridad y justicia y, para ello, fortaleció las competencias de la Unión Europea en las siguientes materias:

- El control fronterizo, el asilo y la inmigración.
- La cooperación judicial en materia civil.
- La cooperación judicial en materia penal.
- La cooperación policial.

Al mismo tiempo, acrecentó el papel de la Unión Europea en el plano internacional con el fin de hacer más coherente su política exterior y de seguridad común, adquiriendo personalidad jurídica para negociar y ser parte en los tratados internacionales, y siendo representada por la figura de la Alta Representante de la Unión para Asuntos Exteriores y Política de Seguridad. Finalmente, en el ámbito del espacio de libertad, seguridad y justicia, el Tratado de Lisboa prevé el establecimiento de una política de defensa europea común.

II. OBJETIVOS

El objetivo principal del espacio de libertad, seguridad y justicia en la Unión Europea es garantizar la libre circulación de personas y ofrecer un elevado nivel de protección a los ciudadanos. Para ello, abarca distintos ámbitos políticos —desde la gestión de las fronteras externas de la Unión hasta la cooperación judicial en materia civil, penal y policial—. Incluye, igualmente, políticas de asilo e inmigración y de lucha contra la delincuencia (terrorismo, delincuencia organizada, delincuencia informática, explotación sexual de niños, trata de seres humanos, drogas ilegales, etc.).

En el **artículo 67 del TFUE** se encuentran claramente definidos estos objetivos:

> 1. La Unión constituye un espacio de libertad, seguridad y justicia dentro del respeto de los derechos fundamentales y de los distintos sistemas y tradiciones jurídicos de los Estados miembros.
> 2. Garantizará la ausencia de controles de las personas en las fronteras interiores y desarrollará una política común de asilo, inmigración y control

de las fronteras exteriores que esté basada en la solidaridad entre Estados miembros y sea equitativa respecto de los nacionales de terceros países. A efectos del presente título, los apátridas se asimilarán a los nacionales de terceros países.

3. La Unión se esforzará por garantizar un nivel elevado de seguridad mediante medidas de prevención de la delincuencia, el racismo y la xenofobia y de lucha en contra de ellos, medidas de coordinación y cooperación entre autoridades policiales y judiciales y otras autoridades competentes, así como mediante el reconocimiento mutuo de las resoluciones judiciales en materia penal y, si es necesario, mediante la aproximación de las legislaciones penales.

4. La Unión facilitará la tutela judicial, garantizando, en especial, el principio de reconocimiento mutuo de las resoluciones judiciales y extrajudiciales en materia civil.

III. NOVEDADES INTRODUCIDAS POR EL TRATADO DE LISBOA PARA ALCANZAR LOS OBJETIVOS DEL ELSJ

A. Procedimiento de toma de decisiones más eficaz y democrático

Esto implica la eliminación del tercer pilar, basado en la cooperación intergubernamental y la adopción de los textos legislativos asociados por el procedimiento legislativo ordinario descrito en el artículo 294 del TFUE, es decir, que el Consejo decida por mayoría cualificada y el Parlamento Europeo, en calidad de colegislador, se pronuncie en codecisión.

B. Atribución de mayores competencias a los Parlamentos nacionales

Ahora los Parlamentos nacionales pueden analizar los proyectos de actos legislativos con respecto al principio de subsidiariedad y hasta que no transcurra el plazo asignado para ello (ocho semanas) no puede adoptarse ninguna decisión en el ámbito de la Unión Europea ya que, de otro modo, podría interponerse un recurso de anulación contra ese acto ante el Tribunal de Justicia.

Además, en el ámbito del espacio de libertad, seguridad y justicia los Parlamentos nacionales tienen la posibilidad de solicitar de nuevo el estudio del proyecto siempre que así sea votado por un cuarto del total de los votos que tienen atribuidos los Parlamentos nacionales (artículo 7, apartado 2, del Protocolo nº. 2 del TFUE).

Por otra parte, los Parlamentos nacionales participan en la evaluación de las actividades de Eurojust y Europol (artículos 85 y 88 del TFUE).

C. Atribución de mayores competencias al Tribunal de Justicia de la Unión Europea

También el Tribunal de Justicia ha visto reforzadas sus competencias a raíz del Tratado de Lisboa, ya que ahora puede pronunciarse con carácter prejudicial sobre todo el ámbito del espacio de libertad, seguridad y justicia. Lo mismo sucede respecto a la cooperación policial y judicial en materia penal, una vez transcurrido el periodo transitorio de cinco años a partir de la entrada en vigor del Tratado de Lisboa (1 diciembre 2014). Igualmente, este sistema se aplica en relación a los recursos por incumplimiento ante el Tribunal de Justicia (Protocolo n.º 36 del TFUE).

D. Mayor protagonismo de la Comisión Europea

A partir del Tratado de Lisboa, la Comisión Europea puede presentar recursos por incumplimiento ante el Tribunal de Justicia contra los Estados miembros que no respeten las disposiciones establecidas en el marco del espacio de libertad, seguridad y justicia.

E. Intervención de los Estados miembros en la evaluación de la aplicación de las políticas en el ámbito del espacio de libertad, seguridad y justicia

La intervención de los Estados miembros en el ámbito del ELSJ puede producirse con base al artículo **70 del TFUE** que dispone:

> [...] el Consejo podrá adoptar, a propuesta de la Comisión, medidas que establezcan los procedimientos que seguirán los Estados miembros para efectuar, en colaboración con la Comisión, una evaluación objetiva e imparcial de la aplicación, por las autoridades de los Estados miembros, de las políticas de la Unión contempladas en el presente título, en particular con objeto de favorecer la plena aplicación del principio de reconocimiento mutuo. Se informará al Parlamento Europeo y a los Parlamentos nacionales del contenido y los resultados de esta evaluación.

IV. ÁMBITO DEL ESPACIO DE LIBERTAD, SEGURIDAD Y JUSTICIA

Partiendo del objetivo perseguido con la creación del espacio de libertad, seguridad y justicia en la Unión Europea, diversos aspectos forman parte de este espacio, algunos de los cuales como la libre circulación de personas y la ciudadanía de la Unión ya han sido objeto de estudio en el capítulo 5 de esta obra. Entre los más sobresalientes, hay que destacar los siguientes:

A. El control fronterizo, asilo e inmigración

Las instituciones de la Unión Europea han adquirido mayores competencias a partir del Tratado de Lisboa, en particular para:

- Aplicar una gestión común de las fronteras exteriores de la Unión Europea, en particular mediante el refuerzo de la Agencia Europea para la gestión de la cooperación operativa en las fronteras exteriores, denominada Frontex.
- Crear un sistema europeo común de asilo. Dicho sistema se basará en un estatuto europeo uniforme y en procedimientos comunes de concesión y de retirada del derecho de asilo.
- Establecer normas, condiciones y derechos en materia de inmigración legal.

B. La cooperación judicial en materia civil

También en este ámbito se han atribuido mayores competencias a las instituciones de la Unión Europea. Así, podrán adoptar nuevas medidas relativas a:

- La aplicación del principio de reconocimiento mutuo: cada sistema judicial debe reconocer como válidas y aplicables las decisiones aprobadas por los sistemas jurídicos de otros países de la Unión.
- El acceso efectivo a la justicia.
- El desarrollo de métodos de resolución de litigios alternativos.
- La formación de los magistrados y el personal de justicia.

C. La cooperación judicial en materia penal

Hasta el Tratado de Lisboa, los temas asociados a la cooperación judicial penal y la cooperación policial pertenecían al denominado tercer pilar de la Unión Europea basado en la cooperación intergubernamental, por lo que bajo ese sistema las instituciones de la Unión Europea no podían adoptar normas en esa materia. A partir del Tratado de Lisboa, se elimina el tercer pilar y cambia el sistema; las instituciones ahora pueden legislar en materia de cooperación penal, particularmente, para establecer reglas mínimas en lo que respecta a la definición y sanción de las infracciones penales más graves, así como para fijar normas comunes sobre el desarrollo del procedimiento penal, por ejemplo, en lo que respecta a la admisibilidad de pruebas o el derecho de las personas.

Además, el Tratado de Lisboa pretende reforzar el papel de Eurojust en la Unión Europea, ampliando sus poderes mediante el procedimiento legislativo ordinario y proponiendo al Consejo la adopción de una fiscalía europea que pueda investigar, perseguir y enjuiciar a los autores de los delitos, y ejercer la acción pública ante los órganos judiciales de los países de la Unión.

¿QUÉ ES Y QUE HACE EUROJUST?

Eurojust fue creado en 2002 con el objetivo de apoyar y reforzar la coordinación y la cooperación entre las autoridades nacionales en la lucha contra las formas graves de delincuencia transfronteriza en la Unión Europea.

Cada uno de los 28 Estados miembros de la UE nombra a un representante de alto nivel para trabajar en Eurojust, con sede en la Haya. Estos representantes son fiscales, jueces o funcionarios de policía con competencias equivalentes, y de reconocida experiencia.

La tarea de Eurojust es aumentar la eficacia de las autoridades nacionales en la investigación y persecución de las formas graves de delincuencia organizada y transfronteriza, y llevar a los delincuentes ante la justicia de forma rápida y eficaz. El objetivo de Eurojust es convertirse en un elemento clave en la cooperación y en un centro de conocimiento y experiencia a nivel judicial en la lucha efectiva contra la delincuencia organizada transfronteriza en la Unión Europea.

http://www.eurojust.europa.eu/Pages/languages/es.aspx

D. La cooperación policial

La cooperación policial también pertenecía al denominado tercer pilar basado en la cooperación intergubernamental, por lo que se ha visto beneficiada por su desaparición. Ahora serán las instituciones de la Unión Europea las que legislen en esta materia adoptando reglamentos o directivas. Esto significa que los aspectos no operativos de la cooperación judicial quedarán sometidos al procedimiento legislativo ordinario, mientras que los relacionados con la cooperación operativa quedarán sujetos al procedimiento legislativo especial que requerirá la unanimidad del Consejo, aunque puede ponerse en marcha la cooperación reforzada cuando el Consejo no alcance la unanimidad.

En esta materia, el Tratado de Lisboa también prevé el refuerzo progresivo de la Oficina Europea de Policía, es decir, Europol, autorizando al Consejo y al Parlamento para que puedan ampliar las misiones y poderes de este organismo en el marco del procedimiento legislativo ordinario.

¿QUÉ ES EUROPOL?

La Oficina Europea de Policía (Europol), es la agencia encargada de velar por el cumplimiento de la ley en la Unión Europea, contribuyendo a que Europa sea más segura y ayudando a las autoridades responsables de la aplicación de la ley en los países miembros de la Unión Europea.

Europol ofrece los siguientes servicios: apoyo sobre el terreno a las operaciones de las fuerzas y cuerpos de seguridad; actuar como central de intercambio de información sobre actividades delictivas; y como centro de conocimientos especializados en materia de aplicación de la ley.

Para proporcionar a los socios nacionales un conocimiento más profundo de los problemas a que se enfrentan, Europol elabora periódicamente análisis a largo plazo sobre delincuencia y terrorismo.

Está integrado por un representante de alto nivel de cada país de la Unión Europea y de la Comisión Europea, y cada país cuenta con una Unidad Nacional de Europol, que es el órgano de enlace entre Europol y las demás agencias nacionales.

https://www.europol.europa.eu/

V. PAÍSES NO PARTICIPANTES EN EL ESPACIO DE LIBERTAD, SEGURIDAD Y JUSTICIA

El Reino Unido, Irlanda y Dinamarca disfrutan de un régimen derogatorio que engloba todas las medidas aprobadas en el marco del espacio de libertad, seguridad y justicia. Por lo tanto, las medidas adoptadas en este ámbito no les vinculan.

Así, el Reino Unido e Irlanda participan solo en la adopción y aplicación de medidas específicas a raíz de una decisión de participación (*opt-in*) (Protocolo n.º 21 del TFUE sobre la posición del Reino Unido y de Irlanda respecto del espacio de libertad, seguridad y justicia).

El artículo 1 del Protocolo n.º 21 dispone:

> Con sujeción a lo dispuesto en el artículo 3, el Reino Unido e Irlanda no participarán en la adopción por el Consejo de medidas propuestas en virtud del título V de la tercera parte del Tratado de Funcionamiento de la Unión Europea [...]

No obstante, en su artículo 3.1, el Protocolo matiza que podrán participar en la adopción y aplicación de determinadas medidas:

> El Reino Unido o Irlanda podrán notificar por escrito al Presidente del Consejo, en un plazo de tres meses a partir de la presentación al Consejo de una propuesta o iniciativa en virtud del título V de la tercera parte del Tratado de Funcionamiento de la Unión Europea, su deseo de participar en la adopción y aplicación de la medida propuesta de que se trate, tras lo cual dicho Estado tendrá derecho a hacerlo.

Igualmente, podrán aceptar dicha medida, en cualquier momento, una vez ya adoptada por el Consejo, tal y como dispone el artículo 4 del mencionado Protocolo. Finalmente, el artículo 8 dispone que Irlanda podrá decidir no seguir acogiéndose a las disposiciones del Protocolo siempre que lo notifique por escrito al Consejo.

Por su parte, Dinamarca no participa en la adopción por el Consejo de las medidas propuestas en virtud del título V del TFUE (Protocolo n.º 22 del TFUE sobre la posición de Dinamarca). Así, el artículo 1 del Protocolo n.º 22 dispone:

> Dinamarca no participará en la adopción por el Consejo de medidas propuestas en virtud del título V de la tercera parte del Tratado de Funcionamiento de la Unión Europea [...]

Y, al igual que sucede con Irlanda, en cualquier momento podrá decidir que ya no desea hacer uso en su totalidad o en parte del presente Protocolo.

En resumen, de acuerdo a los Protocolos citados, el Reino Unido, Irlanda y Dinamarca pueden acogerse a dos tipos de cláusulas derogatorias:

a) Una cláusula «*opt-in*» que permite a cada uno de estos países participar, en casos concretos, en el procedimiento de adopción de una medida o en la aplicación de una medida ya aprobada. Cuando esto es así, dichas medidas serán vinculantes para ellos en la misma medida que para los otros países de la Unión Europea.

b) Una cláusula «*opt-out*» que les permite abstenerse de aplicar una medida en cualquier momento.

Capítulo 10

LAS RELACIONES COMERCIALES EXTERIORES DE LA UNIÓN EUROPEA

I. COMERCIO MUNDIAL Y UNIÓN EUROPEA

II. LA POLÍTICA COMERCIAL COMÚN (PCC)

A. Introducción
B. Régimen aplicable a las exportaciones
C. Régimen aplicable a las importaciones

III. DIMENSIÓN MULTILATERAL DE LA PCC: LA ORGANIZACIÓN MUNDIAL DEL COMERCIO

A. Del GATT a la OMC
B. La Organización Mundial del Comercio
C. La Unión Europea y la Organización Mundial del Comercio

IV. DIMENSIÓN BILATERAL DE LA PCC: ACUERDOS DE LIBRE CO-MERCIO

A. Países en desarrollo: Sistema de Preferencias Generalizadas (SPG)
B. La Política Europea de Vecindad
C. Relación con los países de África, del Caribe y del Pacífico (ACP)
D. Acuerdos Euromediterráneos
E. Acuerdos con países del continente americano
F. Las relaciones transatlánticas: Canadá y Estados Unidos
G. Dimensión asiática: Asia y el Pacífico

I. COMERCIO MUNDIAL Y UNIÓN EUROPEA

La creación del mercado interior ha contribuido a posicionar la economía de la Unión Europea como la primera potencia comercial del mundo —es la primera exportadora mundial de productos manufacturados y servicios y constituye el mayor mercado de importación para más de 100 países—, en un sistema global donde el comercio mundial viene regulado por las normas establecidas por la Organización Mundial del Comercio. No es una coincidencia que el mercado único de la Unión Europea se inspirase parcialmente en los principios y prácticas del GATT, a la sazón precursor de la Organización Mundial del Comercio.

En este sentido, el comercio exterior desarrolla un papel muy importante en la economía de la Unión debido a su crecimiento fomentado en los últimos años por el uso de las nuevas tecnologías de la información. Además, la globalización de la economía mundial también afecta de modo significativo a la economía de la Unión Europea tal y como se puso de manifiesto con la crisis financiera mundial.

II. LA POLÍTICA COMERCIAL COMÚN (PCC)

A. Introducción

En virtud del Tratado, los Estados miembros han transferido o cedido a la Unión Europea parte de su soberanía, lo que se plasma en la cesión de determinadas competencias, entre ellas, el comercio internacional. Esta circunstancia convierte a la Unión Europea en sujeto internacional con personalidad jurídica y competencias para entablar relaciones internacionales y asumir obligaciones, ya sea con organismos internacionales o con otros Estados. Consecuentemente, los Estados miembros consienten que la Unión Europea participe, a través de sus instituciones, como sujeto activo y pasivo en las relaciones internacionales. El **artículo 47 del TFUE** (Título VI Disposiciones finales) declara:

> La Unión tiene personalidad jurídica

A su vez, la Política Comercial Común de la Unión Europea es uno de los ámbitos en los que la Unión dispone de competencias plenas y directas. Así lo dispone el **artículo 3 del TFUE**:

1. La Unión dispondrá de competencia exclusiva en los ámbitos siguientes:
[…] e) La política comercial común.

Y el **artículo 206 del TFUE**, al referirse a la Política Comercial Común de la Unión, dispone que:

> Mediante el establecimiento de una unión aduanera de conformidad con los artículos 28 a 32, la Unión contribuirá, en el interés común, al desarrollo armonioso del comercio mundial, a la supresión progresiva de las restricciones a los intercambios internacionales y a las inversiones extranjeras directas, así como a la reducción de las barreras arancelarias y de otro tipo.

Por su parte, el **artículo 207.1 del TFUE** señala que la Política Comercial Común se llevará a cabo en el marco de los principios y objetivos de la acción exterior de la Unión y establece una definición amplia al señalar:

> La política comercial común se basará en principios uniformes, en particular por lo que se refiere a las modificaciones arancelarias, la celebración de acuerdos arancelarios y comerciales relativos a los intercambios de mercancías y de servicios, y los aspectos comerciales de la propiedad intelectual e industrial, las inversiones extranjeras directas, la uniformización de las medidas de liberalización, la política de exportación, así como las medidas de protección comercial, entre ellas las que deban adoptarse en caso de *dumping* y subvenciones.

Pues bien, para desarrollar la Política Comercial Común, el TFUE otorga competencia exclusiva a las instituciones de la Unión, tal y como se desprende del **artículo 207.2 del TFUE:**

> El Parlamento Europeo y el Consejo, con arreglo al procedimiento legislativo ordinario, adoptarán mediante reglamentos las medidas por las que se defina el marco de aplicación de la política comercial común.

La Política Comercial Común (PCC) de la Unión Europea abarca no solo el comercio de bienes industriales y agrícolas, sino también las actividades que forman parte del comercio, como los servicios y la propiedad intelectual. Una de sus funciones primordiales es la conclusión de acuerdos comerciales y, en este sentido, dentro de las competencias asignadas a las instituciones de la Unión en esta materia, la Comisión Europea asume la responsabilidad de negociar los acuerdos comerciales internacionales, ya sean multilaterales

—por ejemplo en el seno de la Organización Mundial del Comercio— o bilaterales, en nombre de la Unión, es decir, de los 28 Estados miembros.

De este modo, en el seno de la OMC, la Unión Europea funciona como un único miembro y se encuentra representada por la Comisión, que es la encargada de negociar los acuerdos comerciales y de defender sus intereses ante el Órgano de Solución de Diferencias de la OMC. No obstante, la Comisión tiene que informar y rendir cuentas ante los Estados miembros a través del Consejo y el Parlamento Europeo.

Por otra parte, el papel del Parlamento Europeo en la negociación y ratificación de acuerdos comerciales internacionales se ha visto reforzado a partir del Tratado de Lisboa que entró en vigor en 2009. Ahora tiene un papel más activo, pues se precisa su aprobación. Además, en materia de comercio internacional e inversiones, el mencionado Tratado de Lisboa confirió al Parlamento Europeo el papel de colegislador junto al Consejo.

B. Régimen aplicable a las exportaciones

El Régimen común de la Unión Europea aplicable a las exportaciones viene regulado en el **Reglamento 2015/479** del Parlamento Europeo y del Consejo, de 11 de marzo de 2015, que incluye todos los productos, tanto industriales como agrícolas y que establece como principio fundamental:

> Las exportaciones de la Unión con destino a terceros países serán libres, es decir, no estarán sometidas a restricciones cuantitativas, excepto aquellas que se apliquen con arreglo al presente Reglamento (artículo 1).

Del mismo modo, incorpora normas relacionadas con un procedimiento para la adopción de medidas de salvaguardia:

> Cuando, como consecuencia de una evolución excepcional del mercado, un Estado miembro estimare que podrían ser necesarias medidas de salvaguardia (artículo 2).

En esos casos, el Estado miembro afectado lo notificará a la Comisión que puede subordinar la exportación de un producto a la presentación de una autorización de exportación. Estas medidas de salvaguardia únicamente podrán adoptarse cuando sean necesarias para los intereses de la Unión pero siempre que se haga respetando los compromisos internacionales adquiridos, por ejemplo, en el seno de la OMC.

C. Régimen aplicable a las importaciones

Por su parte, las normas comunes de la Unión Europea relativas a las importaciones se encuentran recogidas en el **Reglamento 2015/478** del Parlamento Europeo y del Consejo, de 11 de marzo de 2015, sobre el régimen común aplicable a las importaciones que, con carácter general, dispone:

> La importación en la Unión de los productos mencionados en el apartado 1 será libre y no estará sujeta por lo tanto a ninguna restricción cuantitativa, sin perjuicio de las medidas que pudieran tomarse en virtud de lo dispuesto en el capítulo V (artículo 1.2).

Este reglamento es aplicable a las importaciones de productos procedentes de países de fuera de la Unión Europea con dos excepciones: los productos textiles sometidos a normas específicas de importación con arreglo al Reglamento (UE) 2015/936; y los productos originarios de determinados países de fuera de la Unión Europea enumerados en el Reglamento 2015/755.

El reglamento permite recurrir a medidas de vigilancia o salvaguardia cuando la evolución de las importaciones pueda hacerlo necesario. Por consiguiente, cuando las importaciones de un producto provoquen o amenacen con provocar un perjuicio grave a los productores de la Unión Europea, se abrirá una investigación para determinar si procede aplicar una medida de salvaguardia. Para ello, se tomarán en consideración el volumen de las importaciones, los precios de las importaciones y su repercusión para los productores europeos de productos similares o directamente competidores.

Si se confirmase un perjuicio grave para los productores de la Unión, la Comisión podrá aplicar medidas de vigilancia o medidas de salvaguardia. Mientras las primeras no restringen las importaciones, sino que se establecen durante un plazo determinado con el fin de vigilar el sistema de licencias de importación, las medidas de salvaguardia pueden llevar aparejado el establecimiento de contingentes a la importación de determinados productos procedentes de países de fuera de la Unión Europea, lo que supondría establecer restricciones cuantitativas a las importaciones.

En cualquier caso, no se podrán aplicar medidas de salvaguardia a productos originarios de países en vías de desarrollo, miembros de la Organización Mundial del Comercio, mientras que la cuota de dicho país en las importaciones de la Unión Europea del producto en cuestión no sobrepase el 3 % y la cuota de importación de todos los países en vías de desarrollo no suponga más del 9 %.

III. DIMENSIÓN MULTILATERAL DE LA PCC: LA ORGANIZACIÓN MUNDIAL DEL COMERCIO

A. Del GATT a la OMC

El Acuerdo General sobre Aranceles y Comercio (*General Agreement of Tariff and Trade, GATT*) fue concebido para eliminar las barreras aduaneras y fomentar el comercio entre sus Estados miembros. Con este sistema, basado en el principio de no discriminación, se reducen los aranceles, se fomentan los intercambios comerciales y se contribuye a garantizar a las empresas y sus productos el acceso a otros mercados más allá de sus fronteras, así como el crecimiento económico de los países, especialmente los menos desarrollados. Desde 1948 hasta 1994, el Acuerdo GATT reguló una gran parte del comercio mundial a pesar de haber sido un instrumento de carácter provisional, pues la idea original en la que participaron más de cincuenta países era crear una institución, la Organización Internacional de Comercio, que se ocupase de la regulación del comercio internacional y que complementase las otras dos grandes instituciones de carácter económico a nivel mundial que se establecieron en aquella época: el Banco Mundial y el Fondo Monetario Internacional.

El origen del GATT se remonta a la Conferencia Internacional de Comercio que se organizó bajo los auspicios de la ONU en 1946 (Londres) y 1947 (Ginebra). De ahí salió un proyecto, la Carta de Comercio Internacional, que se completó en 1947 en la Conferencia de las Naciones Unidas sobre Comercio y Empleo celebrada en La Habana en 1947. Como su nombre indica, el texto del GATT recogía unos principios de reducción arancelaria que, además, incluía otros aspectos relacionados con el comercio de mercancías como el tratamiento de la nación más favorecida, el tratamiento nacional, la eliminación general de las restricciones cuantitativas, la prohibición de los derechos *antidumping* y derechos compensatorios, o la regulación de las subvenciones.

Los seis países fundadores de las Comunidades Europeas eran miembros del GATT y participaron en las 8 rondas de negociación que tuvieron lugar para liberalizar el comercio muncial:

1. Ginebra (Suiza, 1947)
2. Annecy (Francia, 1949)
3. Tourquay (Inglaterra, 1951)
4. Ginebra (Suiza, 1956)
5. Ginebra (Ronda Dillon, 1960-1961)
6. Ginebra (Ronda Kennedy, 1964-1967)

7. Ginebra (Ronda Tokio, 1973-1979)
8. Montevideo (Ronda Uruguay, 1986-1994)

En la Ronda Uruguay, participaron ya 124 países y se incorporaron por vez primera materias hasta entonces excluidas del sistema multilateral de comercio, como el comercio de servicios, la agricultura, los textiles y la propiedad intelectual. Tras siete años de negociaciones en la que fue la ronda de negociación más larga de las desarrolladas en el seno del GATT, el 25 de abril de 1994 se firmaba el Acta final de la Ronda Uruguay en Marrakech.

En esta ronda, se creó la OMC para reemplazar al GATT. Así pues, mientras el GATT constituía un sistema de reglas establecidas por 23 países, que entró en vigor el 1 de enero de 1948 como un instrumento de aplicación provisional, la OMC es un organismo internacional que entró en vigor el 1 de enero de 1995 y que ha ampliado su ámbito de aplicación desde el comercio de bienes hasta el comercio de servicios y los derechos de propiedad intelectual, siendo considerada la sucesora del GATT.

El acta final de Marrakech incluye una lista de acuerdos multilaterales y plurilaterales que forman parte integrante de los acuerdos de la Organización Mundial del Comercio y son vinculantes para todos los miembros de la Organización. A su vez, el acuerdo por el que se establece la OMC incluye varios anexos incluyendo todos los Acuerdos que forman parte de la misma.

B. La Organización Mundial del Comercio

1. Planteamiento

La Organización Mundial del Comercio es la única organización internacional que se ocupa de las normas que rigen el comercio entre los países, aplicando un sistema de normas comerciales que favorecen la apertura del comercio mundial. El objetivo es ayudar a los productores de bienes y servicios y a los exportadores e importadores a llevar adelante sus actividades. La OMC constituye un foro para la negociación de acuerdos comerciales entre los Gobiernos, y establece un sistema de resolución de controversias comerciales al que los países han de acudir para resolver sus conflictos con otros Estados.

De los 193 Estados que hay en el mundo (Estados miembros de las Naciones Unidas), en el momento actual 164 países son miembros de pleno derecho de la OMC, mientras que otros 23 tienen la condición de observadores, es decir, países que deben iniciar las negociaciones de adhesión en un plazo de cinco años después de obtener la condición de observador.

Los acuerdos comerciales que se negocian en el marco de la OMC abarcan tanto las mercancías cuanto los servicios y la propiedad intelectual, incluyendo diversas materias, tales como agricultura, textiles y vestido, servicios bancarios, telecomunicaciones, contratación pública, normas industriales y seguridad de los productos, reglamentos sobre sanidad de los alimentos, o propiedad intelectual.

2. Principios básicos

Existen una serie de principios fundamentales que constituyen la base del sistema multilateral de comercio, fundamentalmente, la liberalización de los intercambios comerciales mediante la reducción de los aranceles aduaneros y otros obstáculos al comercio, que ha de producirse a través de las negociaciones multilaterales y la eliminación de la discriminación comercial. Para ello, se aplican dos principios básicos: el tratamiento de la Nación Más Favorecida y el Tratamiento Nacional para los productos procedentes de otros países. Todo ello, sin olvidar el establecimiento de determinadas excepciones o derogaciones a la norma general.

Artículo I del GATT
Trato General de la Nación Más Favorecida

1. Con respecto a los derechos de aduana y cargas de cualquier clase impuestos a las importaciones o a las exportaciones, o en relación con ellas, o que graven las transferencias internacionales de fondos efectuadas en concepto de pago de importaciones o exportaciones, con respecto a los métodos de exacción de tales derechos y cargas, con respecto a todos los reglamentos y formalidades relativos a las importaciones y exportaciones, y con respecto a todas las cuestiones a que se refieren los párrafos 2 y 4 del artículo III, cualquier ventaja, favor, privilegio o inmunidad concedido por una parte contratante a un producto originario de otro país o destinado a él, será concedido inmediata e incondicionalmente a todo producto similar originario de los territorios de todas las demás partes contratantes o a ellos destinado.

https://www.wto.org

Artículo III del GATT
Trato nacional en materia de tributación y de reglamentación interiores

1. Las partes contratantes reconocen que los impuestos y otras cargas interiores, así como las leyes, reglamentos y prescripciones que afecten a la venta, la oferta para la venta, la compra, el transporte, la distribución o el uso de productos en el mercado interior y las reglamentaciones cuantitativas interiores que prescriban la mezcla, la transformación o el uso de ciertos productos en cantidades o en proporciones determinadas, no deberían aplicarse a los productos importados o nacionales de manera que se proteja la producción nacional.

https://www.wto.org

3. La solución de diferencias en el seno de la OMC

Otro de los principales logros de la OMC ha sido la instauración y consolidación de su Órgano de Solución de Diferencias Comerciales, que es competente para resolver las diferencias comerciales que surjan entre los países miembros de la OMC y cuyas decisiones son vinculantes. Este sistema permite que los Estados miembros puedan denunciar las infracciones a las normas de la OMC llevadas a cabo por otros Estados, reclamando su cese y, en su caso, una reparación.

a) El Entendimiento Relativo a las Normas y Procedimientos por los que se Rige la Solución de Diferencias

El sistema de solución de diferencias que establece la OMC es un elemento clave para el orden comercial multilateral. De este modo, el Órgano de Solución de Diferencias comerciales, que está integrado por todos los Gobiernos Miembros —representados por embajadores o funcionarios de rango equivalente— ha contribuido a generar un comercio internacional más justo y menos sometido a medidas unilaterales de represalia, en definitiva, a poner fin las guerras comerciales bilaterales que podían surgir entre los países afectados. Al mismo tiempo, garantiza que los miembros más fuertes no se impongan a los más débiles y proporciona normas claras acerca de la aplicación de medidas de compensación y suspensión de concesiones a las que una parte puede recurrir cuando el Estado miembro afectado no aplique en un plazo prudencial las recomendaciones y resoluciones adoptadas por el OSD.

Las facultades que tiene atribuidas el OSD son las siguientes:

a) Establecer grupos especiales, que emitirán un informe sobre la controversia comercial planteada.

b) Adoptar los informes adoptados por los grupos especiales.

c) Adoptar los informes adoptados por el órgano de Apelación.

d) Vigilar la aplicación de las resoluciones y recomendaciones.

e) Autorizar la suspensión de concesiones y otras obligaciones en el marco de los acuerdos abarcados.

Ante un conflicto comercial, los miembros de la OMC se comprometen a iniciar la celebración de consultas previamente a la solicitud del establecimiento de un grupo especial. Además, si así lo acuerdan voluntariamente, podrán iniciar otros procedimientos como los buenos oficios, la conciliación y la mediación con el fin de alcanzar un acuerdo antes de acudir al establecimiento de un grupo especial. Cuando se constituya un grupo especial, este emitirá un informe que, una vez adoptado por el OSD, ha de ser aceptado por las partes intervinientes en el conflicto comercial de tal forma que se ponga fin al mismo.

Además, en el seno de la OMC y del sistema de solución de diferencias también se ha creado un Órgano de Apelación de carácter permanente que, con sede en Ginebra (Suiza), es competente para conocer de los recursos de apelación interpuestos contra las decisiones de los grupos especiales. Este, podrá confirmar, modificar o revocar las conclusiones adoptadas por un grupo especial. Al igual que sucede con los informes de los grupos especiales, las resoluciones del Órgano de Apelación han de ser adoptadas por el OSD y aceptadas por las partes poniendo fin así a la controversia suscitada.

C. La Unión Europea y la Organización Mundial del Comercio

1. Planteamiento

En el ámbito de la Unión Europea la aprobación de los Acuerdos de la OMC se efectuó a través de la Decisión 94/800/CE del Consejo, de 22 de diciembre de 1994, relativa a la conclusión en nombre de la Comunidad Europea, por lo que respecta a los temas de su competencia, de los acuerdos resultantes de las negociaciones multilaterales de la Ronda Uruguay (1986-1994) (Aspectos relativos al Comercio de Mercancías, los Aspectos Relativos al Comercio de Servicios y los Aspectos Relativos a los Derechos de Propiedad Intelectual).

De este modo, la Unión Europea es miembro de la OMC desde el 1 de enero de 1995 y, a su vez, los 28 Estados miembros también son miembros de la OMC por derecho propio que pueden seguir participando en los órganos políticos de la OMC —Conferencia Ministerial y Consejo General—, si bien la Unión será la encargada de hablar por todos ellos con una sola voz. Y ello es así, en primer lugar, porque la Política Comercial Común es competencia exclusiva de la Unión Europea y, en segundo lugar, porque la Unión Europea constituye una unión aduanera y, tal y como dispone el **artículo XII del Acuerdo de Marrakech** por el que se establece la Organización Mundial del Comercio:

> Todo estado o territorio aduanero distinto que disfrute de plena auto-
> nomía en la conducción de sus relaciones comerciales exteriores y en las
> demás cuestiones tratadas en el presente Acuerdo y los Acuerdos Comer-
> ciales Multilaterales podrán adherirse al presente acuerdo en condiciones
> que habrá de convenir con la OMC. Esta adhesión será aplicable al presente
> Acuerdo y a los Acuerdos Comerciales Multilaterales anexos al mismo.

Así pues, ante la OMC, la Comisión Europea, representa a la Unión Europea y a sus Estados miembros —como zona de integración económica con una unión aduanera, un arancel único, y una política comercial común.

En el desarrollo de la Política Comercial Común de la Unión Europea interviene la Comisión, que negocia en el seno de la OMC los acuerdos comerciales en nombre de la Unión Europea colaborando estrechamente con los Gobiernos nacionales y el Parlamento Europeo. Estos acuerdos tienen como finalidad la apertura de nuevos mercados que fomenten el crecimiento y el empleo para los ciudadanos de la Unión. Pero, además, en el objetivo de estos acuerdos también subyace la idea de crear condiciones de competencia leales y abiertas que, al mismo tiempo, combatan el trabajo infantil y el trabajo forzado, la destrucción del medio ambiente y la volatilidad de los precios. Igualmente, cuando se trata de acuerdos comerciales celebrados con países en vías de desarrollo, la política de la Unión Europea se basa en combinar comercio y desarrollo mediante la reducción de los derechos de exportación, el apoyo a las pequeñas empresas exportadoras y el asesoramiento para mejorar la gobernanza de los países más necesitados.

Hasta el Tratado de Lisboa, la representación el seno de la OMC venía atribuida a la Comisión Europea y al representante del Estado que ostentase la Presidencia en ese momento. Sin embargo, a partir del Tratado de Lisboa esto cambió y ahora únicamente la Comisión puede representar a la Unión Europea ante la OMC, si bien, para que la Comisión pueda firmar el acuerdo negociado en la OMC deberá recibir la autorización del Consejo y del Parlamento Europeo. De este modo, la Comisión iniciará conversaciones con el país o región con el que se pretende negociar el acuerdo y, posteriormente, solicitará la autorización del Consejo de Ministros que establecerá los objetivos que debe perseguir la Comisión con esos acuerdos comerciales. Tras alcanzarse el acuerdo, el Consejo debe autorizar su firma y el Parlamento Europeo puede aceptar o rechazar el mismo. Finalmente, los Estados miembros podrán ratificar el acuerdo dependiendo de sus procedimientos nacionales.

2. Aplicación de las normas comerciales internacionales en la Unión Europea

La Organización Mundial del Comercio es una organización de la que forman parte los Estados que son los que llevan a cabo las negociaciones comerciales a nivel internacional. Por otra parte, como ya se ha señalado, el procedimiento que establece la OMC para resolver las controversias comerciales —Entendimiento sobre Solución de Diferencias— está pensado para que los países puedan someter sus diferencias a la OMC cuando estimen que se han infringido los derechos que les corresponden en virtud de los acuerdos firmados. Sin embargo, las consecuencias directas de las infracciones de los acuerdos negociados en el marco de la OMC las sufren los particulares y las empresas. Por este motivo, resulta necesario arbitrar un sistema para que los perjudicados puedan denunciar estas infracciones y solicitar las correspondiente medidas reparatorias.

En el marco de la Unión Europea, se adoptó el Reglamento 2015/1843 del Parlamento Europeo y del Consejo de 6 de octubre de 2015 por el que se establecen procedimientos de la Unión en el ámbito de la política comercial común con objeto de asegurar el ejercicio de los derechos de la Unión en virtud de las normas comerciales internacionales, particularmente las establecidas bajo los auspicios de la Organización Mundial del Comercio (texto codificado).

Esta norma establece procedimientos para que las personas, empresas o asociaciones puedan solicitar a las instituciones de la Unión Europea que investiguen los posibles obstáculos al comercio puestos en marcha por países de fuera de la Unión y que sean contrarios a las normas comerciales internacionales. Así, los afectados pueden presentar una denuncia por escrito ante la Comisión Europea, argumentando los obstáculos al comercio que sufre su empresa y los perjuicios económicos que de ello se derivan. Si ya lo hubiese hecho ante su Estado miembro correspondiente, este también podrá presentar la denuncia ante las instituciones de la Unión.

A partir de ahí pueden plantearse los siguientes escenarios:

a) Que la Comisión Europea, tras su investigación, concluya que no es necesario adoptar ninguna medida y cierre la investigación.

b) Que la Comisión Europea suspenda el procedimiento porque considera que los países de fuera de la Unión implicados han adoptado medidas para hacer frente a los obstáculos al comercio alegados.

c) Que los obstáculos al comercio y los perjuicios derivados de ellos continúen. En ese caso, la Comisión puede tratar de llegar a una solución con el país correspondiente o, de lo contrario, iniciar un procedimiento de resolución de litigios de conformidad con el procedimiento previsto por la OMC (Entendimiento Relativo a las Normas y Procedimientos por los que se Rige la Solución de Diferencias).

IV. DIMENSIÓN BILATERAL DE LA PCC: ACUERDOS DE LIBRE COMERCIO

Con el fin de promover la liberalización del comercio, la Unión Europea promueve, en el marco de su Política Comercial Común y al socaire de los principios establecidos por la OMC, la formalización de acuerdos de libre comercio con sus principales socios comerciales.

En el **artículo 217 del TFUE** se encuentra el fundamento jurídico de las relaciones de la Unión con estos países:

> La Unión podrá celebrar con uno o varios terceros países o con organizaciones internacionales acuerdos que establezcan una asociación que entrañe derechos y obligaciones recíprocas, acciones comunes y procedimientos particulares.

Entre las actuaciones más importantes llevadas a cabo por la Unión Europea en esta materia, podemos señalar los siguientes acuerdos comerciales internacionales:

A. Países en desarrollo: Sistema de Preferencias Generalizadas (SPG)

El Sistema de Preferencias Generalizadas se enmarca en el ámbito de la política de cooperación al desarrollo y ofrece a los países en desarrollo un acceso preferencial al mercado de la Unión Europea mediante la reducción de aranceles aduaneros para la entrada de sus productos. Este régimen, establecido en 1971, contempla preferencias arancelarias que permiten una mayor participación en el comercio internacional de los países en vías de desarrollo, la obtención de mayores ingresos y, en definitiva, la reducción de sus tasas de pobreza. Para que este sistema funcione correctamente y sea efectivo se aplica sin reciprocidad.

El sistema de preferencias arancelarias generalizadas que se aplica en la actualidad (y lo será hasta el 31 de diciembre de 2023) viene regulado en el Reglamento 978/2012 del Parlamento Europeo y del Consejo, de 25 de octubre de 2012 por el que se aplica un sistema de preferencias arancelarias generalizadas y se deroga el Reglamento (CE) n.º 732/2008 del Consejo.

B. La Política Europea de Vecindad

La Política europea de Vecindad ha permitido establecer relaciones comerciales preferentes con determinados países vecinos con los que la Unión Europea tiene frontera terrestre o marítima, por ejemplo, Armenia, Azerbaiyán, Bielorrusia, Georgia, Moldavia, Ucrania, Argelia, Egipto, Israel, Jordania, Líbano, Libia, Marruecos, Palestina, Siria o Túnez; ofreciendo a estos países una mayor cooperación política, económica y cultural con la Unión Europea, contribuyendo, así, a aumentar su estabilidad, seguridad y bienestar.

C. Relación con los países de África, del Caribe y del Pacífico (ACP)

La relación de la Unión Europea con los países de África, del Caribe y del Pacifico se ha materializado mediante acuerdos como los Convenios de Yaundé (Camerún), Convenio de asociación entre la CEE y dieciocho países africanos firmado el 20 de julio de 1963; el Convenio de Lomé (Togo), firmado entre la Comunidad y cuarenta y seis Estados de África, del Caribe y del Pacífico, el 28 de febrero de 1975; y el Acuerdo de Cotonú (República de Benín), cuyo objetivo es reducir la pobreza hasta lograr erradicarla en los países con mayores necesidades. En virtud de estos Convenios, 71 países ACP tienen una relación privilegiada con la Unión Europea, beneficiándose de subvenciones y programas de inversión.

Para ello, el Fondo Europeo de Desarrollo establece programas de inversiones económicas y sociales en los países ACP. De esta forma, la negociación de acuerdos regionales de colaboración económica, destinados a liberalizar los intercambios comerciales con la aplicación de las exenciones que permiten las normas de la Organización Mundial del Comercio, hace posible que determinados productos de los países ACP tengan un acceso preferencial al mercado de la Unión Europea sin pagar derechos de aduana y sin que sea de aplicación el principio de reciprocidad.

D. Acuerdos Euromediterráneos

La asociación euromediterránea entre la Unión Europea y los países del sur del Mediterráneo se remonta al año 1995 con la Declaración de Barcelona y la Asociación Euromediterránea, que tuvo lugar durante la celebración de la Conferencia Euromediterránea bajo la Presidencia española de la Unión Europea. Sin embargo, las líneas directrices de la nueva política mediterránea ya se había definido previamente en los Consejos Europeos de Lisboa (1992), Corfú y Essen (1994) y Cannes (1995).

Esta asociación se firmó entre la Unión Europea y los doce países del Sur del Mediterráneo, a saber: Argelia, Chipre, Egipto, Israel, Jordania, Líbano, Malta, Marruecos, Siria, Túnez, Turquía y la Autoridad Palestina. cado en condiciones de rentabilidad y viabiliPosteriormente, la Unión Europea celebró entre 1998 y 2005 siete acuerdos de asociación euromediterráneos con siete países del sur del Mediterráneo (la República Libanesa, la República Argelina Democrática y Popular, la República Árabe de Egipto, el Reino Hachemí de Jordania, el Estado de Israel, el Reino de Marruecos y la República de Túnez).

El objetivo de la Conferencia que daría lugar a la firma del Acuerdo era reorientar y definir las bases de las relaciones futuras entre los miembros de ambas orillas ribereñas del Mediterráneo, contribuyendo, así, a la estabilidad política y el bienestar económico en la zona. Para ello era necesario lograr avances en el respeto a las libertades fundamentales y al Estado de Derecho, así como en las reformas económicas tendentes a instaurar sistemas de libre economía de mercado. De este modo, la finalidad de esta asociación y los subsiguientes acuerdos era contribuir a la paz, estabilidad y prosperidad en la región a través de una triple vertiente: a) la cooperación en materia política y de seguridad; b) la cooperación económica y financiera; y c) la cooperación en materia social, cultural y de derechos humanos.

Por lo que se refiere al aspecto comercial, los acuerdos de asociación establecían la liberalización progresiva de los intercambios comerciales en el Mediterráneo a través de la creación (tras un periodo transitorio de doce años) de una Zona de Libre Comercio (ZLC) en el Mediterráneo que, bajo la observancia de las normas de la Organización Mundial del Comercio (OMC), permitiese los intercambios comerciales de productos manufacturados, agrícolas y servicios mediante la eliminación de los derechos de aduana y las restricciones cuantitativas y las medidas de efecto equivalente.

E. Acuerdos con países del continente americano

En este apartado, cabe destacar el acuerdo con México del año 2000 que recientemente ha sido objeto de un acuerdo entre las partes con el fin de modernizar el mismo y poner en marcha un Tratado de Libre Comercio que liberalice los intercambios comerciales entre ambas partes. Igualmente, el acuerdo de asociación del año 2002 con Chile, que incluye un acuerdo de libre comercio. Además, la Unión Europea también mantiene acuerdos comerciales en vigor desde el año 2013 con Perú y Colombia. Se trata de un tratado de libre comercio al que también se ha incorporado Ecuador tras el visto bueno del Parlamento Europeo a finales del año 2016.

Por otra parte, existe un acuerdo de asociación entre la Unión Europea y América Central, firmado en el año 2012, que abarca las relaciones comerciales entre la Unión y Costa Rica, El Salvador, Guatemala, Honduras, Nicaragua y Panamá.

Señalar, finalmente, las negociaciones en marcha entre la Unión Europea y Mercosur (Argentina, Brasil, Paraguay, Uruguay y Venezuela) que, en el supuesto de que lleguen a buen fin, constituirían la mayor zona de libre comercio entre estas dos regiones, Europa y América del Sur.

F. Las relaciones transatlánticas: Canadá y Estados Unidos

Canadá es uno de los socios más antiguos de la Unión Europea y el segundo mayor socio comercial por detrás de los EE. UU. Así, el Acuerdo Marco de Cooperación Comercial y Económica entre la Unión Europea y Canadá data de 1976, siendo el primer acuerdo formal de estas características que firmó la Unión con un país industrializado. Posteriormente, se firmó la Declaración Transatlántica, adoptada en 1990, por la que se ampliaba el alcance de sus contactos y se establecían cumbres y reuniones ministeriales periódicas.

Actualmente, hay que referirse a dos acuerdos cuyas negociaciones se concluyeron en septiembre de 2014:

a) El Acuerdo de Asociación Estratégica (AAE) entre la Unión Europea y Canadá, que mejora las formas de cooperación entre ambos socios.

b) El Acuerdo Económico y Comercial Global (AECG), el CETA según su acrónimo inglés (*Comprehensive Economic and Trade Agreement*) que implica la apertura mutua de los mercados a los bienes, servicios e inversiones de la otra parte, e incorpora un Sistema de Tribunales de Inversiones para la resolución de litigios en materia de inversión entre inversores y Estados. Este acuerdo, que ya ha sido respaldado por el Parlamento Europeo, y está en vigor de forma provisional hasta tanto sea ratificado por todos los Parlamentos nacionales, elimina prácticamente todos los aranceles en los intercambios comerciales entre ambas partes.

Por su parte, la cooperación con Estados Unidos se remonta al inicio de los años 90 con la Declaración transatlántica de noviembre de 1990. Las relaciones comerciales y de inversión y la asociación bilateral entre ambos países es la mayor del mundo: Estados Unidos es el principal destino de las exportaciones de la Unión y, además, ocupa el segundo puesto entre los socios de importación de la Unión Europea. Por otra parte, la Unión Europea es la principal inversora en los Estados Unidos y viceversa.

En el momento actual se está negociando un acuerdo bilateral entre la UE y los EE UU, la Asociación Transatlántica de Comercio e Inversiones (ATCI), el TTIP según su acrónimo inglés (*Transatlantic Trade and Investment Partnership*). Las negociaciones para alcanzar este Acuerdo se iniciaron el 8 de julio de 2013 y tienen como objetivo abrir los mercados de los Estados Unidos a las empresas de la Unión Europea y viceversa. Evidentemente, el proceso del *Brexit* no va a favorecer que pueda alcanzarse un acuerdo con EE UU, al menos, a medio plazo.

G. Dimensión asiática: Asía y el Pacífico

La Unión Europea tiene cuatro socios estratégicos en la región de Asia y el Pacífico: China, la India, Japón y la República de Corea, países emergentes con economías en expansión y rápido crecimiento.

Para los países del Asia Meridional (la India, Pakistán y Afganistán) la Unión Europea es el primer socio comercial y uno de los principales mercados de exportación. Los acuerdos de cooperación con estos países engloban aspectos muy diversos, desde la cooperación económica hasta la cooperación en materia de derechos humanos, pasando por la ayuda financiera y técnica para alcanzar un desarrollo sostenible en la región.

A su vez los países del Asia oriental (la República Popular China, Japón, Corea del Sur y Vietnam) también mantienen distintos acuerdos comerciales con la Unión Europea. Así, cabe destacar las negociaciones con China (el segundo socio comercial de la Unión Europea después de Estados Unidos) iniciadas en el año 2013 con vistas a un acuerdo bilateral de inversión; en agosto de 2015 con Vietnam para un Acuerdo de Libre Comercio; el Acuerdo marco de colaboración y cooperación entre la Unión Europea y la República de Filipinas, que abarca aspectos políticos sociales y económicos, aprobado por Decisión del Consejo de la Unión Europea en el año 2017; o los acuerdos de comercio y de protección de inversiones entre la Unión Europea y la República de Singapur, presentados por la Comisión al Consejo en 2018 y pendientes de aprobar por el Parlamento Europeo y de ratificar por los Estados miembros.

Por lo que se refiere a Japón, en julio de 2018 se firmaron dos acuerdos: el Acuerdo de Cooperación Económica, el mayor de los negociados hasta ahora por la Unión Europea. En virtud del mismo, se crea una zona de libre comercio entre la Unión Europea y Japón que afecta a 600 millones de personas y que permitirá suprimir los aranceles aduaneros a las exportaciones de la Unión Europea a Japón; y el Acuerdo de Cooperación Estratégica que permitirá la cooperación mutua entre ambas partes más allá de los aspectos puramente comerciales, por ejemplo, en materia de seguridad y defensa.

En la zona del Pacífico cabe destacar la asociación de la Unión Europea con Australia y Nueva Zelanda lo que ha permitido desarrollar una sólida relación comercial. En este sentido, cabe reseñar que en junio de 2018 se abrieron oficialmente las negociaciones para alcanzar un acuerdo comercial entre la Unión Europea y Australia con el fin de eliminar los obstáculos al comercio de bienes y servicios.

PARTE SEGUNDA:

EL *BREXIT* Y EL NUEVO MARCO DE RELACIONES ENTRE LA UNIÓN EUROPEA Y EL REINO UNIDO

Capítulo 11

ORIGEN DEL *BREXIT*, RETIRADA DEL REINO UNIDO Y MODELOS ALTERNATIVOS PARA REGULAR LAS FUTURAS RELACIONES BILATERALES

I. PLANTEAMIENTO

    A. El proyecto europeo y el Reino Unido
    B. Origen del *Brexit*

II. LA RETIRADA VOLUNTARIA DE LA UNIÓN EUROPEA

    A. El artículo 50 del Tratado de la Unión Europea
    B. Algunas cuestiones controvertidas sobre este proceso
    C. Procedimiento que se ha de seguir

III. MODELOS ALTERNATIVOS PARA REGULAR LAS FUTURAS RELACIONES ENTRE EL REINO UNIDO Y LA UNIÓN EUROPEA

    A. Integración en el Espacio Económico Europeo a través de la Asociación Europea de Libre Comercio
    B. Pertenencia a la Asociación Europea de Libre Comercio fuera del Espacio Económico Europeo
    C. Integración en una Unión Aduanera
    D. Negociación de un acuerdo bilateral de ibre comercio
    E. Acuerdo multilateral negociado en el marco de la Organización Mundial del Comercio

Raúl Lafuente Sánchez

I. PLANTEAMIENTO

A. El proyecto europeo y el Reino Unido

Existe una percepción generalizada de que el escepticismo ha sido el elemento central que ha tutelado siempre las relaciones del Reino Unido con la Unión Europea. Sin embargo, esta idea debe ser matizada. En primer lugar, porque los hechos demuestran que en los albores de la creación de la Comunidad Económica Europea el Reino Unido se encontraba plenamente implicado en la construcción de una Europa más fuerte, donde la paz y la prosperidad fuesen sus signos distintivos y, en segundo lugar, porque esa actitud escéptica hacia la unidad en Europa que ha cristalizado en el *Brexit* no es exclusiva del Reino Unido, pues no olvidemos que durante las dos últimas décadas ese sentimiento ha ido creciendo entre una parte de la ciudadanía de la Unión dando lugar a consultas populares que se han manifestado en contra de una integración europea más amplia y estrecha (así, en el año 2005 Francia y Holanda rechazaron la propuesta de Constitución Europea; en diciembre de 2015 Dinamarca rechazó en referéndum aumentar la cooperación en Justicia y Seguridad con la Unión Europea; en el año 2008, Irlanda celebró un referéndum —fue el único Estado miembro que lo hizo— sobre el Tratado de Lisboa; en abril de 2016, los ciudadanos holandeses se manifestaron en referéndum en contra de la ley que reconoce el Acuerdo de Asociación entre la Unión Europea y Ucrania; y en octubre de 2016 en Bélgica el Parlamento Valón bloqueó temporalmente el acuerdo comercial CETA entre la Unión Europea y Canadá).

Pues bien, con anterioridad a su adhesión a las Comunidades Europeas en el año 1973, y desde su «espléndido aislamiento» respecto al continente, el Reino Unido ya había dado signos inequívocos de la necesidad de crear una Europa unida y fuerte apostando desde el principio por el proyecto europeo. Así, en Junio de 1940 Winston Churchill, siendo Primer Ministro del Almirantazgo, propuso una unión con Francia, un Estado franco-británico con una ciudadanía común y un Gobierno conjunto; y en el año 1942 presentó su plan para la creación de un Consejo de Europa como germen de los Estados Unidos de Europa.

Pero, sin duda, fue el 9 de septiembre de 1946, liderando entonces la oposición en el Reino Unido, en su famoso discurso pronunciado en la Universidad de Zúrich, donde Winston Churchill lanzó su idea de los Estados Unidos de Europa para lo cual Francia y Alemania debían asociarse como primer paso para llevar a cabo este proyecto. Sin embargo, el papel que el Reino Unido —junto a la *British Commonwealth of Nations*— Estados Unidos y Rusia debían desempeñar era el de meros «*sponsors*» de esta nueva Europa. De este modo, algo ambiguo, se planteaba por parte del Reino Unido la creación de la idea de Europa, tal vez porque Churchill no quería dar la impresión de pretender el control de Europa y consideraba que debían ser los otros países los que invitasen al Reino Unido a participar en el proyecto.

Un año después, el 14 de mayo de 1947, tuvo lugar la presentación pública del denominado Movimiento para Europa Unida fundado por Churchill y que, en definitiva, pretendía ser un grupo de presión para la creación de una Unión Europea. Fue en el Royal Albert Hall de Londres donde Churchill expuso el papel decisivo que el Reino Unido debía jugar en este proyecto y, en esta ocasión, su discurso había perdido toda su ambigüedad al manifestar de forma abierta que el Reino Unido debía liderar y jugar un papel relevante en Europa, haciendo compatible esas responsabilidades con su posición al frente del Imperio británico y la *Commonwealth,* cuyos ciudadanos debían entender, de una parte, que la pertenencia del Reino Unido a la Unión Europea sería beneficiosa tanto para Europa cuanto para la *Comonwealth* y, de otra, que el Reino Unido geográficamente e históricamente formaba parte de Europa y, por consiguiente, también ellos eran sus herederos.

En fin, al inicio de los años 60, ya retirado de toda actividad política, Winston Churchill apoyó la solicitud del Gobierno británico a las Comunidades Europeas. Sin embargo, hay que recordar que en dos ocasiones —en 1963 y 1967— esa solicitud fue vetada por Francia hasta que, finalmente, en 1973 siendo primer ministro el conservador Edward Heath se produjo la adhesión del Reino Unido a las Comunidades Europeas.

B. Origen del *Brexit*

Para entender como se propició esta situación, conviene recordar que una parte de la población y de la clase política del Reino Unido ya no deseaban «más Europa», es decir, no eran partidarios de avanzar en la búsqueda de una mayor y más estrecha integración una vez asumida la alcanzada hasta ese momento. En el fondo de esta cuestion subyace la eterna desavenencia entre aquellos que abogan por una mayor integración en la Unión Europea, es decir, una Europa federal que implique un mayor control centralizado sobre los presupuestos de los estados y una rígida disciplina fiscal para garantizar la estabilidad del euro, donde no prime la adopción de acuerdos por unanimidad, que permita la creación de un ejército europeo, un gobierno europeo, y una hacienda pública con recursos propios; y los partidarios de una menor integración. Pues bien, en esta dualidad sobre la idea de la integración europea la posición del Reino Unido resulta evidente y así, por ejemplo, su exclusión de la eurozona y la no adopción de la moneda única en su momento, así como el régimen derogatorio del que disfruta en relación a las medidas aprobadas en el marco del espacio de libertad, seguridad y justicia, incluyendo su no participación en el espacio Schengen, o la no suscripción del Tratado de Estabilidad, Coordinación y Gobernanza son un buen ejemplo de ello.

Por otra parte, la especial relación y los lazos que mantiene con los países de la *Commonwealth* ha estado siempre presente en esa bipolaridad que ha marcado las relaciones del Reino Unido con sus antiguas colonias del Imperio británico y con sus vecinos europeos.

Además, la crisis económica originada en el año 2008 en Estados Unidos y que contagió a toda la economía mundial y, en particular, a la europea, trayendo consigo la falta de crecimiento económico y el aumento del desempleo, también contribuyó a alimentar las dudas de un cierto sector de la población acerca de las bondades de la integración europea. El éxito de la economía británica, si la comparamos con el resto de los países de la eurozona, ha generado unos flujos migratorios de personas y trabajadores desde Europa hacia el Reino Unido que en los últimos años ha despertado recelos y temores entre sus ciudadanos.

Esta situación fue aprovechada por la derecha radical del Partido por la Independencia de Reino Unido (UKIP) que, bajo la dirección de su líder Nigel Farage, consiguió más de cuatro millones de votos en las elecciones generales celebradas el 7 de mayo de 2015 en el Reino Unido. Aunque el Partido conservador obtuvo la mayoría en esos comicios, viéndose amenazado por los resultados alcanzados por los denominados euroescépticos y por las presiones políticas internas, anunció la celebración de un referéndum sobre su pertenencia a la Unión Europea que debía celebrarse antes de finales de 2017.

Además, ante esta perspectiva, el primer ministro británico David Cameron decidió renegociar son sus socios la situación del Reino Unido en la Unión Europea, y remitió una carta al Consejo Europeo el 10 de noviembre de 2015 en la que planteaba la negoacición de un nuevo régimen que afectaba, de forma especial, a cuatro ámbitos: el mercado único, la política migratoria, la integración política y la gobernanza económica en relación al equilibrio entre los países participantes en la Unión Económica y Monetaria y los que no participan en la misma. El Consejo Europeo, en su sesión del 18 de diciembre de 2015 celebrada en Bruselas, debatió las peticiones de reforma planteadas por el Reino Unido. Posteriormente, en sus sesiones del 18 y 19 de febrero de 2016, acordó el nuevo encaje del Reino Unido en la Unión Europea mediante una Decisión de los Jefes de Estado o de gobierno relativa a un nuevo régimen para el Reino Unido en la Unión Europea y varias Declaraciones donde estableciendo un difícil equilibrio se recogían las peticiones del Reino Unido manteniendo la unidad de la Unión Europea. Sin embargo, este acuerdo quedaba condicionado al referendum sobre la permanencia del Reino Unido en la Unión Europea que, en ese mismo Consejo Europeo, el primer ministro británico anunció que tendría lugar el 23 de Junio de 2016. Celebrado el mismo, con una participación del 72,2 % sobre los votantes registrados, los ciudadanos británicos decidieron, por un estrecho margen del 51,9 % contra el 48,1 % de los votos, abandonar la Unión Europea.

Este resultado responde, sin duda, a la división existente entre los ciudadanos a la que, por otra parte, han contribuido los principales partidos políticos con sus posicionamientos respecto a la pertenencia a la Unión Europea. Así, junto al mencionado partido independentista (UKIP), el partido conservador no presentó una estrategia común, sino que se encontraba dividido en este tema, mientras que el partido laborista, que tradicionalmente se había mostrado favorable al proyecto europeo, también se encontraba dividido y con una falta de liderazgo importante que le impidió apostar de manera decidida por la permanencia en la Unión Europea. Finalmente, el único de los tres principales partidos nacionales del Reino Unido que estaba a favor de la pertenencia a la Unión Europea, el Partido Liberal Demócrata, había quedado prácticamente extinguido en las elecciones generales de mayo de 2015.

A partir de ese momento, 45 años después del ingreso del Reino Unido en las Comunidades Europeas, se abría un nuevo escenario para ambas partes de consecuencias impredecibles, no solo por la relevancia de las implicaciones políticas, sociales y económicas que podía tener a medio y largo plazo esta decisión sino, también, por la incertidumbre acerca de cual sería la vía política y jurídica que se tenía que seguir para implementar la decisión adoptada por los ciudadanos del Reino Unido.

Se iniciaba así un periodo de incertidumbre al ser la primera vez que se planteaba una cuestión de esta naturaleza en el seno de la Unión Europea, no comparable a otras situaciones acaecidas anteriormente con motivo de las modificaciones territoriales sufridas por algún Estado miembro, por ejemplo, en los casos de Dinamarca con Groenlandia o de Francia con Argelia. De este modo, se puede afirmar que la integración europea se encuentra aún inconclusa y que esta nueva situación no debe contemplarse sino como un elemento más del proceso de contrucción de Europa. Los Estados y los políticos que dirigen sus destinos han de ser conscientes de ello y no plantear el *Brexit* como una (des)integración de la Unión Europea sino, por el contrario, como una oportunidad para variar y acomodar el proceso de integración y las relaciones inter-Estados a los tiempos y circunstancias actuales, sin olvidar los elementos esenciales que en su día constituyeron el germen de lo que hoy conocemos como Unión Europea. En el periodo de negociación que se abria a partir de ese momento y en el que nos econtramos en la actualidad el Reino Unido y sus socios en la Unión Europea debían contemplar estos objetivos con el fin de alcanzar el mejor resultado posible para ambas partes.

II. LA RETIRADA VOLUNTARIA DE LA UNIÓN EUROPEA

A. El artículo 50 del Tratado de la Unión Europea

Tras la entrada en vigor del Tratado de Lisboa el 1 de diciembre de 2009, el derecho originario de la Unión queda constituido por el Tratado de la Unión Europea y por el Tratado de Funcionamiento de la Unión Europea. Así el artículo 1 del TUE dispone:

> La Unión se fundamenta en el presente Tratado y en el Tratado de Funcionamiento de la Unión Europea (en lo sucesivo denominados «los Tratados»). Ambos Tratados tienen el mismo valor jurídico…

Pues bien, el **artículo 50 del TUE** prevé un mecanismo para la retirada voluntaria y unilateral de un país de la Unión Europea. Este precepto fue introducido en el Tratado de Lisboa de 2007, a petición del Reino Unido, por el que se modifican el Tratado de la Unión Europea y el Tratado constitutivo de la Unión Europea, rescatando, así, del Tratado Constitucional rechazado en su día la cláusula de retirada voluntaria que, por primera vez, da a los Estados miembros la posibilidad de retirarse de la Unión. Hay que recordar que, con anterioridad, no cabía la retirada de la Unión al no estar prevista en el Tratado y porque el Tribunal de Justicia había indicado

> [...] el carácter efectivo de los compromisos incondicional e irrevocablemente asumidos por los Estados miembros, en virtud del Tratado [...]
>
> Sentencia STJCE de 9 de marzo de 1978, Asunto 106/77, *Simmenthal*

El mencionado artículo 50 del TUE dispone:

1. Todo Estado miembro podrá decidir, de conformidad con sus normas constitucionales, retirarse de la Unión.

2. El Estado miembro que decida retirarse notificará su intención al Consejo Europeo. A la luz de las orientaciones del Consejo Europeo, la Unión negociará y celebrará con ese Estado un acuerdo que establecerá la forma de su retirada, teniendo en cuenta el marco de sus relaciones futuras con la Unión. Este acuerdo se negociará con arreglo al apartado 3 del artículo 188 N del Tratado de Funcionamiento de la Unión Europea. El Consejo lo celebrará en nombre de la Unión por mayoría cualificada, previa aprobación del Parlamento Europeo.

3. Los Tratados dejarán de aplicarse al Estado de que se trate a partir de la fecha de entrada en vigor del acuerdo de retirada o, en su defecto, a los dos años de la notificación a que se refiere el apartado 2, salvo si el Consejo Europeo, de acuerdo con dicho Estado, decide por unanimidad prorrogar dicho plazo.

4. A efectos de los apartados 2 y 3, el miembro del Consejo Europeo y del Consejo que represente al Estado miembro que se retire no participará ni en las deliberaciones ni en las decisiones del Consejo Europeo o del Consejo que le afecten.

La mayoría cualificada se definirá de conformidad con la letra b) del apartado 3 del artículo 205 del Tratado de Funcionamiento de la Unión Europea.

5. Si el Estado miembro que se ha retirado de la Unión solicita de nuevo la adhesión, su solicitud se someterá al procedimiento establecido en el artículo 49.

B. Algunas cuestiones controvertidas sobre este proceso

En un primer momento, se especuló con los posibles escenarios que se abrían para el Gobierno británico a partir del referéndum. Así, por ejemplo, ignorar el resultado del referéndum alegando que su resultado no era vinculante; convocar un nuevo referéndum; solicitar la intervención del Parlamento británico *(House of Commons)* con el fin de que se pronunciase negativamente sobre la ejecución del artículo 50 o para solicitar la denuncia del Acta de adhesión del Reino Unido a las Comunidades Europeas firmada en su día; acudir ante la *High Court* al objeto de obtener un pronunciamiento sobre esta cuestión; invocar el artículo 50 sin tener en cuenta ninguna de las anteriores consideraciones o, simplemente, retrasar *sine die* esta decisión manteniendo así su pertenencia a la Unión Europea en los términos actuales. Otra opción era convocar elecciones anticipadas —como así se hizo— con el fin de que el nuevo gobierno decidiese al respecto.

Por otra parte, hay que señalar que desde el primer momento no existió un consenso jurídico, sino todo lo contrario, sobre los requisitos constitucionales que rodeaban la cuestión del *Brexit,* desde el carácter consultivo u obligatorio del resultado del referéndum hasta la forma jurídica para invocar el artículo 50 del TUE. De este modo, el debate se planteó, de una parte, desde la perspectiva de la soberanía parlamentaria (legitimidad constitucional) y, de otra, de la soberanía popular (legitimidad democrática).

1. Carácter consultivo y no vinculante del resultado del referéndum, ya que refleja la expresión de la soberanía popular

Una de las principales cuestiones que se plantearon era determinar si el Gobierno británico se encontraba obligado por esta consulta, si podía ignorarlo o, incluso, convocar un nuevo referéndum, o si el Parlamento británico —con base a la soberanía parlamentaria— podría votar en contra de este. Hay que recordar aquí que la *European Union Referendum Act 2015* fue adoptada por el Parlamento británico para llevar a cabo la consulta de referencia pero en la mencionada *Act* no se establecía ninguna disposición respecto a la vinculación jurídica de la consulta para el Gobierno debido al principio de la soberanía parlamentaria. Tampoco establecía las consecuencias del resultado del referéndum dejando en manos del Gobierno la decisión de invocar el artículo 50 y bajo qué circunstancias. Y ello es así porque el Reino Unido no dispone de una Constitución que establezca la forma de llevar a cabo el resultado de un referéndum. Ahora bien, se trataba de una consulta introducida por el Gobierno que, desde el punto de vista político, implicaba un compromiso con los ciudadanos.

2. Posibilidad de convocar un nuevo referéndum

Esta posibilidad se ha planteó a raíz de la recogida de firmas entre los ciudadanos británicos, teniendo en cuenta el estrecho margen que separaba el resultado del referéndum entre los partidarios del «*leave*» y del «*remain*». Con esta iniciativa se pretendía clarificar la situación introduciendo en la consulta elementos determinantes como la exigencia de un porcentaje mínimo de votos emitidos; la consideración del carácter vinculante o no del mismo; o, incluso, los términos en los que se produciría la salida del Reino Unido de la Unión caso de ser favorable el resultado. Sin embargo, esta opción tampoco prosperó.

3. Obligación de solicitar la aprobación del Parlamento para notificar la retirada prevista en el artículo 50 del TUE

Otra cuestión sobre la que tampoco ha existido consenso es la relativa a la participación y el rol que debía desempeñar el Parlamento en todo este proceso. Si se considera que la facultad de invocar el artículo 50 del Tratado de la Unión Europea es una prerrogativa real, bajo la cual los poderes históricos del monarca son ejercidos por los ministros sin la necesidad de aprobación por el Parlamento, parece evidente que no sería necesaria la intervención del Parlamento, ya que se trataría de una prerrogativa gubernamental.

No obstante, de conformidad con la *Ponsonby Rule* de 1924 y tal y como dispone la *Constitutional Reform and Governance Act 2010,* el Parlamento británico tiene que participar en la ratificación de los tratados. De este modo, las propuestas del Gobierno que afecten a actos internacionales, como la denuncia del tratado, han de ser llevadas previamente al Parlamento y debatidas antes de adoptar ninguna acción de carácter ejecutivo.

Pues bien, algunos miembros del Parlamento británico estimaban preceptiva su participación al considerar que el *Brexit* requiere la previa derogación del Acta de Adhesión a las Comunidades Europeas firmada por el Reino Unido el 22 de enero de 1972. Por otra parte, aún cuando jurídicamente no fuese obligatoria la autorización del Parlamento para invocar el artículo 50, desde el punto de vista político, la aprobación parlamentaria supondría un refrendo a esta solicitud. En cualquier caso, el debate parlamentario parecía inevitable al objeto de establecer las condiciones de las negociaciones del Gobierno británico con la Unión Europea, por ejemplo, en temas tan sensibles como el acceso al mercado interior, su adhesión a la AELC o la cuestión de la permanencia de Escocia (o Irlanda del Norte) en el Reino Unido ante su interés de seguir perteneciendo a la Unión Europea. Recordemos que la *First Minister* de Escocia consideraba el resultado del referéndum democráticamente inaceptable ya que implicaría que Escocia abandonase la Unión Europea cuando el resultado allí fue favorable al «*remain*» (62 % frente al 38 %), con el riesgo que podría plantear un nuevo referéndum sobre la independencia de Escocia del Reino Unido. En el caso de Irlanda del Norte, donde el resultado también fue favorable al «*remain*» por el 55,8 % frente al 44,2 %, el impacto negativo del *Brexit* también suscitó algunas especulaciones acerca de una consulta popular sobre la posible reunificación de la isla que permitiría su permanencia en la Unión Europea.

4. El desafío del *Brexit* ante los tribunales

Finalmente, hay que referirse a las acciones judiciales que se han planteado en este proceso con el fin de evitar que el Gobierno británico pudiese invocar el artículo 50 sin la existencia previa de un Acta Parlamentaria, pues una parte de la ciudadanía consideraba que el referéndum tenía simplemente carácter consultivo y no vinculante, y que el Gobierno no podía utilizar la prerrogativa real para minar el estatuto parlamentario y su soberanía. Se pretendía así, asegurar que el Gobierno cumpliese con el proceso legal en esta situación sin precedentes.

No cabe duda de que se trataba del asunto constitucional más importante planteado en el Reino Unido en relación a la soberanía parlamentaria y, por lo tanto, los órganos jurisdiccionales debían pronunciarse al respecto. En definitiva, se trataba de esclarecer si de conformidad con los preceptos constitucionales, el Gobierno tenía la potestad de notificar la retirada del Reino Unido de la Unión Europea mediante la ejecución del artículo 50 sin la previa autorización del Parlamento.

Y así, la cuestión fue planteada ante la *Divisional Court of England and Wales* (Lord Thomas LCJ, Sir Terence Etherton MR and Sales LJ) que admitió una demanda judicial contra el Gobierno (*Secretary of State*) presentada por un grupo que encabezaba una gestora de inversiones de la *City,* alegando su incompetencia para instar el mecanismo del artículo 50. Pues bien, la *Divisonal Court* declaró que:

> [...] the Secretary of State did not have power to give Notice without Paliament's prior authority.

El *Secretary of State* recurrió esta decisión ante la *High Court of Justice, Queen's Bench División (Divisional Court)* que mediante resolución de 11 de noviembre de 2016 confirmaba la decisión anterior y señalaba:

> [...] that the Government does not have power under the Crown's prerogative to give notice pursuant to Article 50 for the UK to withdraw from the European Union.

Finalmente, la *Supreme Court*, en su sentencia de fecha 24 de enero de 2017, desestimó la apelación interpuesta por el *Secretary of State* contra la decisión de la *High Court,* declarando que:

> [...] an Act of Parliament is required to authorize ministers to give Notice of the decisión of the UK to withdraw from the European Union.

La consecuencia inmediata fue que el Parlamento británico tuvo que debatir y pronunciarse sobre la retirada del Reino Unido de la Unión Europea. El 26 de enero de 2017 la *House of Commons* debatió la ley que autorizaba al Gobierno a activar el artículo 50 del Ttratado donde únicamente cien miembros de la Cámara votaron en contra. A partir de ese momento, la ley tenía que pasar a la *House of Lords* antes de regresar, de nuevo, a la Cámara de los Comunes. El 21 de febrero de 2017 la *House of Lords* debatió y autorizó la mencionada ley del Brexit y el 12 de marzo de 2017 que autorizaba expresamente al Gobierno y a la *«premier»* Theresa May a invocar el Artículo 50 del Tratado de Lisboa, que llevó a cabo el 29 de marzo de 2017.

C. Procedimiento que se ha de seguir

Para que su retirada fuese efectiva, el Reino Unido debía notificarlo al Consejo Europeo que es el encargado de proporcionar las directrices para la celebración del acuerdo estableciendo las disposiciones necesarias para la retirada. Posteriormente, este acuerdo tiene que ser aprobado por el Parlamento Europeo, por mayoría simple y con la participación de los representantes del Reino Unido, y por el Consejo por mayoría cualificada reforzada, es decir, por al menos 20 de los 27 Estados miembros restantes y que representen al menos al 65 % de la población de la Unión. El Reino Unido, por su parte, deberá aprobar el acuerdo de conformidad a lo establecido en sus disposiciones constitucionales.

Resulta evidente que el mencionado artículo prevé una salida consensuada y no unilateral y que el acuerdo entre ambas partes establecerá tanto las modalidades de retirada, es decir el acuerdo de salida, cuanto el marco del régimen que ha de aplicarse en el futuro a las relaciones entre el Reino Unido y la Unión Europea.

Por este motivo, la primera decisión importante era determinar la fecha en la que el Reino Unido invocase la activación del mencionado precepto. Y así, el 29 de marzo de 2017 la primera ministra británica Theresa May firmó la carta solicitando la retirada del Reino Unido de la Unión Europea y de la Comunidad Europea de la Energía Atómica. A partir de ese momento comenzaba a contar el plazo de dos años previsto en el Tratado que se cumplirá el 29 de marzo de 2019.

Si, por cualquier circunstancia, transcurridos dos años desde que se invocó el artículo 50 no se hubiese alcanzado el mencionado acuerdo, de no mediar prórroga con el consenso de ambas partes, el Reino Unido dejaría de pertenecer a la Unión Europea aún cuando no se hubiese alcanzado un modelo alternativo para regir las relaciones bilaterales, que pasarían a regularse en el marco de la Organización Mundial del Comercio. Sin duda alguna, este hecho tendría repercusiones negativas tanto para las empresas y ciudadanos del Reino Unido cuanto para las del resto de los países de la Unión por lo que este escenario no deseable para ninguna de las partes. Ahora bien, teniendo en cuenta la marcha de las negociaciones, se han constatado las dificultades para alcanzar un acuerdo antes del plazo previsto, por lo que las partes han decidido establecer un periodo transitorio hasta el 31 de diciembre de 2020.

En el ínterin, el Reino Unido seguirá perteneciendo a la Unión Europea hasta tanto finalice el procedimiento previsto en el mencionado artículo 50 con los mismos derechos y obligaciones que hasta la fecha tenía. Sin embargo, y como es obvio, su participación en el proceso de retirada será como Estado solicitante pero no desde el lado del Consejo de la Unión Europea que ha de negociar y tomar las decisiones al respecto. Consecuentemente, una de las primeras medidas que adoptó fue renunciar a ejercer la Presidencia rotatoria del Consejo de la Unión Europea que por turno le correspondía para el segundo semestre del año 2017 pues, aunque legalmente fuese procedente por ser todavía un Estado miembro de la Unión, no parecía lo más correcto políticamente teniendo en cuenta que en esa época ya se habían iniciado las negociaciones para establecer los términos de su salida de la Unión.

Por lo tanto, la notificación por parte del Reino Unido de su voluntad de abandonar la Unión Europea a la luz del artículo 50 del TUE puso en marcha un procedimiento irreversible que obligaba a ambas partes y que indefectiblemente terminará con su salida de la Unión Europea, pues no contempla el mencionado artículo una posible revocación por parte del Estado que solicite su retirada de la Unión. Por el contrario, sí permite que pueda solicitar de nuevo su adhesión a la Unión Europea previa solicitud y seguimiento del procedimiento establecido al efecto.

A partir de la activación del artículo 50 correspondía al Consejo Europeo diseñar las directrices a seguir para negociar el acuerdo de salida del Reino Unido, decidiendo que la negociación fuese dirigida por la Comisión Europea y, en particular, por el antiguo comisario europeo Michel Barnier, que mantendría informados en todo momento al Consejo Europeo, al Consejo de la Unión Europea y al Parlamento Europeo. De este modo, el 31 de marzo de 2017, el Consejo preparó un borrador de directrices que remitió a los Jefes de Estado y de Gobierno de los 27 Estados miembros.

Por su parte, el Parlamento Europeo (su Conferencia de Presidentes) adoptó el mismo día en que se activó el artículo 50, una propuesta de resolución en la que se establecían las condiciones para que el Parlamento aprobase el acuerdo de salida del Reino Unido. Uno de los aspectos más relevantes contenidos en esta propuesta era el relativo al tratamiento recíproco y no discriminatorio que debía darse a las situaciones de los ciudadanos de la Unión que residían en el Reino Unido y de los británicos que residían en la Unión Europea.

A su vez, el Reino Unido ya ha comenzado a preparar la ley (*Great Repeal Bill)* por la que se derogará el Acta de Adhesión a las Comunidades Europeas de 1972 e incorporará en su ordenamiento jurídico interno la legislación comunitaria que considere oportuna entre las más de 12 000 disposiciones existentes que en la actualidad se aplican en el Reino Unido pero que no forman parte de su legislación interna. Esta ley entrará en vigor en el momento en que el Reino Unido abandone la Unión Europea.

III. MODELOS ALTERNATIVOS PARA REGULAR LAS FUTURAS RELACIONES ENTRE EL REINO UNIDO Y LA UNIÓN EUROPEA

Tal y como señalaba el Gobierno británico en su carta de solicitud de retirada y activación del artículo 50 del Tratado, se trataba de salir de la Unión Europea pero continuar como socio y aliado, por lo que se hacía necesario alcanzar un acuerdo de salida y un acuerdo con las condiciones futuras que sustentasen las relaciones futuras entre el Reino Unido y la Unión Europea.

Como es bien sabido, antes de su adhesión a las Comunidades Europeas, el Reino Unido formaba parte de la Asociación Europea de Libre Comercio (AELC) de la que fue miembro fundador. Cuarenta y tres años después, esta podría ser una salida factible complementada con su participación en el mercado interior a través del Espacio Económico Europeo (EEE) al que, por otra parte, el Reino Unido ya pertenece, si bien, como miembro de la Unión Europea.

Sin embargo, también existen otros modelos que, a su vez, presentan ventajas e inconvenientes y que han de ser objeto de estudio y análisis, pues podrian servir para diseñar el nuevo modelo de relaciones bilaterales en el futuro.

Cada una de estos modelos ofrece diferentes niveles de desconexión con los socios de la Unión Europea y diferentes consecuencias económicas. Ello ha generado que, desde el inicio de este proceso, se acuñasen los términos de «*soft Brexit*» y «*hard Brexit*» para referirse al complejo proceso de retirada del Reino Unido de la Unión Europea. De este modo, la integración del Reino Unido en el Espacio Económico Europeo a través de la Asociación Europea de Libre Comercio, tendría la consideración de «*soft Brexit*» que satisfaría, sin duda alguna, a los partidarios del «*remain*», ya que permitiria el acceso del Reino Unido al mercado interior y viceversa.

Por el contrario, la ruptura total con sus socios de la Unión Europea confiando las relaciones futuras a los acuerdos bilaterales que pudiesen negociarse *ex novo* en el marco de la Organización Mundial del Comercio, estaría dentro de lo que se ha venido en calificar como «*hard Brexit*» y podría ser de mayor agrado para los votantes del «*leave*».

En cualquier caso, resulta evidente que no todas las posibilidades se encuentran entre el «*soft Brexit*» y el «*hard Brexit*» sino que existen grados intermedios que pueden permitir otras soluciones tal y como se expone a continuación:

A. Integración en el Espacio Económico Europeo a través de la Asociación Europea de Libre Comercio

La integración en el Espacio Económico Europeo (EEE), a través de la Asociación Europea de Libre Comercio (AELC) es el status que actualmente mantienen Noruega, Islandia y Liechtenstein (tres de los cuatro países del AELC), de tal forma que afecta a treinta y un países europeos. La posible integración del Reino Unido en el mismo plantea las siguientes cuestiones:

- Hay que recordar que el EEE tiene como objetivo fomentar el fortalecimiento de las relaciones comerciales y económicas entre sus participantes.
- De este modo, la pertenencia al EEE permite el acceso al mercado interior, pues implica la aceptación de las cuatro libertades — mercancías, personas, servicios y capitales—.
- Esto significa que no cabe la posibilidad de restringir o limitar la inmigración tal y como pretende el Reino Unido, porque el acuerdo garantiza la igualdad de derechos y obligaciones en el mercado único de los ciudadanos, trabajadores y empresas de los tres países de la AELC y viceversa.
- Además de las cuatro libertades, el EEE incluye determinados aspectos de otros ámbitos como la educación, la investigación, los asuntos sociales, la protección de los consumidores, el Derecho de sociedades y el medio ambiente.
- También incluye normas de competencia y sobre ayudas de Estado.
- Sin embargo, el Reino Unido vería limitado su acceso al mercado único en materia agrícola y pesquera, ya que no quedan cubiertos por el Acuerdo.
- Por otra parte, tampoco quedaría obligado por los acuerdos de comercio exterior negociados por la Unión, por lo que podría negociar sus propios convenios internacionales en esta materia.

- A su vez, la integración en el EEE significa que el Reino Unido seguiría vinculado por la aplicación de una parte importante de la legislación de la Unión Europea adoptada por sus instituciones, en cuyo proceso ya no participaría.

- Empero, no quedaría vinculado por las obligaciones dimanantes de ciertas políticas, por ejemplo, el espacio de libertad, seguridad y justicia; la política exterior y de seguridad común; o la unión económica y monetaria.

- En relación al presupuesto de la Unión Europea, el Reino Unido tendría que seguir contribuyendo al mismo pero no en la proporción en que lo hace actualmente, sino de forma reducida.

- Por último, hay que tener en cuenta que para la adopción de este acuerdo se requeriría, en primer lugar, la solicitud del Reino Unido. Esta ha de ser aceptada por el resto de Estados participantes pudiendo, cualesquiera de ellos, bloquear su solicitud, aunque no parece factible teniendo en cuenta las relaciones hasta ahora mantenidas en el seno de la Unión Europea y del EEE y la necesidad de alcanzar el acuerdo más beneficioso para todos. No obstante, podría plantearse algún veto si, por ejemplo, el Reino Unido condicionase su entrada a algún tipo de limitación o flexibilización en relación a la libre circulación de personas.

La incorporación del Reino Unido al EEE vía la AELC aportaría una solución beneficiosa ya que el impacto negativo de su salida de la Unión se vería atenuado y permitiría el funcionamiento del mercado interior y de las cuatro libertades entre ambas partes. No obstante, seguiría sin resolver, porque no los aborda, los problemas políticos entre ambas partes.

B. Pertenencia a la Asociación Europea de Libre Comercio fuera del Espacio Económico Europeo

Otra opción sería la pertenencia a la Asociación Europea de Libre Comercio (AELC), permaneciendo fuera del Espacio Económico Europeo (EEE) y reforzando esta cooperación con base a acuerdos bilaterales, modelo seguido por Suiza en la actualidad con el que la Unión Europea mantienen más de cien acuerdos bilaterales. En este caso, conviene precisar que:

- Bajo este modelo, las relaciones entre los Estados pertenecientes a la AELC y la Unión Europea alcanzan un menor grado de integración que bajo el paraguas del Espacio Económico Europeo.

- Sin embargo, el Reino Unido por la vía de acuerdos bilaterales con la Unión Europea podría tener acceso a una parte del mercado interior en sectores específicos.

- En contrapartida, vendría obligado a adoptar las normas por las que se regulan las cuatro libertades sin posibilidad de intervenir ni participar en sus procesos legislativos.

- Por otra parte, la pertenencia a la AELC permitiría al Reino Unido negociar acuerdos comerciales con otros Estados de forma individual o de manera conjunta a través de la AELC.

- Finalmente, el Reino Unido no tendría que contribuir al presupuesto de la Unión, aunque sí a los gastos derivados de su pertenencia a la AELC.

Este modelo podría ser interesante para el Reino Unido en la medida en que exige una menor integración que la pertenencia al Espacio Económico Europeo pero, en cualquier caso, su bondad quedaría condicionada por al contenido de los acuerdos bilaterales que suscribiesen ambas partes. En el mismo sentido, cabe pronunciarse respecto a los Estados miembros de la Unión Europea.

C. Integración en una Unión Aduanera

La integración en una Unión Aduanera con la Unión Europea, similar al modelo que en la actualidad mantiene Turquía, podría ser otra alternativa teniendo en cuenta que:

- Las ventajas de esta opción son que el Reino Unido tendría acceso al mercado interior de la Unión Europea, por lo que a las mercancías se refiere sin que se aplicasen aranceles (si bien el acuerdo con Turquía solamente abarca productos específicos —agrícolas e industriales—).

- En contrapartida, el Reino Unido vendría obligado a respetar las normas aplicables a esos productos en la Unión Europea (normas sobre el origen de los productos, normas medioambientales y normas de competencia).

- Además el Reino Unido estaría obligado a imponer el mismo arancel aduanero que la Unión para los productos procedentes de fuera de la Unión Aduanera.

- Sin embargo, esta opción no abarcaría los servicios, por lo que los prestadores de servicios británicos verían impedido su acceso al mercado interior y tendrían que solicitar la autorización o licencia en cada uno de aquellos Estados donde quisiesen operar. Por el contrario, el Reino Unido podría regular su sector «servicios» con arreglo a sus propias normas.

- En relación al acceso a los mercados de terceros estados, el Reino Unido tendría que negociar sus propios acuerdos.
- Finalmente, el Reino Unido no tendría que contribuir al presupuesto de la Unión.

La integración en una Unión Aduanera con la Unión Europea no parece un buen acuerdo o negocio para el Reino Unido teniendo en cuenta el balance entre las ventajas e inconvenientes que para él representa. Para la Unión Europea, sin embargo, podría tratarse de un mal menor, pues le permitiría seguir contando con el acceso al mercado interior del que formaría parte el territorio del Reino Unido.

D. Negociación de un acuerdo bilateral de libre comercio

Otra posibilidad sería la negociación de un Acuerdo de Libre Comercio con la Unión Europea en el marco de la Organización Mundial del Comercio. Este acuerdo podría abarcar los bienes y servicios y permitiría eliminar algunas de las barreras comerciales. El ejemplo de referencia puede ser el acuerdo que la Unión Europea mantiene con Canadá (Acuerdo Económico y Comercial Global, AECG), que implica la apertura mutua de los mercados a los bienes, servicios e inversiones de la otra parte, e incorpora un Sistema de Tribunales de Inversiones para la resolución de litigios en materia de inversión entre inversores y Estados. Además, elimina prácticamente todos los aranceles en los intercambios comerciales entre ambas partes.

- Con esta opción, el Reino Unido quedaría vinculado por la legislación de la Unión Europea, en la medida pactada en el Acuerdo y en relación a las áreas acordadas por las partes, cuando sus productos fuesen importados en el mercado interior, ya que tendrían que cumplir con los estándares de la legislación de la Unión.
- Pero, a su vez, le permitiría adoptar sus propias leyes en esta materia fuera de lo pactado en el acuerdo.
- Probablemente, este acuerdo conllevaría importantes concesiones por parte del Reino Unido si quiere seguir manteniendo el acceso al mercado interior de sus bienes y servicios.

- Por otra parte, el modelo de acuerdo con Canadá no incluye todos los servicios.
- Finalmente, el Reino Unido no tendría que contribuir financieramente al presupuesto de la Unión.

En ausencia de un modelo mejor, el Acuerdo de Libre comercio podría constituir un buen acuerdo para las partes dependiendo, por supuesto, de su contenido.

E. Acuerdo multilateral negociado en el marco de la Organización Mundial del Comercio

Este modelo se organizaría bajo el régimen comercial que establecen las normas de la Organización Mundial del Comercio y que también son de aplicación al resto de países de la Unión Europea.

- Con su salida de la Unión Europea, el Reino Unido dejará de estar vinculado por los acuerdos negociados por la Comisión Europea en nombre de los Estados miembros en el seno de la Organización Mundial del Comercio.
- En ese caso, el Reino Unido estará obligado a negociar su nuevo estatuto y los acuerdos bilaterales con cada uno de los miembros de la OMC, no solo con la propia Unión Europea sino con potencias comerciales como Estados Unidos, Canadá, China, Japón, Australia o la India, con el esfuerzo e inconvenientes que todo ello conlleva.
- Perdería, así, la situación que actualmente tiene dentro de la OMC como Estado miembro de la Unión Europea.
- El acceso de sus bienes y servicios al mercado interior quedaría sujeto a las tarifas que la Unión Europea impone a los productos y servicios iguales o similares de otros Estados de la OMC.
- En este sentido, tendría que cumplir con los estándares del Derecho de la Unión con el fin de exportar sus bienes y servicios al mercado único.
- Del mismo modo, los bienes y servicios procedentes de empresas de la Unión que quisiesen acceder al mercado británico quedarían sujetos a los aranceles establecidos por el Reino Unido en el marco de la OMC.
- Por último se liberaría de cualquier contribución económica al presupuesto de la Unión Europea.

Este modelo no parece muy apropiado para ninguna de las dos partes. Considerando el modelo liberal que caracteriza la política económica del Reino Unido en materia comercial y los resultados alcanzados hasta la fecha en el seno de la Unión Europea, no solo a través del mercado interior sino, igualmente, mediante las negociaciones con terceros estados en el marco de la OMC desde la posición de una zona de integración económica, su permanencia en solitario significaría una vuelta atrás y un retroceso en el proceso de liberalización comercial tanto para el Reino Unido cuanto para la Unión Europea que tendrían que comenzar a negociar acuerdos bilaterales.

Capítulo 12

CONSECUENCIAS DE LA SALIDA DEL REINO UNIDO DE LA UNIÓN EUROPEA

I. PLANTEAMIENTO

II. CONSECUENCIAS DE LA RETIRADA DEL REINO UNIDO

    A. Aspectos políticos y económicos
    B. Cuestiones institucionales
    C. Frontereas terrestres, política exterior y de seguridad

III. IMPACTO EN EL MERCADO INTERIOR

    A. Libre circulación de mercancías y política comercial común
    B. Libre circulación de personas y trabajadores
    C. Libre prestación de servicios financieros
    D. La política de la libre competencia
    E. Protección de la propiedad intelectual
    F. La protección de datos
    G. Leyes laborales y fiscalidad

IV. EFECTOS EN EL ÁMBITO DE APLICACIÓN DEL DERECHO DE LA UNIÓN EUROPEA

    A. El Derecho de la Unión y su futura aplicación en el Reino Unido
    B. La resolución de conflictos transfronterizos

I. PLANTEAMIENTO

La salida del Reino Unido de la Unión Europea desencadenará consecuencias de carácter político, social y económico de gran calado. Resulta
evidente que el grado de integración alcanzado en el seno de la Unión durante más de cincuenta años y su efecto e influencia en todos los órdenes
de la vida y en la actividad de los ciudadanos y de las empresas representa
un logro muy importante que ha permitido ir más allá de los objetivos
planteados inicialmente. Por otra parte, no es menos cierto que todas estas
cuestiones no pueden desactivarse de la noche a la mañana, por lo que
resulta necesario alcanzar una solución pactada en la que las consecuencias negativas se minimicen y ambas partes puedan seguir manteniendo su
participación en aquellos aspectos que les benefician. Todo esto dependerá
del modelo que finalmente se adopte para regular las relaciones futuras
entre ambas partes.

El acceso al mercado interior con la aplicación de las libertades —
mercancías, personas, servicios y capitales—; la política comercial común
que aplican los Estados miembros y su participación en los foros internacionales con una sola voz; la contribución al presupuesto de la Unión; la
cooperación en los asuntos de Justicia e Interior con el resto de Estados
miembros; las políticas desarrolladas por la Unión Europea; la intervención en el proceso legislativo de adopción de las normas que configuran
el Derecho de la Unión y su aplicación —incluyendo el sometimiento a la
jurisdicción del Tribunal de Justicia—, serán cuestiones en las que ya no
participaría, o lo haría de forma parcial, el Reino Unido.

Cuestiones, todas ellas, reguladas por el Derecho de la Unión Europea,
ya sea de manera directa o mediante su incorporación en los ordenamientos jurídicos nacionales que, igualmente, dejarán de ser de aplicación en el
Reino Unido, si bien habrá que determinar su alcance con los problemas
prácticos que esta cuestión planteará, especialmente al Reino Unido, que
se verá abocado a legislar en aquellas materias en las que desee aplicar sus
propias leyes o aceptar la aplicación del Derecho de la Unión que ya tiene
incorporado en su ordenamiento jurídico interno.

La salida del Reino Unido tendrá pues un impacto importante en todos
los sectores de la actividad que forman parte del mercado interior, así como
en el marco jurídico aplicable a los mismos.

II. CONSECUENCIAS DE LA RETIRADA DEL REINO UNIDO

A. Aspectos políticos y económicos

A partir del 29 de marzo de 2019, salvo que a falta de acuerdo se establezca una prórroga por ambas partes, los tratados dejarán de aplicarse en el Reino Unido. Puede que entonces se haga necesaria alguna modificación de los mismos que se llevará a cabo de conformidad con lo previsto en el artículo 48 del TUE. Por lo que se refiere a los tratados internacionales bilaterales y multilaterales suscritos por la Unión Europea, hay que distinguir entre aquellos celebrados en el ámbito de las competencias exclusivas de la Unión y los denominados acuerdos mixtos, aquellos en cuya adopción han participado tanto la Unión Europea cuanto los estados miembros. Los primeros, dejarán de aplicarse en el Reino Unido a partir de su salida de la Unión mientras que los segundos seguirán siendo aplicables.

El Reino Unido es la quinta potencia económica a nivel mundial y la segunda en la Unión Europea, por detrás de Alemania, por consiguiente su contribución al presupuesto de la Unión no es nada desdeñable (en 2016, Reino Unido aportó al presupuesto de la UE 12 760 millones de euros). Además, es el tercer Estado miembro más poblado de la Unión, por lo que su participación en las instituciones comunitarias ha tenido durante estos años una gran transcendencia, en particular, impulsando las políticas de liberalización del comercio para la creación del mercado interior, fomentando las sucesivas ampliaciones que se han ido produciendo, y contribuyendo a fortalecer el rol de la Unión Europea en el mundo. Teniendo en cuenta estos factores, no es difícil concluir que la salida del Reino Unido de la Unión tendrá consecuencias políticas importantes.

A ello hay que añadir el posible efecto dominó que esta situación puede tener en el resto de los Estados miembros. Negociar con el Reino Unido un sistema que facilite su salida de la Unión y, al mismo tiempo, le permita beneficiarse de las ventajas que disfrutan los Estados miembros supondría un precedente no deseable que podrían hacer valer otros Estados deseosos de obtener un nuevo estatuto dentro de la Unión Europea con menores obligaciones de las que actualmente vienen asumiendo —en algunos países como Austria, Dinamarca o Suecia, los grupos euroescépticos ya se han planteado llevar a cabo referéndums sobre este tema—. Por este motivo, la Unión Europea debe evitar crear un precedente que haga fácil la salida de la Unión.

En el ínterin, es decir, durante la negociación del acuerdo, puede existir un conflicto de intereses puesto que el Reino Unido seguirá siendo miembro de pleno derecho hasta tanto se produzca su salida definitiva. Y en ese caso, cuando los intereses de la Unión Europea y los del Reino Unido durante la fase de negociación no sean coincidentes pueden plantearse conflictos en el proceso de toma de decisiones en las Instituciones de la Unión, especialmente en aquellos temas de calado que actualmente se están negociando; baste citar, como ejemplo, el Plan de acción sobre la Unión de los mercados de capitales en el seno de la Unión Europea o, en el ámbito exterior, la negociación del Tratado Transatlántico de Comercio e Inversiones TTIP que actualmente se tiene abierta con Estados Unidos.

Por otra parte, desde la perspectiva de los Estados miembros no cabe duda de que la posición de Alemania se verá reforzada con la salida británica con el recelo que esto genera en algunos países, especialmente los pequeños, que necesitarán unirse para alcanzar alianzas que les permitan hacer frente al predominio alemán. En este sentido, el papel del Reino Unido como contrapeso y oposición crítica ha sido muy importante durante estos años. Probablemente, una de las consecuencias inmediatas será que Alemania y Francia pretendan fortalecer la eurozona, una vez excluido el principal detractor de la misma, con el fin de evitar posibles contagios de otros Estados y como un signo de unidad o mayor integración en el seno de la Unión.

En fin, de cara al exterior, la salida del Reino Unido también tienen consecuencias políticas importantes porque supone una pérdida de poder e influencia a nivel mundial, teniendo en cuenta los lazos diplomáticos que mantiene con el resto del mundo y el papel preponderante que ha venido desarrollando en las relaciones exteriores, en particular, en las relaciones con Estados Unidos.

B. Cuestiones institucionales

La salida del Reino Unido comportará, igualmente, importantes cambios en las instituciones europeas en todos los escalafones; así aún está por ver el acuerdo definitivo que se adopta en relación a los cerca de 1 700 funcionarios británicos que desarrollan su actividad en las instituciones, órganos consultivos, financieros, interinstitucionales y agencias de la Unión Europea, ya que de conformidad con el artículo 49 del Estatuto de los funcionarios se exige la nacionalidad de un Estado miembro para poder desempeñar estas funciones. Por ello no es de extrañar que ante la incertidumbre que planea sobre esta cuestión se hayan producido ya las primeras adquisiciones de otra nacionalidad de la Unión Europea por parte de ciudadanos británicos.

Ahora bien, resulta evidente que los representantes británicos que forman parte del Parlamento Europeo, los jueces del Tribunal de Justicia y algunos de los altos funcionarios que se encuentran trabajando para las otras Instituciones de la Unión, tendrán que abandonar sus puestos. De este modo, los 73 diputados británicos que actualmente forman parte del Parlamento Europeo cesarán en sus funciones cuando se produzca la desconexión final, así como los 24 representantes en el Comité Económico y Social Europeo, los 18 representantes en el Comité de las Regiones y el comisario designado por el Reino Unido en la Comisión Europea. Del mismo modo, en el ámbito judicial, los dos jueces y la abogada general británicos también tendrán que cesar en sus funciones.

Finalmente, las dos agencias de la Unión Europea que hasta ahora tenían su sede en Londres ya han sido reubicadas, de acuerdo con la decisión que adoptó el Consejo de la Unión Europea, Consejo de Asuntos Generales (Art. 50) en su reunión del 20 de noviembre de 2017. Me refiero a la Agencia Europea del Medicamento, trasladada a Ámsterdam, y a la Autoridad Bancaria Europea, reubicada en París.

Por otra parte, la salida del Reino Unido provocará un cierto desequilibrio en las instituciones y en el proceso de toma de decisiones. Así, por ejemplo, en el Consejo de la Unión Europea, si tenemos en cuenta que, por lo general, ha venido alineándose con los países que defienden políticas más liberales —Alemania y los países del norte de Europa—, frente a los más proteccionistas —Francia y los países del sur, entre ellos, España— que ahora tendrán más peso político en las decisiones que se adopten en la Unión Europea.

Lo mismo sucederá en el Parlamento Europeo. Teniendo en cuenta que la mayoría de sus parlamentarios se integran en grupos políticos de centro derecha o euroescépticos, su salida podría fortalecer a los grupos socialdemócratas. En cualquier caso, todavía no existe una decisión respecto a los escaños que actualmente ocupan los parlamentarios del Reino Unido, si desaparecerán o se redistribuirán.

C. Fronteras terrestres, política exterior y de seguridad

Además hay dos cuestiones muy sensibles y de gran envergadura que van a exigir un acuerdo importante en las negociaciones entre ambas partes. Se trata de la frontera exterior en Irlanda, donde la zona que separa el Ulster y Eire podría convertirse de nuevo en zona fronteriza al objeto de controlar la inmigración o imponer tarifas aduaneras a los productos que atraviesen la misma.

Junto a ella, la frontera en Gibraltar no se verá especialmente afectada pues como territorio británico de ultramar en la actualidad no forma parte del espacio Schengen. Igualmente, queda excluido del territorio aduanero común y de la Política Comercial Común que caracteriza el territorio de la Unión Europea. En cualquier caso, el acuerdo que la Unión Europea y el Reino Unido alcancen respecto a Gibraltar requerirá el previo acuerdo España-Reino Unido.

También en materia de seguridad y defensa, la salida del Reino Unido de la Unión tendrá una repercusión incuestionable, teniendo en cuenta que el Reino Unido es la primera potencia militar de la Unión y que forma parte como miembro del Consejo de Seguridad de la ONU. Además, si no hay un acuerdo se corre el riesgo de que el Reino Unido quede fuera, igualmente, de Europol y de Eurojust. Como contrapartida, los Estados miembros verán incrementada su contribución a los gastos de defensa.

III.   IMPACTO EN EL MERCADO INTERIOR

A. Libre circulación de mercancías y política comercial común

Una de las consecuencias más nocivas del *Brexit* puede ser el descenso de las relaciones comerciales entre ambas partes que irá acompañado de un incremento de costes y barreras comerciales. De este modo, con la salida del Reino Unido de la Unión Europea los elementos esenciales que caracterizan el mercado interior dejarán de aplicarse, a saber, la participación británica en el arancel aduanero común y la política comercial común que aplica la Unión Europea de cara al exterior, así como la aplicación de las normas que prohíben el establecimiento de aranceles aduaneros a los intercambios comerciales entre el Reino Unido y la Unión Europea y la prohibición de restricciones cuantitativas. Asimismo, se producirá una disparidad en las legislaciones aplicables, es decir, una ausencia de armonización de las legislaciones nacionales por las que se regula el comercio intracomunitario.

Pues bien, todas estas cuestiones incidirán de manera directa y negativa en los futuros intercambios comerciales entre los Estados miembros y el Reino Unido, ya que tanto el establecimiento de aranceles por ambas partes cuanto el establecimiento de limitaciones cuantitativas a las importaciones y exportaciones, así como las diferencias en las legislaciones aplicables en el futuro a la producción y comercialización de bienes y servicios, constituirán barreras comerciales que dificultarán y encarecerán los intercambios comerciales entre ambas partes. Además, los diferentes estándares de seguridad que tendrán que cumplir los productos procedentes de la Unión

Europea para su exportación al Reino Unido, y viceversa, obligará a las empresas a duplicar sus sistemas de producción generando mayores costes que, finalmente, repercutirán en el consumidor final.

Por este motivo, el acceso al mercado único de forma recíproca es un tema crucial y, sin duda, ha de estar en la base de las negociaciones del modelo que se adopte para la posible era post-*Brexit*. Además, los compromisos que se alcancen han de tener en cuenta el equilibrio entre ambas partes, por lo que el acceso al mercado interior ha de hacerse compatible con las pretendidas limitaciones a la libre circulación de personas y de trabajadores de la Unión que el Reino Unido quiere imponer en su territorio. Por todo ello, el escenario más optimista que podría plantearse sería que el Reino Unido, tras abandonar la Unión Europea, se integrase en el EEE a través de la AELC.

En fin, desde la perspectiva de los intereses españoles hay que recordar que el volumen de exportaciones hacia el Reino Unido no es nada desdeñable, tanto en el comercio de bienes —por ejemplo, en el sector de los vehículos automóviles, maquinaria y aparato mecánico, productos farmacéuticos o textil—, cuanto en el sector servicios, destacando aqui, por encima de todos, el turismo, donde el mercado británico es uno de los más importantes (durante el año 2017 llegaron a España casi 18,8 millones de turistas británicos, un 6 % más que en el año anterior, lo que representa el 23 % del total de visitantes extranjeros recibidos en nuestro país), seguido de los servicios en el sector del transporte y los servicios financieros.

Por lo que se refierea la política comercial común, conviene precisar que la Unión Europea dispone de competencias plenas y exclusivas para la celebración de acuerdos multilaterales comerciales en el marco de la Organización Mundial del Comercio. En la actualidad cuenta con 52 acuerdos comerciales en vigor que dejarán de aplicarse al Reino Unido en el momento de su desconexión. Salvo que el acuerdo que finalmente se adopte pueda establecer algún tipo de vinculación con estos acuerdos, el Reino Unido se verá abocado a negociar nuevas alianzas comerciales con el resto de Estados, entre ellos, la Unión Europea. Y, en este caso, además, tendrán que ser ratificadas por los Parlamentos nacionales o regionales de los Estados miembros cuando incluyan aspectos relacionados con las inversiones extranjeras distintas de las directas y el régimen de arreglo de controversias entre los Estados y los inversores, tal y como puso de manifiesto el Tribunal de Justicia en su Dictamen 2/15 de 16 de mayo emitido de conformidad con el artículo 218 TFUE, apartado 11.

B. Libre circulación de personas y trabajadores

La salida del Reino Unido de la Unión Europea afectará de forma significativa a la libre circulación de personas y, lo que es más importante, a los derechos derivados de la ciudadanía de la Unión (derecho de residencia, no discriminación por razón de la nacionalidad, libre circulación de personas...). Teóricamente, esto supondrá la desaparición o, cuando menos, la limitación de este derecho en el territorio del Reino Unido para los ciudadanos de la Unión. Por otra parte, no hay que olvidar que este fue uno de los argumentos esgrimidos por los partidarios del «*vote leave*» con el fin de justificar el *Brexit*: la limitación de la libre circulación de personas en su territorio, pero sin que ello afectase al acceso al mercado interior.

Resulta interesante recordar que las autoridades británicas, previamente al anuncio del referendum sobre la permanencia del Reino Unido en la Unión Europea, ya habían planteando negociar el establecimiento de un periodo transitorio de hasta 7 años que permitiese limitar la libre circulación en su territorio, el llamado «*emergency brake*» que activarían en momentos delicados para su mercado laboral. Esta situación, sin embargo, no tendría carácter retroactivo porque los ciudadanos de la Unión que actualmente se encuentran residiendo y trabajando en el Reino Unido verían garantizados sus derechos como ciudadanos de la Unión. Por el contrario, las autoridades británicas pretendían que estas medidas no afectasen al acceso de sus empresas y nacionales al mercado único.

En este sentido, el ex primer ministro David Cameron ya había alcanzado un principio de acuerdo con la Unión Europea para limitar, en cierta medida, la libre circulación de personas en su territorio. En las Conclusiones del Consejo Europeo celebrado el 18 y 19 de febrero de 2016 se menciona el conjunto de disposiciones adoptadas con el fin de dar satisfacción a las cuestiones planteadas por el Gobierno del Reino Unido. Así, se decidió mediante la adopción de una decisión de los Jefes de Estado o de Gobierno reunidos en el seno del Consejo Europeo relativa a un nuevo régimen para el Reino Unido en la Unión Europea.

La sección D de la citada decisión, referida a las prestaciones sociales y libre circulación, dispone que la Comisión presentará sendas propuestas para modificar el Reglamento 883/2004 del Parlamento Europeo y del Consejo sobre la coordinación de los sistemas de seguridad social, y el Reglamento 492/2011 del Parlamento Europeo y del Consejo relativo a la libre circulación de los trabajadores dentro de la Unión. La idea era establecer un mecanismo de alerta y garantía que permitiese a los Estados miembros, previa notificación a la Comisión y al Consejo, acogerse al mismo alegando:

[…] *la existencia de esta situación excepcional en una escala que afecta a aspectos esenciales de su sistema de seguridad social, incluido el propósito primario de su sistema de prestaciones vinculadas al ejercicio de una actividad profesional, o que da lugar a dificultades graves y con probabilidades de persistir en su mercado laboral o que generan una presión excesiva para el funcionamiento adecuado de sus servicios públicos.*

El procedimiento a seguir sería el siguiente:

A propuesta de la Comisión, una vez estudiada la notificación y la motivación en ella expuesta, el Consejo podría autorizar al Estado miembro de que se trate a restringir en la medida necesaria el acceso a las prestaciones no contributivas vinculadas al ejercicio de una actividad profesional. El Consejo autorizaría a tal Estado miembro a limitar el acceso a las prestaciones no contributivas vinculadas al ejercicio de una actividad profesional de los trabajadores de la UE que lleguen por primera vez, durante un periodo total de hasta cuatro años desde el inicio del empleo. La limitación debería ser gradual, pasando de una exclusión inicial completa a un acceso progresivo a estas prestaciones para tener en cuenta la relación cada vez más sólida del trabajador con el mercado laboral del Estado miembro de acogida. La autorización tendría una duración limitada y se aplicaría durante un periodo de 7 años a los trabajadores de la UE que lleguen por primera vez.

Además, los Estados miembros se comprometían a adoptar una serie de medidas, entre ellas, una Declaración de la Comisión sobre cuestiones relacionadas con el abuso del derecho de libre circulación de personas que tenía por objeto limitar la entrada de ciudadanos de la Unión en otros Estados miembros. En primer lugar, se refería a los matrimonios donde se viesen implicados los ciudadanos de terceros Estados:

La Comisión tiene intención de adoptar una propuesta para complementar la Directiva 2004/38, relativa a la libre circulación de los ciudadanos de la Unión, con objeto de excluir del ámbito de aplicación de los derechos de libre circulación a los nacionales de terceros países que no hayan residido lícitamente en un Estado miembro antes de contraer matrimonio con un ciudadano de la Unión o que contraigan matrimonio con un ciudadano de la Unión solo después de que este haya establecido su residencia en el Estado miembro de acogida. En consecuencia, en tales casos, se aplicará al nacional de un tercer país la legislación en materia de inmigración del Estado miembro de acogida. Dicha propuesta se presentará una vez que surta efecto la Decisión mencionada.

Por lo que respecta a las situaciones de abuso en el contexto de la entrada y la residencia de familiares no pertenecientes a la Unión Europea de ciudadanos móviles de la Unión, las Conclusiones del Consejo establecían que la Comisión aclarará lo siguiente:

> • *Los Estados miembros podrán abordar casos concretos de abuso de los derechos de libre circulación por parte de ciudadanos de la Unión que retornen a su respectivo Estado miembro de nacionalidad con un familiar no perteneciente a la UE, en caso de que la residencia en el Estado miembro de acogida no haya sido lo bastante fidedigna como para generar o reforzar vida familiar y haya tenido por finalidad la elusión de la aplicación de las normas nacionales de inmigración.*
> • *El concepto de matrimonio de conveniencia —que no está protegido con arreglo al Derecho de la Unión— también abarca un matrimonio que se contraiga con el propósito de que un familiar que no sea nacional de un Estado miembro disfrute del derecho de residencia.*

Finalmente, en relación a la limitación a la libre circulación de personas por motivos de orden público o seguridad públicas, las Conclusiones del Consejo Europeo señalaban que:

> *La Comisión aclarará asimismo que los Estados miembros podrán tener en cuenta la conducta pasada de un individuo a la hora de determinar si la conducta de un ciudadano de la Unión plantea una amenaza «actual» para el orden o la seguridad públicos. Los Estados miembros podrán actuar por razones de orden público o de seguridad pública incluso en ausencia de una sentencia penal previa, por razones preventivas pero específicas del caso de que se trate. La Comisión clarificará asimismo las nociones de «motivos graves de orden público o seguridad pública» y «motivos imperiosos de seguridad pública». Además, con ocasión de la futura revisión de la Directiva 2004/38, relativa a la libre circulación de los ciudadanos de la Unión, la Comisión examinará los umbrales a los que están conexas tales nociones.*

Dichas aclaraciones tendrían que desarrollarse en una Comunicación en la que se establecerían las directrices sobre la aplicación de la legislación de la Unión en materia de libre circulación de los ciudadanos de la Unión.

Se mencionaba, por último, que todas estas disposiciones dejarían de existir si el resultado del referéndum en el Reino Unido fuese favorable a su salida de la Unión Europea como así sucedió.

Pues bien, resulta indudable que estos compromisos alcanzados en el seno del Consejo podrían constituir una base valiosa y sólida sobre la que edificar el posible acuerdo que regule las relaciones futuras entre el Reino Unido y la Unión Europea, porque el planteamiento que ahora se hace desde algunos sectores políticos del Reino Unido es similar al negociado en su día por Cameron en el Consejo Europeo.

Sin duda alguna, aceptar el establecimiento de un periodo transitorio durante el cual los Estados, en este caso, el Reino Unido, puedan limitar la entrada de ciudadanos de la Unión en su territorio con base a una situación excepcional cercenaría uno de los derechos fundamentales establecidos en el Tratado desde su origen, por lo que su aceptación ha de enmarcarse en el conjunto de derechos y obligaciones mutuas que las partes negocien y el nuevo marco de relaciones que puedan arbitrar. En cualquier caso, se trata de una medida que tiene fecha de caducidad y que tal vez podría ser de aplicación en el periodo transitorio hasta la completa desconexión del Reino Unido de la Unión Europea.

Por otra parte, estas medidas de salvaguardia no representan una novedad porque también se encuentran previstas en el Acuerdo Económico Europeo y en virtud de las mismas los Estados pueden adoptar medidas apropiadas cuando surjan graves dificultades económicas, societarias o medioambientales de carácter sectorial o regional y, probablemente, persistentes.

En cualquier caso, resulta evidente que el acuerdo que se alcance habrá de basarse en el principio de reciprocidad de tal forma que el tratamiento a los ciudadanos británicos en la Unión Europea sea igual o similar al que reciban los ciudadanos de la Unión en el Reino Unido. Y no solo para el periodo transitorio sino, igualmente, para el tiempo venidero al que se aplique el acuerdo.

En definitiva, a expensas de cuál sea el acuerdo que finalmente se alcance entre las partes, la perdida de la ciudadanía de la Unión por parte de los ciudadanos británicos implicará: su sometimiento al Sistema Europeo de Información y Autorización de Viajes (SEIAV); la aplicación de las leyes de extranjería que los países de la Unión aplican a los ciudadanos de terceros estados (incluyendo, por supuesto, a sus familiares); la no participación en las elecciones municipales y al Parlamento Europeo en el Estado miembro en el que tengan su residencia (sufragio activo y pasivo); la prohibición de circular libremente por el territorio de la Unión; la pérdida del derecho de petición al Parlamento Europeo; la imposibilidad de presentar quejas ante el Defensor del Pueblo Europeo; y la pérdida del derecho a la protección diplomática en un tercer Estado por parte de las representaciones diplomáticas y consulares de cualquier Estado miembro.

Sensu contrario, a los ciudadanos de la Unión que deseen viajar o permanecer en el Reino Unido, no les servirá el hecho de ser ciudadanos de la Unión sino que tendrán que estar al acuerdo alcanzado entre las partes y, en el peor de los casos, a lo que dispongan y establezcan las leyes británicas para ciudadanos de terceros estados.

1. Especial referencia a la libre circulación en el mundo académico

Las consecuencias negativas que puede representar la limitación del acceso al mercado interior en el ámbito de la libre circulación de estudiantes, investigadores y docentes afectarán a todos los centros universitarios de la Unión Europea pero, de manera especial, a los más destacados en este sector.

Como es bien sabido, algunos de los centros educativos del Reino Unido lideran los *rankings* internacionales y por este motivo constituyen un polo de atracción sin parangon en el mundo académico, con el consiguiente efecto llamada que tiene no solo sobre los investigadores y académicos sino también sobre los estudiantes de la Unión Europea que pretenden acceder a las universidades británicas. Dos de los centros más destacados, las Universidades de Oxford y Cambridge, acogen a un ingente número de estudiantes de todos los países del mundo y, por ende, de la Unión Europea, y se encuentran involucradas en el desarrollo de numerosos proyectos de investigación internacionales que llevan a cabo de forma colaborativa con otras universidades de la Unión y en programas europeos como el Horizon 2020 y el Erasmus.

Pues bien, el *Brexit* afectará de forma significativa el estatus de estos centros por cuestiones que pueden ir desde el aumento de tasas para cursar estudios, ya sean de grado, de postgrado o de doctorado (no olvidemos que actualmente, la mayoría de las universidades británicas establecen tasas diferentes para los ciudadanos de la Unión y los procedentes de terceros Estados) hasta las limitaciones de movilidad que dificultarán el desplazamiento de investigadores y docentes de otros Estados de la Unión Europea a sus universidades y viceversa. Actualmente, se estima que sobre el total de 73 billones de libras que cada año generan las universidades británicas en concepto de tasas, algo más de un 5 % correponde a estudiantes que proceden de los países de la Unión Europea. Además, este volumen de estudiantes que se desplazan al Reino Unido también generan de forma directa e indirecta puestos de trabajo.

Por otra parte, las universidades británicas dejarán de acceder a los fondos de la Unión Europea, tanto para fomentar la educación superior en sus universidades —lo que repercutirá de forma directa y negativa en los estudiantes más vulnerables desde el punto de vista económico—, cuanto para continuar las líneas de investigación que se vienen desarrollando hasta la fecha, ante la imposibilidad de contratar investigadores de otras universidades y de formalizar consorcios con otras universidades del continente para desarrollar estos proyectos.

En definitiva, perderán el atractivo que actualmente detentan para polarizar la atención de los más destacados investigadosres y académicos con el fin de desplazarse a trabajar e investigar en estos centros universitarios. El *Russell Group* —que agrupa a las 24 principales universidades británicas comprometidas con la excelencia en la investigación y en la docencia y aprendizaje— ya declaró en su día que el *Brexit* planteaba una gran incertidumbre al sector de las universidades que tiene implicaciones económicas relacionadas con la captación de fondos para la investigación, en las colaboraciones transnacionales con otras universidades o instituciones de la Unión, en la libre circulación de personas, o en la planificación del desarrollo del conocimiento.

Y así, como medida preventiva, al inicio de este proceso se ofreció para colaborar con el gobierno británico en la búsqueda de la mejor solución posible. Todo ello con el fin de preservar y garantizar la continuidad de lo que, acertadamente, han llegado a denominar «... *the wonderfull cosmopolitan community of scholars and students united in our commitment to education and research...*», pues, no olvidemos, que gran parte del éxito de este grupo ha venido propiciado por tres circunstancias que son: a) los intercambios que favorece la libre circulación de personas, en este caso, de talento; b) los fondos que la Unión Europea dispone para investigación; y c) la cooperación productiva que se ha llevado a cabo con universidades de otros Estados miembros. Cuestiones que, en principio, podrían desaparecer o, en el mejor de los casos, verse restringidas.

C. Libre prestación de servicios financieros

El sector financiero es uno de los más sensibles y, probablemente, uno de los más expuestos a las consecuencias del *Brexit*. Su impacto afectará a todos los países de la Unión y, especialmente, al mercado británico y a las empresas allí establecidas porque el Reino Unido es uno de los líderes en esta materia y Londres, como centro financiero por excelencia en Europa, acoge el mayor número de sucursales bancarias de otros Estados como sede central de operaciones para el resto de la Unión. De este modo, su salida de la Unión Europea supondrá un *handicap* desde el punto de vista económico porque, en cierta medida, va a perder este rol en beneficio de otros centros financieros importantes en Europa como Paris, Frankfurt, Amsterdam o Dublin, frente a los cuales Londres permanecería como el centro financiero *offshore*. Baste recordar en este sentido que, desde el 20 de noviembre de 2017 y por decisión del Consejo de la Unión Europea, la sede de la Autoridad Bancaria Europea ya no se encuentra en Londres, sino que ha sido trasladada a París.

Pues bien, en virtud del pasaporte único y el principio de reconocimiento mutuo, los prestadores de servicios financieros establecidos en el Reino Unido pueden operar en el resto de la Unión Europea. Con su salida de la Unión Europea, perderán este beneficio y tendrán que plantearse el establecimiento de su sede en otro Estado miembro si desean seguir accediendo al mercado interior de servicios financieros tal y como venían haciendo hasta ahora. De otro modo, las entidades que decidan seguir establecidas en el Reino Unido estarán sometidas a una legislación diferente y, cuando pretendan extender su actividad al resto de los países del continente, tendrán que obtener la pertinente autorización en cada uno de los Estados miembros. Del mismo modo, las compañías establecidas en la Unión Europea, que podían operar en el Reino Unido una vez obtenida la autorización preceptiva por parte de la autoridad supervisora en su Estado de origen, a partir de ahora se verán obligadas a solicitar un nuevo pasaporte para actuar en el mercado británico y someterse a su normativa que podrá ser, o no, equivalente a la aplicable en la Unión Europea.

No obstante, lo anteriormente expuesto quedaría sin efecto si, finalmente, se alcanzase un acuerdo en esta materia o si el modelo de relaciones futuras que se adopte fuese la integración del Reino Unido en el Espacio Económico Europeo a través de su pertenencia a la Asociación Europea de Libre Comercio.

Así pues, teniendo en cuenta que una gran parte de la normativa que regula el sector financiero procede del Derecho de la Unión, esta dejará de aplicarse en el Reino Unido que tendrá que buscar soluciones a la regulación de este sector en su territorio, con el consiguiente perjuicio para los prestadores de servicios establecidos en la Unión Europea. Además, aún permaneciendo como Estado parte en el Espacio Económico Europeo, el Reino Unido no podría intervenir en la futura regulación del sector en el seno de la Unión donde hasta ahora ha tenido una influencia decisiva.

Otro problema adicional que aparece en el horizonte es el relacionado con las modificaciones que se puedan producir en este sector durante el periodo transitorio que las partes han acordado (31 de diciembre de 2020) hasta la desconexión definitiva del Reino Unido, ya sea por la adopción de nuevas normas o por la incorporación de las directivas en las legislaciones nacionales de los Estados miembros. Será este, por tanto, un periodo complicado para el Reino Unido en cuanto a la adopción y aplicación de la legislación de la Unión y la incorporación en su derecho nacional, lo que afectará de forma directa a las empresas del sector que desarrollen su actividad en el mercado británico y, por extensión, en la Unión Europea.

D. La política de competencia

El derecho material interno del Reino Unido en materia de derecho de la competencia *(Competition Act 1998)* es similar al derecho de la competencia de la Unión Europea, por lo que es de esperar que no haya grandes cambios salvo que el Reino Unido decida adoptar sus propias normas en esta materia. En el mercado interior, por su parte, seguirán aplicandose las normas de Derecho de la competencia de la Unión que afectarán a las empresas británicas que desarrollen su actividad en el mismo. Esto significa que las empresas que operen tanto en los mercados británico cuanto de la Unión estarán sometidas a un doble régimen jurídico en esta materia.

Y así, cuando se produzca algún tipo de cartel o acuerdo entre empresas, situaciones de abuso de posición dominante, o fusiones entre empresas de carácter transnacional que afecten tanto al mercado del Reino Unido cuanto a una parte sustancial del mercado interior, podrá plantearse la existencia de investigaciones paralelas entre las autoridades encargadas de investigar y controlar estas cuestiones, la Comisión Europea por parte de la Unión Europea y la *Competition and Markets Authority* del Reino Unido, contrariamente a lo que ahora sucede.

En fin, en materia de ayudas de Estado, la legislación de la Unión Europea también dejará de aplicarse en el Reino Unido, por lo que a partir de ese momento el control recaerá únicamente en las autoridades británicas con base a su legislación interna. De nuevo, aquellas empresas establecidas en el Reino Unido pero que desarrollen su actividad en el mercado interior y hayan sido beneficiarias de una ayuda estatal con efecto intracomunitario, seguirán sometidas a las normas de la Unión Europea que regula esta materia.

E. Protección de la propiedad intelectual

En este ámbito se ha llevado a cabo una gran tarea de armonización de las legislaciones nacionales, por lo que una gran parte de la legislación que se aplica en el Reino Unido en materia de propiedad intelectual tiene su origen en los tratados internacionales y en el Derecho de la Unión Europea. Por ejemplo, el derecho de patentes tiene su origen en el Convenio Europeo de Patentes que garantiza la protección de las mismas en el territorio del Convenio (más amplio que el de la Unión Europea) mediante su presentación en la Oficina Europea de Patentes en Munich. Por consiguiente, el Reino Unido seguirá garantizando los derechos recíprocos en materia de protección de la propiedad intelectual asumidos en los tratados internacionales de los que sea parte.

A su vez, el registro de marcas, patentes o diseños a nivel nacional no sufrirá ninguna variación, pues quedarían protegidos en la medida en que el registro se lleve a cabo en la Oficina nacional del Reino Unido (*Intellectual Property Office*).

Sin embargo, el proceso de armonización de la patente de la Unión Europea y la creación del Tribunal Unificado de Patentes se verá afectado por el *Brexit* porque las empresas que operen en el Reino Unido no podrán participar en el proceso de obtención de una patente de la Unión Europea ni utilizar el Tribunal Unificado de Patentes viendose obligados a acudir a los diferentes tribunales nacionales con el fin de invocar la protección de una patente.

Además, todos aquellos derechos de propiedad intelectual ya garantizados con base a instrumentos de Derecho de la Unión Europea, por ejemplo, las marcas de la Unión Europea y los dibujos y modelos comunitarios, dejarán de aplicarse en el Reino Unido. En ese caso, salvo que se alcance un acuerdo al respecto, los titulares de los derechos así registrados tendrían que acudir ante la *Intellectual Property Office* con el fin de obtener la protección de esos derechos en el territorio del Reino Unido.

F. La protección de datos

En materia de protección de datos la *Data Protection Act 1998* tiene su origen en la incorporación de la Directiva 95/46/CE del Parlamento Europeo y del Consejo, de 24 de octubre de 1995, relativa a la protección de las personas físicas en lo que respecta al tratamiento de datos personales y a la libre circulación de estos datos.

Esta Directiva ha sido derogada por el Reglamento 2016/679 del Parlamento Europeo y del Consejo de 27 de abril de 2016 relativo a la protección de las personas físicas en lo que respecta al tratamiento de datos personales y a la libre circulación de estos datos (Reglamento general de protección de datos). Este instrumento, obligatorio en todos sus elementos y directamente aplicable en cada Estado miembro, también en el Reino Unido, entró en vigor el 25 de mayo de 2018 tal y como establecía su artículo 99.

Si, finalmente, no se alcanza un acuerdo en esta materia, y el Reino Unido no optase por su integración en el Espacio Económico Europeo, pasaría a ser considerado como un país tercero y su territorio dejaría de beneficiarse de la libre circulación de los datos personales que en la Unión no puede ser restringida ni prohibida por motivos relacionados con la protección de las personas físicas en lo que respecta al tratamiento de datos personales.

G. Leyes laborales y fiscalidad

Una gran parte del derecho laboral tiene su origen en las directivas de la Unión Europea que han sido incorporadas en los derechos nacionales de los Estados miembros. Aspectos y derechos tan importantes como el principio de no discriminación, el derecho a las vacaciones anuales retribuidas, la determinación de un salario mínimo, o del tiempo de trabajo, tienen su origen en el Derecho de la Unión.

La salida del Reino Unido de la Unión le permitirá no seguir aplicando estas normas y adoptar cambios legislativos sustanciales en esta materia que afectarán al derecho a la libre circulación de trabajadores, salvo acuerdo en contrario o su permanencia en el Espacio Económico Europeo.

Una de las principales consecuencias que generaría la aplicación de leyes laborales diferentes en la Unión Europea y en el Reino Unido sería la fragmentación de los mercados de trabajo entre ambas partes con la consiguiente disparidad de los costes laborales y de los derechos garantizados a los trabajadores que podría fomentar, como ya ha sucedido en otras ocasiones, la deslocalización de algunas empresas de la Unión Europea o viceversa.

Por lo que respecta a la fiscalidad, es este un sector que, salvo lo referente al IVA y los derechos de aduana, no se encuentra armonizado en el seno de la Unión Europea. Consecuentemente, los sistemas tributarios siguen siendo competencia de los estados miembros y no se verían afectados de forma sustancial por el *Brexit*. Sin embargo, sí que afectará a los grupos de empresas con filiales en el Reino Unido ya que la tributación de los pagos por dividendos, intereses o cánones que se lleven a cabo entre sociedades de un mismo grupo en el seno de la Unión Europea se producirá en origen contrariamente a lo que sucede ahora, en cuyo caso, salvo que el Reino Unido incorpore en su ordenamiento jurídico interno el contenido de las directivas aplicables en esta materia, habría que acudir a la aplicación de los convenios internacionales de doble imposición internacional.

IV. EFECTOS EN EL ÁMBITO DE APLICACIÓN DEL DERECHO DE LA UNIÓN EUROPEA

A. El Derecho de la Unión y su futura aplicación en el Reino Unido

Las implicaciones del *Brexit* en la aplicación del derecho de la Unión Europea en el Reino Unido también son importantes, pues como se ha expuesto anteriormente una gran parte del derecho que actualmente se aplica en el Reino Unido ha tenido su origen en las normas adoptadas en el seno de la Unión Europea. Recordemos que tanto el derecho originario (tratados) cuanto algunos instrumentos de derecho derivado (los reglamentos) son directamente aplicables en todos los Estados miembros y no requieren ningún tipo de medida legislativa nacional para implementar tales normas.

Consecuentemente, una vez producida su salida, el tratado dejará de aplicarse automáticamente en el Reino Unido. Igualmente, una parte de la legislación derivada que resulta directamente aplicable en todos los Estados miembros, es decir, los reglamentos, salvo que estos hubiesen sido incorporados en el Derecho inglés. No obstante, otra parte del derecho derivado, como las directivas que han sido objeto de incorporación en el derecho inglés continuarían en vigor hasta tanto sean modificadas o derogadas las mencionadas leyes. Además, como consecuencia del Acta de Adhesión firmada por el Reino Unido en el año 1972, se adoptaron numerosos instrumentos legales (*statutory instruments*) que, con la derogación de la mencionada acta, dejarían de ser aplicables salvo que su contenido se incorporase en el derecho inglés. Precisamente, la *Great Repeal Bill* será la que derogue el Acta de Adhesión a las Comunidades Europeas de 1972 e incorpore en su ordenamiento jurídico interno la legislación comunitaria que considere oportuna.

Por otra parte, en el ámbito del mercado interior la Unión Europea se ocupa de muy diversas políticas que han sido objeto de regulación en mayor o menor medida por el Derecho de la Unión y se aplican en los Estados miembros. Por consiguiente, todos los aspectos relacionados con estas políticas, que impregnan la vida política, económica y social de las empresas y ciudadanos de la Unión, se verán afectados con la salida del Reino Unido de la Unión Europea.

Por todo ello, el modelo que finalmente se elija para regir las relaciones futuras entre ambas partes determinará qué normas del derecho de la Unión van a seguir vigentes en el Reino Unido y cuales no. Esta circunstancia plantea dos cuestiones esenciales, de una parte, la influencia que la adopción de uno u otro modelo tendrá en las futuras relaciones comerciales entre ambas partes y, en especial, en todos los aspectos relacionados con el mercado interior y, de otra, la ingente tarea que tiene por delante el legislador británico con el fin de llevar a cabo las pertinentes derogaciones y adaptaciones de su derecho nacional a la nueva situación jurídica resultante tras las negociaciones con la Unión Europea.

Además, en el ámbito legislativo, y dependiendo del modelo que finalmente se adopte, las relaciones comerciales con la Unión y con los terceros

Estados también quedarán sujetas a la negociación y firma de nuevos acuerdos en el marco de la Organización Mundial del Comercio lo que representará un proceso legislativo arduo e intenso por parte del Reino Unido que puede durar varios años.

En fin, por lo que se refiere a la obligación de respetar las decisiones del Tribunal de Justicia de la Unión Europea parece evidente que los tribunales ingleses ya no se verán obligados por tales decisiones, dependiendo del acuerdo final que pueda alcanzarse. Pero, si finalmente se integrase en el Espacio Económico Europeo a través de la Asociación Europea de Libre Comercio, quedaría vinculado por las decisiones del Tribunal de la AELC.

B. La resolución de conflictos transfronterizos

Al igual que sucede en relación al derecho material, la Unión Europea ha adoptado numerosos instrumentos legislativos en materia de Derecho internacional privado. Con ello se consigue armonizar las normas de conflicto previstas en las legislaciones nacionales de los Estados miembros para determinar los tribunales competentes y la ley aplicable cuando se producen litigios privados conectados con diferentes ordenamientos jurídicos. Del mismo modo, se garantiza el reconocimiento y ejecución por los tribunales nacionales de las sentencias y decisiones dictadas en otro Estado miembro. Esto afecta a un gran número de materias —obligaciones contractuales y extracontractuales, procedimientos de insolvencia, derecho transfronterizo de familia, reclamaciones civiles y comerciales...

Con la salida del Reino Unido de la Unión, la derogación de estos instrumentos implicaría la aplicación de nuevas normas de conflicto por los tribunales ingleses lo que afectará a los ciudadanos y empresas en sus conflictos transnacionales y generará incertidumbre en relación a los tribunales competentes y la ley aplicable, al tiempo que hará más compleja la ejecución de sentencias dictadas por tribunales británicos en los países de la Unión y viceversa.

Ahora bien, estos efectos negativos quedarían minimizados si, finalmente, el Reino Unido se integrase en el Espacio Económico Europeo como miembro de la Asociación Europea de Libre Comercio. Otra posible solución, si bien parcial, sería que el Reino Unido sustituyese algunos de los reglamentos de la Unión Europea en materia de Derecho internacional privado por los Convenios y Protocolos adoptados en el seno de la Conferencia de La Haya de Derecho internacional privado de los que actualmente forma parte.

1. Competencia judicial internacional

Por lo que se refiere a la determinación de la competencia judicial internacional de los tribunales, el Reglamento Bruselas I bis (Reglamento 1215/2012 del Parlamento Europeo y del Consejo de 12 de diciembre de 2012 relativo a la competencia judicial, el reconocimiento y la ejecución de resoluciones judiciales en materia civil y mercantil) dejará de aplicarse por los tribunales ingleses. A su vez, los tribunales españoles tampoco lo aplicarán cuando el demandado se encuentre domiciliado en el Reino Unido, pues en esos casos el juez español aplicará las normas de conflicto establecidas en su legislación interna. Sin embargo, este principio general tiene sus excepciones cuando se trate de una competencia exclusiva; o se produzca la prórroga de la competencia en favor de un tribunal de un Estado miembro; o se trate de un contrato de consumo, o de un contrato individual de trabajo, porque en estos casos el domicilio del demandado es indiferente al objeto de determinar la competencia judicial internacional. .

Se pueden plantear aquí diversas soluciones: la primera, si el Reino Unido se convirtiese en miembro de la Asociación Europea de Libre Comercio se activaría su participación en el Convenio de Lugano (previa incorporación al mismo), muy similar en su contenido al Convenio de Bruselas, que regula las cuestiones de competencia judicial internacional y reconocimiento y ejecución de sentencias entre los Estados miembros de la Unión Europea y los de la Asociación Europea de Libre Comercio —Islandia, Noruega y Suiza (a excepción de Liechtenstein)—. En este caso, la situación no sería sustancialmente diferente a la que existe actualmente. La segunda, pasaría por aplicar entre el Reino Unido y la Unión Europea el Convenio de La Haya sobre acuerdos de elección de foro de 2005 que establece reglas uniformes sobre competencia y reconocimiento y ejecución de resoluciones judiciales extranjeras en materia civil o comercial. En fin, en ausencia de las soluciones antes señaladas, siempre quedaría la opción de negociar acuerdos bilaterales o multilaterales con otros estados en esta materia.

En relación al reconocimiento y ejecución de sentencias, las decisiones de los jueces y tribunales ingleses dejarán de ser directamente reconocidas en las jurisdicciones de la Unión Europea, teniendo en cuenta que en el Reglamento Bruselas I bis se contempla únicamente el reconocimiento recíproco entre decisiones adoptadas por los tribunales de los Estados miembros pero no de terceros Estados. También aquí, el Convenio de Lugano o el Convenio de La Haya sobre acuerdos de elección de foro de 2005 podrían favorecer una solución pues regulan no solo la competencia judicial internacional sino también el reconocimiento y ejecución de sentencias entre Estados miembros. En su defecto, la adopción de un acuerdo entre ambas partes que contemple la reciprocidad del reconocimiento directo de resoluciones judiciales podría ser la solución.

2. Ley aplicable

En materia de ley aplicable, dejarán de aplicarse el Reglamento Roma I (Reglamento 593/2008 del Parlamento Europeo y del Consejo de 17 de junio de 2008 sobre la ley aplicable a las obligaciones contractuales), y el Reglamento Roma II (Reglamento 864/2007 del Parlamento Europeo y del Consejo de 11 de julio de 2007 relativo a la ley aplicable a las obligaciones extracontractuales). En este caso, al no existir un instrumento similar al Convenio de Lugano tanto si el Reino Unido se convirtiese en miembro de la AELC como si no, sus tribunales tendrían que seguir aplicando las normas de conflicto vigentes en su territorio.

En este sentido, en materia de obligaciones contractuales, los tribunales ingleses aplicarán sus normas de conflicto del *Common law* bajo el Convenio de Roma sobre la ley aplicable a las obligaciones contractuales de 1980, que son muy similares a las previstas en el Reglamento Roma I, por lo que los cambios no serían sustanciales, si bien el Reglamento Roma I establece un régimen normativo más completo que el Convenio, por ejemplo, en materia de contratos de consumo o contratos de seguro. Por el contrario, cuando se tratase de determinar la ley aplicable a las obligaciones extracontractuales, el *Common law* difiere significativamente del Reglamento Roma II relativo a la ley aplicable a las obligaciones extracontractuales, por lo que, en ausencia de un Convenio aplicable a las obligaciones no contractuales, aplicará sus normas de conflicto internas, en este caso, las previstas en la *Miscellaneous Provisions Act 1995*. Por todo ello, la incorporación de los reglamentos Roma I y Roma II en el ordenamiento jurídico del Reino Unido podría ser la solución o, en su defecto, la adopción de un nuevo Convenio en materia de obligaciones no contractuales.

Por su parte, los tribunales de los Estados miembros seguirán aplicando los mencionados reglamentos sin que se vean afectados por la salida del Reino Unido de la Unión. Además, en materia de contratos y de obligaciones extracontractuales –al igual que sucede con los instrumentos que regulan las normas de conflicto en materia de separación y divorcio, de alimentos y de sucesiones- los reglamentos Roma I y Roma II prevén la posibilidad de designar como ley aplicable la de un Estado no miembro de la Unión Europea, lo que se denomina «carácter universal» del Reglamento. De este modo, la ley inglesa podrá ser la ley aplicable en cualesquiera de las materias antes designadas. Ahora bien, hay que tener en cuenta que existen excepciones a esta regla, por ejemplo, la aplicación de ciertas normas imperativas, el orden público, o la condición de que una situación se encuentre conectada con un Estado miembro.

3. Arbitraje comercial internacional

Finalmente, en el ámbito del reconocimiento y ejecución de laudos extranjeros no se producirá un impacto importante, teniendo en cuenta que los reglamentos de la Unión Europea en materia de competencia judicial internacional y ley aplicable no extienden su ámbito de aplicación al arbitraje y, así, por ejemplo, el reconocimiento y ejecución de sentencias arbitrales extranjeras se rige por el Convenio hecho en Nueva York el 10 de junio de 1958.

Empero, el *Brexit* si que puede afectar de forma significativa a la elección de la ley inglesa como ley aplicable al arbitraje, así como a la hegemonía que hasta ahora había venido manteniendo Londres como sede de los arbitrajes internacionales, especialmente en el sector marítimo. En este sentido, ya existen diversos proyectos de creación de tribunales arbitrales en otros países de la Unión que esperan recoger parte de los procedimientos de arbitraje que hasta ahora se venían desarrollando ante los tribunales arbitrales ingleses.

CRONOLOGÍA DE LA UNIÓN EUROPEA

1950

9 de mayo

Discurso de Robert Schuman, ministro francés de Asuntos Exteriores, en el que propone poner en común los recursos de carbón y de acero de Francia y de la República Federal de Alemania en una organización abierta a los demás países de Europa.

1951

18 de abril

Firma en París del Tratado constitutivo de la Comunidad Europea del Carbón y del Acero (CECA).

1952

23 de julio

Entra en vigor el Tratado CECA que tiene prevista una duración de cincuenta años.

1957

25 de marzo

Se firman en Roma de los Tratados constitutivos de la Comunidad Económica Europea (CEE) y del Euratom.

1958

1 de enero

Entran en vigor el Tratado CEE y el Tratado del Euratom.

1960

4 de enero

A iniciativa del Reino Unido tiene lugar la firma del Convenio de Estocolmo por el que se crea la Asociación Europea de Libre Comercio (AELC), del que forman parte varios Estados europeos que no pertenecen a la CEE.

1965

8 de abril	Firma del Tratado de Bruselas, por el que se fusionan los ejecutivos de las tres Comunidades y se constituye un Consejo y una Comisión únicos.

1967

1 de julio	Entra en vigor el Tratado de fusión o Tratado de Bruselas.

1968

1 de julio	Creación del Arancel Aduanero Común, tras la eliminación de los últimos derechos de aduana intracomunitarios para productos industriales.

1972

22 de enero	Se firman en Bruselas de los Tratados de Adhesión de los cuatro nuevos Estados miembros de la CEE (Dinamarca, Irlanda, Noruega y Reino Unido).

1973

1 de enero	La CEE se amplía a nueve Estados miembros con la entrada de Dinamarca, Irlanda y el Reino Unido. El resultado negativo del referéndum celebrado en Noruega impide que esta país entre a formar parte de la CEE.

1974

9 y 10 de diciembre	Cumbre de París de los Jefes de Estado o de Gobierno, donde acuerdan que el Consejo Europeo se reúna tres veces por año, proponen la elección del Parlamento Europeo por sufragio universal y deciden la creación del Fondo Europeo de Desarrollo Regional (FEDER).

1979

28 de mayo | Firma del Acta de adhesión de Grecia a la Comunidad Europea.

7 y 10 de junio | Tiene lugar la primera elección por sufragio universal del Parlamento Europeo mediante la designación de cuatrocientos diez miembros.

1981

1 de enero | Grecia entra en la Comunidad Europea, que pasa a contar con diez Estados miembros.

1985

12 de junio | Se lleva a cabo la firma de las Actas de adhesión de España y Portugal a las Comunidades Europeas.

1986

1 de enero | La Comunidad Europea se amplía a doce Estados miembros con la entrada de España y de Portugal.

17 y 28 de febrero | Se firma en Luxemburgo y en La Haya respectivamente el Acta Única Europea.

1987

1 de julio | Entrada en vigor el Acta Única Europea.

1990

19 de junio | Firma del Acuerdo de Schengen con el objetivo de eliminar los controles en las fronteras entre los países miembros de las Comunidades Europeas.

3 de octubre | Se produce la reunificación alemana.

1991

9 y 10 de diciembre   En el Consejo Europeo de Maastricht, se aprueba el Tratado de la Unión Europea.

1992

7 de febrero   Firma del Tratado de la Unión Europea en Maastricht.

1993

1 de enero   Establecimiento del mercado único.
1 de noviembre   Entra en vigor el Tratado de la Unión Europea.

1994

24 y 25 de junio   En el Consejo Europeo de Corfú, se firman las actas de adhesión a la Unión Europea de cuatro nuevos Estados: Austria, Finlandia, Noruega y Suecia.

1995

1 de enero   Austria, Finlandia y Suecia entran en la Unión Europea. No lo hace Noruega por el referéndum negativo de sus ciudadanos. La Unión Europea ya cuenta con quince Estados miembros.

1997

16 y 17 de junio   El Consejo Europeo de Ámsterdam aprueba un Tratado que confiere a la Unión Europea nuevas competencias.

2 de octubre   Se produce la firma del Tratado de Ámsterdam.

1999

1 de enero   Da inicio la tercera etapa de la UEM en la que participan once Estados miembros. Sus monedas nacionales desaparecen y en su lugar adoptan el euro, que se introduce en los mercados financieros. El Banco Central Europeo

(BCE) es a partir de ahora responsable de la política monetaria que se define y aplica en euros.

1 de mayo	Entra en vigor el Tratado de Ámsterdam.
3 y 4 de junio	Tiene lugar la cumbre Europea de Colonia en la que se adopta la decisión de confiar la redacción de una Carta de los Derechos Fundamentales a una convención compuesta de representantes de los jefes de Estado y de Gobierno y del presidente de la Comisión.

2000

7 y 8 de diciembre	El Consejo Europeo celebrado en Niza adopta el texto de un nuevo Tratado que reforma el sistema de adopción de decisiones de la Unión Europea con la perspectiva de la ampliación.

2001

26 de febrero	Firma del Tratado de Niza.

2002

1 de enero	Se ponen en circulación las monedas y billetes de euro.
13 de diciembre	En el Consejo Europeo de Copenhague, se acuerda la adhesión a la Unión Europea de diez países candidatos (República Checa, Estonia, Chipre, Letonia, Lituania, Hungría, Malta, Polonia, Eslovenia y Eslovaquia) el 1 de mayo de 2004; así como la adhesión de Bulgaria y Rumanía para 2007.

2003

1 de febrero	Entrada en vigor del Tratado de Niza.
16 de abril	Se firman en Atenas los Tratados de Adhesión de la República Checa, Estonia, Chipre, Letonia, Lituania, Hungría, Malta, Polonia, Eslovenia y Eslovaquia.
10 de julio	Concluyen los trabajos de la convención sobre el futuro de Europa y la adopción de un proyecto de Tratado Constitucional.

2004

1 de mayo	Se produce la adhesión a la Unión Europea de la República Checa, Estonia, Chipre, Letonia, Lituania, Hungría, Malta, Polonia, Eslovenia y Eslovaquia, que pasa a tener veinticinco Estados miembros.

2005

25 de abril	Se firman en Luxemburgo los Tratados de adhesión de Bulgaria y Rumanía.

2007

1 de enero	Bulgaria y Rumanía entran en la Unión Europea y Eslovenia adopta el euro.
19 de octubre	Los veintisiete Estados miembros acuerdan en Lisboa el texto del nuevo Tratado de Lisboa
13 de diciembre	Se firma en Lisboa el Tratado de Reforma de la Unión Europea que sucede al proyecto de Constitución tras su fracaso.

2008

1 de enero	Con la adopción de euro por Chipre y Malta, ya son quince los Estados miembros en los que circula la moneda única.
12 de junio	En Irlanda, se rechaza mediante referéndum la ratificación del Tratado de Lisboa.

2009

1 de enero	Eslovaquia se convierte en el país número dieciséis en adoptar el euro.
3 de octubre	Irlanda aprueba el Tratado de Lisboa en un segundo referéndum.
1 de diciembre	Entra en vigor el Tratado de Lisboa.

2011

1 de enero	Estonia adopta el euro como moneda convirtiéndose en el número dieciséis de la eurozona.
25 de marzo	Se acuerda la creación de un fondo de rescate a partir de 2013, el Mecanismo de Estabilidad Europeo.

2012

30 de enero	En la cumbre del Consejo Europeo todos los países de la Unión Europea acuerdan el nuevo Tratado de Estabilidad, Coordinación y Gobernanza en la Unión Económica y Monetaria, a excepción del Reino Unido y la República Checa.
2 de febrero	Se firma un Tratado para crear un Mecanismo Europeo de Estabilidad (MEDE).
1de abril	Se pone en marcha la iniciativa ciudadana que permite proponer iniciativas legislativas sobre temas específicos cuando cuente con el respaldo mínimo de un millón de ciudadanos de, al menos, una cuarta parte de los Estados miembros de la Unión Europea.
8 de octubre	Entra en vigor el Mecanismo Europeo de Estabilidad (MEDE) con el fin de garantizar la estabilidad financiera de la zona del euro.
18 y 19 de octubre	El Consejo Europeo acuerda la supervisión común de los bancos en la zona del euro.
10 de diciembre	La Unión Europea recibe el Premio Nobel de la Paz de 2012 en reconocimiento a su contribución a la promoción de la paz y la reconciliación, la democracia y los derechos humanos.
13 de diciembre	El Consejo Europeo decide crear el mecanismo único de supervisión para que el Banco Central Europeo pueda supervisar a los grandes bancos de la zona del euro. Se trata del primer paso hacia la consecución de una unión bancaria.

2013

1 de enero	Entra en vigor el Tratado de Estabilidad, Coordinación y Gobernanza en la Unión Económica y Monetaria.

1 de julio	Croacia se convierte en el Estado número veintiocho de la Unión Europea, que pasa a tener ahora veinticuatro lenguas oficiales.
15 de octubre	Se establece el primer pilar de la unión bancaria europea, mediante la adopción de normas para la creación de un mecanismo único de supervisión que controle los bancos y otras instituciones de crédito.
2 de diciembre	Entra en funcionamiento el Sistema Europeo de Vigilancia de Fronteras (Eurosur) para controlar la delincuencia transfronteriza, las muertes de inmigrantes en el mar y la inmigración ilegal.

2014

1 de enero	Letonia adopta el euro, pasando a ser el decimoctavo país de la eurozona.
22 y 25 de mayo	Celebración de elecciones europeas en todos los países de la Unión en las que se eligen 751 eurodiputados.
26 y 27 de junio	Se celebra el Consejo Europeo en el que se concede a Albania el estatuto de país candidato a la adhesión de la Unión Europea y se confirma que Lituania adoptará el euro en 2015.
18 de septiembre	Referéndum en Escocia sobre la independencia del Reino Unido. Vence el «no» con el 55,3 % de los votos en contra de la independencia.
22 de octubre	El Parlamento Europeo aprueba la constitución del nuevo colegio de veintisiete comisarios.
1 de noviembre	Entran en vigor las nuevas reglas de votación en el Consejo de Ministros establecidas en el Tratado de Lisboa. A partir de ahora, cualquier acto legislativo nuevo, para ser adoptado por mayoría cualificada, tiene que obtener la «doble mayoría» de los Estados miembros y de la población. De este modo, se sustituye el antiguo sistema en el que cada país tenía un número de votos asignado.
4 de noviembre	Entra en vigor el Mecanismo Único de Supervisión de los bancos, función que es asumida por el Banco Central Europeo junto con las autoridades nacionales.

2015

1 de enero	Lituania adopta el euro y pasa a ser el decimonoveno país de la eurozona.
7 de mayo	En las elecciones generales celebradas en el Reino Unido, el Partido Conservador obtiene la mayoría y confirma la celebración de un referéndum sobre la pertenencia a la Unión Europea antes de finales de 2017.
26 de junio	En el Consejo Europeo, se debate la situación en Grecia, la inmigración y el futuro referéndum en el Reino Unido.
5 de julio	En Grecia, se celebra un referéndum sobre las condiciones de un programa de apoyo propuesto conjuntamente por la Comisión Europea, el Fondo Monetario Internacional y el Banco Central Europeo obteniendo un resultado negativo.
20 de agosto	Se firma un memorándum de acuerdo entre la Unión Europea y Grecia con vistas a un programa de apoyo a la estabilidad.
15 de octubre	El Consejo Europeo analiza en Bruselas la crisis migratoria y de refugiados.
12 de noviembre	Cumbre sobre inmigración en la Valeta (Malta), donde los jefes de Estado y de Gobierno europeos y africanos reunidos acuerdan un plan de acción para reforzar la cooperación y hacer frente a los desafíos actuales.
29 de noviembre	Cumbre de los jefes de Estado y de Gobierno de la Unión Europea con Turquía para adoptar un plan de acción conjunto frente a la crisis de los refugiados sirios.
18 de diciembre	Se debaten en la reunión del Consejo en Bruselas las peticiones de reforma planteadas por el Reino Unido.

2016

18 y 19 de febrero	El Consejo Europeo decide sobre el nuevo encaje del Reino Unido en la Unión Europea. Acuerda que los países de la Unión Europea puedan limitar temporalmente algunos beneficios sociales a los migrantes y que se introduzcan garantías para reforzar la subsidiariedad. A

	su vez, el primer ministro, David Cameron, anuncia la celebración de un referéndum sobre la permanencia del Reino Unido en la Unión Europea para el 23 de junio de 2016.
23 de junio	Se celebra en el Reino Unido el anunciado referéndum sobre su permanencia en la Unión Europea con la victoria del «*leave*» por un 51,9 % frente al 48,1 % de los votos emitidos.
2 de octubre	La primera ministra británica, Theresa May, anuncia que el Reino Unido invocará el artículo 50 del TUE a finales de marzo de 2017.

2017

26 de enero	El Gobierno británico publica el proyecto de ley para invocar el artículo 50 y lo titula: «Proyecto de ley de la Unión Europea (Notificación para la retirada)».
29 de marzo	La Primera Ministra británica, Theresa May, firma la carta solicitando la activación del artículo 50 del Tratado de Lisboa. A partir de este momento se inician las negociaciones para su retirada de la Unión Europea y comienza a correr el plazo de dos años previsto en el Tratado para que el Reino Unido deje de formar parte de la Unión. Salvo que las partes decidan prorrogar dicho plazo, el mismo se cumplirá el 29 de marzo de 2019.
5 de abril	El Parlamento Europeo aprueba una resolución en la que se recogen los principios y condiciones para la aprobación del acuerdo de retirada del Reino Unido de la Unión Europeas.
29 de abril	El Consejo Europeo extraordinario en su composición UE-27, adopta las orientaciones para las negociaciones del *Brexit*.
22 de mayo	El Consejo de la Unión Europea, reunido en su composición UE-27, adopta una decisión por la que autoriza la apertura de las negociaciones sobre el *Brexit* y adopta las directrices de negociación, nombrando formalmente a la Comisión Europea negociadora de la Unión Europea y capitaneadas por Michel Barnier.

19 de junio	Se da inicio (primera ronda) a las negociaciones formales entre la Unión Europea y el Reino Unido conducentes a su salida de la Unión.
17 de julio	Da inicio la segunda ronda de negociaciones entre el Reino Unido y la Unión Europea.
28 de agosto	Inicio de la tercera ronda de negociaciones entre el reino Unido y la Unión Europea.
11 septiembre	El Parlamento británico (*House of Commons*) respalda la ley para abandonar la Unión Europea, la *Great Repeal Bill* o Ley de la Gran Derogación, que tendrá como objetivo anular la ley de 1972 por la que se autorizó en su momento el ingreso del Reino Unido en la Comunidad Europea.
25 de septiembre	apertura de la cuarta ronda de negociaciones entre el Reino Unido y la Unión Europea.
20 de noviembre	El Consejo de la Unión Europea reasigna las sedes de la Agencia Europea del Medicamento, que se traslada de Londres a Ámsterdam, y de la Autoridad Bancaria Europea, que se traslada de Londres a París.
15 de diciembre	Los Jefes de Estado y de Gobierno de la Unión Europea, en su composición UE-27, aceptan las bases para la salida del Reino Unido de la Unión Europea y acuerdan pasar a la segunda fase del *Brexit*.

2018

28 de febrero	La Comisión Europea publica un proyecto de acuerdo de retirada entre la Unión Europea y el Reino Unido en virtud del artículo 50 TCE.
22 de marzo	La Unión Europea y el Reino Unido acuerdan un periodo transitorio, hasta el 31 de diciembre de 2020, en el que se mantendrán los beneficios del mercado interior hasta que se alcance un acuerdo definitivo entre ambas partes.
19 de junio	La Comisión Europea y el Reino Unido publican una declaración conjunta exponiendo los avances realizados en las disposiciones del proyecto de Acuerdo de Retirada.

19 de julio   La Comisión Europea publica una Comunicación so-
                     bre la preparación de la retirada del Reino Unido de la
                     Unión Europea, instando a los Estados miembros y a los
                     agentes del sector privado a acelerar los preparativos.

JURISPRUDENCIA CITADA:
DECISIONES DEL TRIBUNAL DE JUSTICIA
DE LA UNIÓN EUROPEA

Sentencia del TJUE de 14 de diciembre de 1962, Asuntos acumulados 2/62 y 3/62, *Comisión c. Luxemburgo y Bélgica,* Rec. 1962, p. 425.

Sentencia del TJUE 5 de febrero de 1963, Asunto 26/62, *Van Gend en Loos,* Rec. 1963, p. 1.

Sentencia del TJUE de 15 de julio de 1963, Asunto 25/62, *Plaumann,* Rec. 1963, p. 95.

Sentencia del TJUE de 15 de julio de 1964, Asunto 6/64, *Costa c. ENEL,* Rec. 1964, p. 585.

Sentencia del TJUE de 10 de diciembre de 1968, Asunto 7/68, *Comisión c. Italia,* Rec. 1968, p. 423.

Sentencia del TJUE de 1 de julio de 1969, Asunto 24/68, *Comisión c. Italia,* Rec. 1969, p. 193.

Sentencia del TJUE de 12 de julio de 1973, Asunto 2/73, *Geddo c. Ente Nazionale Rissi,* Rec. 1973, p. 865.

Sentencia del TJUE de 6 de marzo de 1974, Asunto 6/73, *Commercial Solvents c. Comisión,* Rec. 1974, p. 223.

Sentencia del TJUE de 21 de junio de 1974, Asunto 2/74, *Reyners,* Rec. 1974, p. 631.

Sentencia del TJUE de 11 de julio de 1974, Asunto 8/74, *Dassonville,* Rec. 1974, p. 837.

Sentencia del TJUE de 3 de diciembre de 1974, Asunto 33/74, *Van Binsbergen,* Rec. 1974, p. 1299.

Sentencia del TJUE de 4 de diciembre de 1974, Asunto 41/74, *Van Duyn,* Rec. 1974, p. 1337.

Sentencia del TJUE de 12 de diciembre de 1974, Asunto 36/74, *Walrave*, Rec. 1974, p. 1405.

Sentencia del TJUE de 30 de septiembre de 1975, Asunto 32/75, *Cristini c. SNCF,* Rec. 1975, p. 1085.

Sentencia del TJUE de 8 de abril de 1976, Asunto, 43/75, *Defrenne c. Sabena,* Rec. 1976, p. 455.

Sentencia del TJUE de 14 de julio de 1976, Asunto 13/76, *Doná,* Rec. 1976, p. 1333.

Sentencia del TJUE de 22 de marzo de 1977, Asunto 78/76, *Steinike & Weinlig c. R.F. Alemania,* Rec. 1977, p. 595.

Sentencia del TJUE de 25 de mayo de 1977, Asunto 77/76, *Fratelli Cucchi c. Avez,* Rec. 1977, p. 987.

Sentencia del TJUE de 27 de octubre de 1977, Asunto 30/77, *Bouchereau,* Rec. 1977, p. 1999.

Sentencia del TJUE de 14 de febrero de 1978, Asunto 27/76, *United Brands c. Comisión*, Rec. 1976, p. 425.

Sentencia del TJUE de 9 de marzo de 1978, Asunto 106/77, *Simmenthal,* Rec. 1978, p. 629.

Sentencia del TJUE de 13 de febrero de 1979, Asunto 85/76, *Hoffmann-La Roche,* Rec. 1979, p. 461.

Sentencia del TJUE de 20 de febrero de 1979, Asunto 120/78, *Cassis de Dijon,* Rec. 1979, p. 649.

Sentencia del TJUE de 5 de abril de 1979, Asunto 148/78, *Ratti,* Rec. 1979, p. 1629.

Sentencia del TJUE de 14 de diciembre de 1979, Asunto 34/79, *Henn and Darby*, Rec. 1979, p. 3795.

Sentencia del TJUE de 27 de febrero de 1980, Asunto 168/78, *Comisión c. Francia*, Rec. 1980, p. 347.

Sentencia del TJUE de 17 de diciembre de 1980, Asunto 149/79, *Comisión c. Bélgica,* Rec. 1982, p. 1845.

Sentencia del TJUE de 19 de febrero de 1981, Asunto 130/80, *Kelderman,* Rec. 1981, p. 527

Sentencia del TJUE de 19 de enero de 1982, Asunto 8/81, *Becker,* Rec. 1982, p. 53.

Sentencia del TJUE de 4 de febrero de 1982, Asunto 817/79, *Buyl c. Comisión,* Rec. 1982 p. 245.

Sentencia del TJUE de 6 de octubre de 1982, Asunto 283/81, *CILFIT,* Rec. 1982, p. 3415.

Sentencia del TJUE de 24 de noviembre de 1982, Asunto 249/81, *Comisión c. Irlanda,* Rec. 1982, p. 4005.

Sentencia del TJUE de 8 de febrero de 1983, Asunto 124/81, *Comisión c. United Kingdom*, Rec. 1983, p. 203.

Sentencia del TJUE de 14 de julio de 1983, Asunto 174/82, *Sandoz BV,* Rec. 1983, p. 2445.

Sentencia del TJUE de 31 de enero de 1984, Asuntos 286/82 y 26/83, *Luisi-Carbone,* Rec. 1984, p. 377.

Sentencia del TJUE de 7 de noviembre de 1985, Asunto 145/83, *Stanley Adams,* Rec. 1985, p. 3539

Sentencia del TJUE de 26 de febrero de 1986, Asunto 152/84, *Marshall,* Rec. 1986, p. 723.

Sentencia del TJUE de 3 de junio de 1986, Asunto 307/84, *Comisión c. Francia,* Rec. 1986, p. 1725.

Sentencia del TJUE de 3 de julio de 1986, Asunto 66/85, *Lawrie-Blum,* Rec. 1986, p. 2121.

Sentencia del TJUE de 24 de febrero de 1987, Asunto 310/85, *Deufil,* Rec. 1987, p. 901.

Sentencia del TJUE de 15 de marzo de 1988, Asunto 147/86, *Comisión de las Comunidades Europeas contra República Helénica*, Rec. 1988, p. 1637.

Sentencia del TJUE de 2 de febrero de 1989, Asunto 186/87, *Cowan,* Rec. 1989, p. 195.

Sentencia del TJUE de 2 de febrero de 1989, Asunto 94/87, *Comisión c. Alemania,* Rec. 1989, p. 175.

Sentencia del TJUE de 31 de mayo de 1989, Asunto 344/87, *Bettray,* Rec. 1989, p. 1621.

Sentencia del TJUE de 13 de noviembre de 1990, Asunto C-106/89, *Marleasing,* Rec. 1990 p. I-4135.

Sentencia del TJUE de 26 de febrero de 1991, Asunto C-180/89, *Comisión c. Italia,* Rec. 1991 p. I-709.

Sentencia del TJUE de 7 de mayo de 1991, Asunto C-340/89, *Vlassopoulou,* Re. 1991, p. I-2357.

Sentencia del TJUE de 19 de noviembre de 1991, Asuntos acumulados C-6/90 y 9/90, *Francovich y Bonifaci,* Rec. 1991 p. I-5357.

Sentencia del TJUE de 10 de noviembre de 1992, Asunto C-156/91, **Hansa Fleisch**, Rec. 1992, p. I-05567.

Sentencia del TJUE de 24 de noviembre de 1993, Asuntos acumulados C-267/91 y C-268/91, *Keck y Mithouard,* Rec. 1993 p. I-6097.

Sentencia del TJUE de 9 de febrero de 1994, Asunto C-154/93, *Albertini,* Rec. 1994 p. I-451.

Sentencia del TJUE de 9 de febrero de 1994, Asunto C-319/92, *Haim,* Rec. 1994 p. I-425.

Sentencia del TJUE de 23 de febrero de 1994, Asunto C-419/92, *Ingetraut Scholz c. Opera Universitaria di Cagliari,* Rec. 1994, p. I-505.

Sentencia del TJUE de 15 de marzo de 1994, Asunto C-45/93, *Comisión c. España,* Rec. 1994, p. I-911.

Sentencia del TJUE de 24 de marzo de 1994, Asunto C-275/92, *Schindler,* Rec. 1994 p. I-1039.

Sentencia del TJUE de 17 de mayo de 1994, Asunto C-18/93, *Corsica Ferries,* Rec. 1994 p. I-1783.

Sentencia del TJUE de 18 de mayo de 1994, Asunto C-309/89, *Codorníu,* Rec. 1994, p. I-1853.

Sentencia del TJUE de 9 de agosto de 1994, Asunto C-406/93, *Reichling / INAMI*, Rec. 1994, p. I-04061.

Sentencia del Tribunal de Primera Instancia de 6 de octubre de 1994, Asunto T-83/91, *Tetra Pak International SA c. Comisión,* Rec. 1994 p. II-755.

Sentencia del TJUE de 23 de febrero de 1995, Asuntos acumulados C-358/93 y C-416/93, *Aldo Bordessa y otros,* Rec. 1995, p. I-361.

Sentencia del TJUE de 10 de mayo de 1995, Asunto C-384/93, *Alpine Investments,* Rec. 1995 p. I-1141.

Sentencia del TJUE de 29 de junio de 1995, Asunto C-391/92, *Comisión de las Comunidades Europeas c. República Helénica,* Rec. 1995 p. I-1621.

Sentencia del TJUE de 30 de noviembre de 1995, Asunto C-55/94, *Gebhard,* Rec. 1995, p. I-4165.

Sentencia del TJUE de 15 de diciembre de 1995, Asunto C-415/93, *Marc Bosman*, Rec. 1995, p. I-04921.

Sentencia del TJUE de 5 de marzo de 1996, Asuntos acumulados C-46/93 y 48/93, *Brasserie du pêcheur SA,* Rec. 1996, p. I-1029.

Sentencia del TJUE de 28 de marzo de 1996, Asunto C-129/94, *Ministerio Fiscal c. Rafael Ruiz Bernáldez,* Rec. 1996, p. I-1829.

Sentencia de 11 de julio de 1996, Asunto C-39/94, *Syndicat français de l'Express international (SFEI) y otros c. La Poste y otros,* Rec. 1996, p. I-3547.

Sentencia del TJUE de 14 de noviembre de 1996, asunto C-333/94 P, *Tetra Pak International SA,* Rec. 1996, p. I-5951.

Sentencia del TJUE de 14 de enero de 1997, Asunto C-169/95, *Reino de España c. Comisión de las Comunidades Europeas,* Rec. 1997, p. I-135.

Sentencia del TJUE de fecha 5 de junio de 1997, Asuntos acumulados C-64/96 y C-65/96, *Uecker y Jacquet*, Rec. 1997, p. I-3171.

Sentencia del TJUE de 9 de diciembre de 1997, Asunto C-265/95, *Comisión c. Francia,* Rec. 1997, p. I-06959.

Sentencia del TJUE de 5 de mayo de 1998, Asunto C-386/96 P, *Dreyfus c. Comisión,* Rec. 1998, p. I-2309.

Sentencia del TJUE de 19 de enero de 1999, Asunto C-348/96, *Calfa,* Rec. 1999, p. I-11.

Sentencia del TJUE del 8 de julio de 1999, Asunto C-234/97, *Fernández de Bobadilla,* Rec. 1999, p. I-4773.

Sentencia del TJUE de 19 de octubre de 2000, Asunto C-155/99, *Busolin and others,* Rec. 2000, p. I-09037.

Sentencia del Tribunal de Primera Instancia de 12 de diciembre de 2000, Asunto T-128/98, *Aéroports de Paris c. Comisión,* Rec. 2000 p. II-3929.

Sentencia del TJUE de 31 de mayo de 2001, Asunto C-43/99, *Leclere,* Rec. 2001, p. I-4265.

Sentencia del TJUE de 20 de septiembre de 2001, Asunto C-184/99, *Grzelczyk,* Rec. 2001, p. I-6193.

Sentencia del TJUE de 4 de junio de 2002, Asunto C-367/98, *Comisión c. Portugal,* Rec. 2002, p. I-4731.

Sentencia del TJUE de 11 de julio de 2002, Asunto C-60/00, *Carpenter,* Rec. 2002, p. I-6279.

Sentencia del TJUE de 11 de julio de 2002, Asunto C-224/98, *D'Hoop,* Rec. 2002, p. I-6191.

Sentencia del TJUE de 17 de septiembre de 2002, Asunto C-413/99, *Baumbast,* Rec. 2002, p. I-7091.

Sentencia del TJUE de 2 de octubre de 2003, Asunto C-148/02, *García Avello*, Rec. 2003, p. I-11613.

Sentencia del TJUE de 7 de septiembre de 2004, Asunto C-456/02, *Trojani,* Rec. 2004, p. I-7573.

Sentencia del TJUE de 5 de octubre de 2006, Asuntos acumulados C290/05 y C333/05, *Nádasdi y Németh,* Rec. 2006, p. I-10115.

Sentencia del TJUE de 10 de julio de 2008, Asunto C33/07, *Jipa,* Rec. 2008, p. I-5157.

Sentencia del TJUE de 14 de octubre de 2008, Asunto C-353/06. *Grunkin,* Rec. 2008, p. I-07639.

Sentencia del TJUE de 24 de marzo de 2011, Asunto C-375/10, *Comisión Europea contra Reino de España,* Rec. 2011, p. I-00041.

Sentencia del TJUE de 5 de mayo de 2011, Asunto C-434/09, *McCarthy,* Rec. 2011, p. I-3375.

Sentencia del TJUE de 24 de mayo de 2011, Asunto C-47/08, *Comisión contra Bélgica,* Rec. 2011, p. I-4105.

Sentencia del TJUE de 24 de mayo de 2011, Asunto C-50/08, *Comisión contra Francia,* Rec. 2011, p. I-4195.

Sentencia del TJUE de 24 de mayo de 2011, Asunto C-51/08, *Comisión contra Luxemburgo,* Rec. 2011, p. I-4231.

Sentencia del TJUE de 24 de mayo de 2011, Asunto C-53/08, *Comisión contra Austria,* Rec. 2011, p. I-4309.

Sentencia del TJUE de 24 de mayo de 2011, Asunto C-54/08, *Comisión contra Alemania,* Rec. 2011, p. I-4355.

Sentencia del TJUE de 24 de mayo de 2011, Asunto C-61/08, *Comisión contra Grecia,* Rec. 2011, p. I-4399.

Sentencia del TJUE de 15 de noviembre de 2011, Asunto C-256/11, *Dereci y otros,* Rec. 2011, p. I-11315.

Sentencia del TJUE de 17 de noviembre de 2011, Asunto C-434/10, *Petar Aladzhov,* Rec. 2011, p. I-11659.

Sentencia del TJUEde 8 de diciembre de 2011, Asunto C-272/09, *KME Germany AG, KME France SAS y KME Italy SpA contra Comisión Europea*, Rec. 2011, p. I-12789.

Sentencia del TJUE de 26 de abril de 2012, Asunto C-456/10, *ANETT,* ECLI: EU: C: 2012: 241.

Sentencia del TJUE de 12 de julio de 2012, Asuntos acumulados C55/11, C57/11 y C58/11, *Vodafone España and France Telecom España,* ECLI: EU: C: 2012: 446.

Sentencia del TJUE de 8 de mayo de 2013, Asunto C-87/12, *Kreshnik Ymeraga y otros,* ECLI: EU: C: 2013: 291.

Sentencia del TJUE de 10 de octubre de 2013, Asunto C-86/12, *Alokpa y otros,* ECLI: EU: C: 2013:645.

Sentencia del TJUE de 16 de enero de 2014, Asunto C-378/12, *Onuekwere,* ECLI: EU: C: 2014: 13.

Sentencia del TJUE de 13 de marzo de 2014, Asunto C-155/13, *SIESC and others,* ECLI: EU: C: 2014: 145.

Sentencia del Tribunal General de 3 de julio de 2014, Asuntos acumulados T319/12 y T321/12, *Reino de España y otros contra Comisión Europea*, ECLI: EU: T: 2014: 604.

Sentencia del TJUE de 10 de septiembre de 2014, Asunto C-270/13, *Haralambidis*, ECLI: EU: C: 2014: 2185.

Sentencia del TJUE de 11 de diciembre de 2014, Asunto C-576/13, *Comisión Europea contra Reino de España,* ECLI: EU: C: 2014: 2430

Sentencia del TJUE de 18 de diciembre de 2014, Asunto C-202/13, *McCarthy and others*, ECLI: EU: C: 2014: 2450.

Sentencia del TJUE del 6 de octubre de 2015, Asunto C-298/14, *Brouillard* ECLI: EU: C: 2015: 652.

Sentencia del TJUE de 14 de diciembre de 2016, Asunto C-238/15, *Bragança Linares Verruga and others,* ECLI: EU: C: 2016: 949.

Sentencia del TJUE de 15 de diciembre de 2016, Asunto acumulados C-401/15 a C-403/15, *Depesme and Kerrou,* ECLI: EU: C: 2016: 955

Sentencia del TJUE de 9 de marzo de 2017, Asunto C-342/15, *Piringer,* ECLI: EU: C: 2017: 196.

Dictamen 2/15 de 16 de mayo de 2017, emitido con arreglo al artículo 218 TFUE, apartado 11 - Acuerdo de Libre Comercio entre la Unión Europea y la República de Singapur, ECLI: EU: C: 2017: 376

Sentencia del TJUE de 18 de mayo de 2017, Asunto C-99/16, *Lahorgue,* CLI: EU: C: 2017: 391.

Sentencia del TJUE de 8 de junio de 2017, Asunto C-541/15, *Freitag,* ECLI: EU: C: 2017: 432.

Sentencia del TJUE de 13 de julio de 2017, Asunto C-193/16, *E,* ECLI: EU: C: 2017: 542.

Sentencia del TJUE de 16 de enero de 2018, Asunto C-240/17, *E* ECLI: EU: C: 2018: 8.

Sentencia del TJUE de 15 de marzo de 2018, Asunto C-575/16, *Comisión Europea contra República Checa*, ECLI: EU: C: 2018: 186.

Sentencia del TJUE de 31 de mayo de 2018, Asunto C-190/17, *Lu Zheng*, ECLI: EU: C: 2018: 357.

BIBLIOGRAFÍA DE REFERENCIA

UNIÓN EUROPEA

Alcaide Fernández, J. y Casado Raigón, R. (Coords.), *Curso de Derecho de la Unión Europea*, 2.ª ed., Tecnos, 2014.

Barbato, J. C., Petit, Y., (Dirs.) *L'Union européenne, une fédération plurinationale en devenir?*, Bruylant, Bruxelles, 2015.

Barbé Izuel, E. (Dir.), *La Unión Europea en las relaciones internacionales*, Tecnos, Madrid, 2014.

Barnard, C., *The substantive Law of the EU: The four freedoms,* 5.ª ed., Oxford University Press, Oxford, 2016.

Beneyto Pérez, J. M., Maillo González-Orús, J., y Becerril Atienza, B. (Coords.), *Tratado de Derecho y Políticas de la Unión Europea* (7 vols.), Aranzadi, Pamplona, 2009-2016.

Bou Franch, V. (Dir.), *Introducción al Derecho de la Unión Europea*, Aranzadi, Pamplona, 2014.

Cavallari, C., *Compendio di diritto dell'Unione Europea. Aspetti istituzionali e politiche UE,* Neldiritto Editore, Roma, 2016.

Chalmers, D., Davies, G., and Monti, G., *EU Law. Cases and Materials,* Cambridge University Press, Cambridge, 2014.

Clergerie, J. L., Gruber A., Rambaud, P., *L'Union européenne,* 11.ª ed., Dalloz, Paris, 2016.

Guéguen, D., Marissen, V., *Le nouveau guide pratique du labyrinthe communautaire: tout comprendre des institutions européennes, structures, pouvoirs, procédures, par l'exemple, le schéma, la synthèse,* PACT European Affairs: Europolitics, Bruxelles, 2015.

Gutiérrez Espada, C, Cervell Hortal, M. J., y Piernas López, J. J., *La Unión Europea y su Derecho*, 2.ª ed., Trotta, Madrid, 2015.

Kenealy, D., Peterson, J., and Corbett, R., (Eds.) *The European Union: How does it work?*, 4th ed. Oxford University Press, Oxford, 2015.

Mangas Martín, A., y Liñán Nogueras, D., *Instituciones y Derecho de la Unión Europea*, 9.ª ed., Tecnos, Madrid, 2017.

Molina del Pozo, C. F., *Derecho de la Unión Europea*, 2.ª ed., Reus, Madrid, 2015.

Nasarre E. (coord.), Aldecoa Lizárraga, F. (coord.) Benedicto Solsona, M.A. (coord.), *Europa como tarea a los sesenta años de los Tratados de Roma y a los setenta del Congreso de Europa de La Haya*, Marcial Pons, Madrid, 2018

Parisi, N., Petralia, V., *Elementi di diritto dell'Unione Europea. Un ente di governo per stati e individui,* Mondadori Università, Milano, 2016.

Petersen, J., and Shackleton, M. (Eds), *The Institutions of the European Union,* 4.ª ed., Oxford University Press, Oxford, 2017.

Pinder, J. and Usherwood, S., *The European Union: A very short introduction,* 4.ª ed., Oxford University Press, Oxford, 2018.

Quermonne, J. L., *Le système politique de l'Union européenne: des communautés économiques à l'Union politique,* 9.ª ed., Montchrestien, Paris, 2015.

Rhattat, R., *L'essentiel du droit et des politiques de l'Union européenne,* Gualino, Lextenso, Issy-les-Moulineaux, 2015.

Thürer, D., Marro, P. Y., *Intégration européenne: idées et alternatives,* Pedone, Paris, 2015.

Truyol Serra, A., *La Integración Europea,* Tecnos, Madrid, 1999.

Weatherill, S. R., *Cases and Materials on EU Law,* 12.ª ed. Oxford University Press, Oxford, 2016.

BREXIT

Alexander, K.; Barnard, C.; Ferran, E.; Lang, A.; Moloney, N.; *Brexit and financial services: law and policy,* Hart Publishing, London, 2018.

Birkinshaw, P., and Biondi, A., *Britain alone!: the implications and consequences of United Kingdom exit from the EU,* Kluwer Law International, The Netherlands, 2016.

Buckle, R., *Brexit: directions for Britain outside the EU,* Institute of Economic Affairs, London, 2015.

Burrage, M., *The Eurosceptic's handbook : 50 live issues in the Brexit debate,* Civitas, London, 2016.

Cameron, S. (ed.), *Brexit: likely legal consequences,* Cecile Park Publishing Limited, London, 2016.

Dushenski, L., *CEPLER 2015 national essay competition winning entry: A 'brexit' would be a serious threat to London as the centre of globalized legal services,* University of Birmingham, 2015.

Finn, M.; *British Universities in the Brexit Moment: Political, Economic and Cultural Implications,* Emerald Publishing Limited, Bingley, 2018.

Klos, F., *Churchill on Europe. The untold Story of Churchill's European Project,* I.B. Tauris, London, 2016.

Liddle, R., *The risk of BREXIT: Britain and Europe in 2015,* Rowman & Littlefield International, Ltd., London, 2015.

Lindsell, J., *Softening the blow: who gains from the EU and how they can survive Brexit*, Civitas, Institute for the Study of Civil Society, London, 2014.

MacShane, D., *Brexit: how Britain will leave Europe*, I.B. Tauris, London, 2015.

Oliver, T.; *Europe's Brexit : EU perspectives on Britain's vote to leave,* Agenda Publishing, Newcastle upon Tyne, 2018.

Ottaviano, G. I. P., Pessoa, J. P., Sampson, T., and Van Reenen, J., *Brexit or Fixit? the trade and welfare effects of leaving the European Union,* The London School of Economics and Political Science, Centre of Economic Performance, 2014.

PÁGINAS WEB

Declaración de Robert Schuman:
https://www.robert-schuman.eu/es/doc/questions-d-europe/qe-204-es.pdf

Acuerdo sobre el Espacio Económico Europeo:
https://eur-lex.europa.eu/legal-content/ES/TXT/?uri=LEGIS-SUM%3Aem0024

Lenguas oficiales de la Unión Europea:
https://europa.eu/european-union/abouteuropa/language-policy_es

Grupos políticos en el Parlamento Europeo:
http://www.europarl.europa.eu/meps/es/crosstable.html

El derecho de petición ante el Parlamento Europeo:
www.europarl.europa.eu/ftu/pdf/es/FTU_4.1.4.p

Formación del Consejo de la Unión Europea:
http://www.consilium.europa.eu/es/council-eu/configurations

Presidencia rotatoria de la Unión Europea:
http://www.consilium.europa.eu/es/council-eu/presidency-council-eu

El Consejo Europeo:
http://www.consilium.europa.eu/es/european-council/

La Alta representante de la Unión para asuntos exteriores y política de seguridad:
https://eur-lex.europa.eu/legal-content/ES/TXT/?uri=LEGIS-SUM%3Aai0009

La Comisión Europea
https://ec.europa.eu/commission/index_es

Direcciones generales de la Comisión Europea:
https://ec.europa.eu/info/about-european-commission/organisational-structure_es

El Tribunal de Justicia de la Unión Europea:
https://curia.europa.eu/jcms/jcms/index.html

Otras instituciones y organismos interinstitucionales de la Unión Europea:
https://europa.eu/european-union/about-eu/institutions-bodies_es

El Espacio Schengen:
https://ec.europa.eu/home-affairs/what-we-do/policies/borders-and-visas/
schengen_en

El Eurogrupo:
www.consilium.europa.eu/es/council-eu/eurogroup

La zona euro:
https://www.ecb.europa.eu/euro/intro/html/map.es.html

Eurojust:
http://www.eurojust.europa.eu/Pages/languages/es.aspx

Europol:
https://www.europol.europa.eu/

El GATT y la OMC:
https://www.wto.org

Brexit, **Consejo Europeo, Consejo de la Unión Europea:**
http://www.consilium.europa.eu/es/policies/eu-uk-after-referendum/

Brexit, **European Commission:**
https://ec.europa.eu/info/brexit_en

UK Government, Department for Exiting the European Union:
https://www.gov.uk/government/organisations/department-for-exting-the-
european-union

Brexit UK Gov
https://www.gov.uk/world/brexit-ireland

Brexit and UK universities
https://www.universitiesuk.ac.uk/policy-and-analysis/brexit